#수능공략
#단기간 학습

수능전략
영어 영역

Chunjae
Makes
Chunjae

▼

[수능전략] 영어 영역 독해 150

편집개발 김미혜, 고명희, 정혜숙, 최미래
디자인총괄 김희정
표지디자인 윤순미, 심지영
내지디자인 박희춘, 안정승
제작 황성진, 조규영

발행일 2022년 1월 15일 초판 2022년 1월 15일 1쇄
발행인 (주)천재교육
주소 서울시 금천구 가산로9길 54
신고번호 제2001-000018호
고객센터 1577-0902
교재 내용문의 (02)3282-8834

※ 정답 분실 시에는 천재교육 교재 홈페이지에서 내려받으세요.

수능전략

영·어·영·역

독해 150

BOOK 1

BOOK 1
1주, 2주

BOOK 2
1주, 2주

BOOK 3
정답과 해설

본책인 BOOK 1과 BOOK 2의 구성은 아래와 같습니다.

주 도입

본격적인 학습에 앞서, 재미있는 만화를
살펴보며 이번 주에 학습할 내용을 확인해
봅니다.

1일

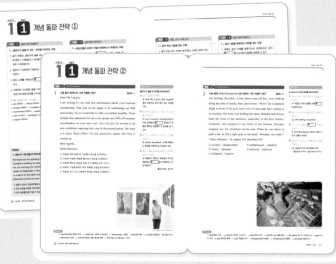

개념 돌파 전략
수능 영어 영역을 대비하기 위해 꼭 알아야 할
독해 유형을 익힌 뒤, 간단한 문제를 풀며 유형 개념을
잘 이해했는지 확인해 봅니다.

2일, 3일

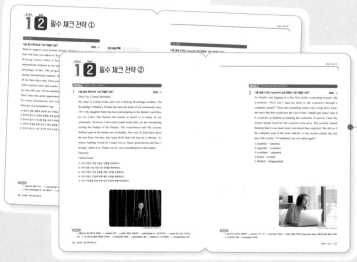

필수 체크 전략
기출 문제에서 선별한 대표 유형 문제와 추가 문제를
풀며 문제에 접근하는 과정과 해결 전략을 체계적으로
익혀 봅니다.

부록 수능에 꼭 나오는 필수 유형 ZIP

본 책에서 다룬 대표 유형과 그 해결 전략을 집중적으로
연습할 수 있도록 권두 부록을 구성했습니다.
부록을 뜯으면 미니북으로 활용할 수 있습니다.

주 마무리 코너

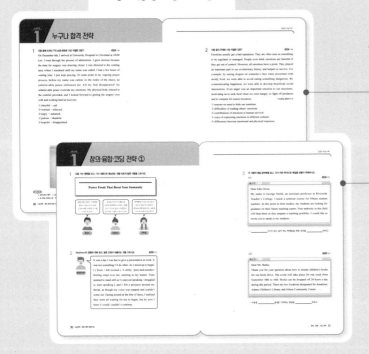

누구나 합격 전략
난이도가 낮은 기출 문제를 풀며
학습 자신감을 높일 수 있습니다.

창의·융합·코딩 전략
수능에서 요구하는 융복합적 사고력과
문제 해결력을 기를 수 있는 재미있는
문제를 풀어 봅니다.

권 마무리 코너

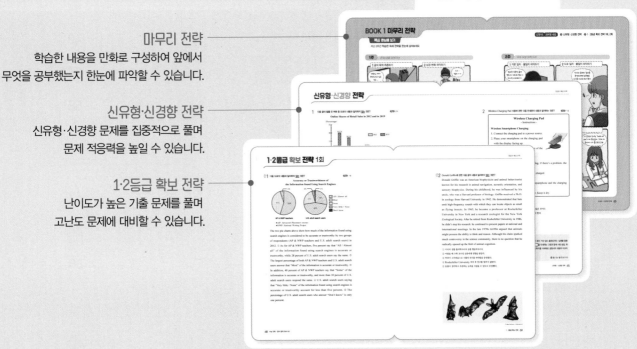

마무리 전략
학습한 내용을 만화로 구성하여 앞에서
무엇을 공부했는지 한눈에 파악할 수 있습니다.

신유형·신경향 전략
신유형·신경향 문제를 집중적으로 풀며
문제 적응력을 높일 수 있습니다.

1·2등급 확보 전략
난이도가 높은 기출 문제를 풀며
고난도 문제에 대비할 수 있습니다.

이 책의 차례

BOOK 1

<수능전략 영어 영역 독해 150>은
장문독해 유형(41~45번)을 제외한
나머지 독해 유형 전체를 다룹니다.
'150'은 이 유형들의 독해 지문 평균
어휘 수를 의미합니다.

BOOK 2

파이팅!!

1 전체 내용 파악하기

개념 돌파 전략 ①

유형 01 글의 목적 추론하기

↳ 글쓴이가 글을 쓴 의도 · 목적을 파악하는 유형

1 글의 유형과, 글쓴이와 글을 읽는 대상 간의 관계를 파악한다. 이메일이나 안내문이 지문으로 출제되는 경우가 대부분이다.

2 글쓴이가 반복하여 언급하는 중심 ❶□□□□를 파악한다.

3 중심 소재를 바탕으로 ❷□□□가 바라는 바를 찾는다.

4 의례적인 인사말로 글을 시작한 뒤, 흐름을 전환하여 글쓴이의 본래 목적을 드러내는 경우가 많다.

목적을 나타내는 여러 가지 표현

- ask 요청하다 ● inform 공지하다 ● introduce 소개하다
- change 변경하다 ● complain 항의하다
- recommend 추천하다 ● appreciate 감사하다
- warn 경고하다 ● apologize 사과하다
- suggest 제안하다

답 ❶ 소재 ❷ 글쓴이

유형 02 심경 변화 파악하기

↳ 등장인물의 감정이 어떻게 변화하는지 추론하는 유형

1 시간 · 공간적 배경과 ❶□□□□이 처한 상황을 통해 초반 심경을 파악한다.

2 이야기의 ❷□□□이 전환되는 부분을 찾아 등장인물의 후반 심경을 파악한다.

3 감정이나 동작 묘사 표현, 흐름을 전환하는 부사(구) · 접속사에 유의한다.

심경을 나타내는 표현으로 자주 나오는 어휘

- relieved 안심하는 ● confident 자신감 있는
- thrilled 흥분한 ● grateful 감사하는 ● touched 감명 깊은
- desperate 절박한 ● annoyed 짜증이 난
- ashamed 부끄러운 ● frustrated 좌절감을 느끼는
- frightened 겁먹은 ● discouraged 낙담한

흐름을 전환하는 부사(구)나 접속사

- suddenly 갑자기 ● however 그러나
- at that time 바로 그때 ● soon 곧 ● then 그때

등장인물의 심경은 글의 분위기와도 관련이 있다는 점을 기억하세요.

답 ❶ 등장인물 ❷ 흐름

CHECK

1 글쓴이가 다음 글을 쓴 목적으로 가장 적절한 것은?

We thank you for agreeing to play the music for my daughter's wedding on September 17. Unfortunately, we are moving the wedding date forward two weeks to September 3. Would it be possible for you to make it on this date instead? If you are unable to, please let us know as soon as possible.

① 결혼식 장소가 변경되었음을 공지하려고
② 멋진 공연을 보여준 것에 대해 감사하려고
③ 연주 날짜를 앞당겨 줄 수 있는지 문의하려고

CHECK

2 다음 글에 드러난 Shirley의 심경으로 가장 적절한 것은?

On the way home, Shirley noticed a truck parked in front of the house across the street. New neighbors! Shirley was dying to know about them. "Do you know anything about the new neighbors?" she asked Pa at dinner. He said joyfully, "Yes, and they have a girl just your age. Maybe she wants to be your playmate." Shirley nearly dropped her fork on the floor.

① excited   ② jealous   ③ annoyed

유형 03 주장, 요지, 주제 찾기

↳ **글의 핵심 내용을 찾는 유형**

1 글의 주장, 요지, 주제는 글의 중심 소재와 관련이 있다.

2 중심 **❶** 는 글 전반에 걸쳐 비슷한 어구, 예시, 구체적 진술 등으로 반복하여 나타난다.

3 주로 강한 어조의 문장에서 글의 핵심을 찾을 수 있다.

4 선택지에서 글 전체를 **❷** 하는 일반적인 진술을 찾는다. 세부 사항을 담은 선택지는 오답일 확률이 높다.

글의 핵심 내용이 잘 드러나는 표현

● 명령문

● should, must, have to, need 등 필요, 의무를 나타내는 (조)동사

● I think[guess, believe, hope ...] 등의 표현

● important, necessary 등의 형용사

● may[might], would 등 추측이나 예상을 나타내는 조동사

 글쓴이의 주장이나 글의 요지·주제 모두 글을 통해 글쓴이가 독자에게 핵심적으로 전달하고자 하는 바를 가리키는 말이라고 생각하세요.

답 ❶ 소재 ❷ 포괄

CHECK

3 다음 글의 요지로 가장 알맞은 것은?

Suppose you're writing an e-mail. Nothing bad can happen if you haven't hit the Send key. What you've written can have different kinds of errors, but it doesn't matter. If you haven't sent it, you can correct any mistake. Before you hit the Send key, make sure that you read your e-mail carefully one last time.

① 중요한 이메일은 출력해서 보관해야 한다.
② 이메일을 전송하기 전에 반드시 검토해야 한다.
③ 업무와 관련된 컴퓨터 기능을 우선 익혀야 한다.

유형 04 글의 제목 추론하기

↳ **글의 내용을 함축하는 제목을 찾는 유형**

1 제목은 글의 주제를 함축적으로 표현하므로, 글의 **❶** 를 파악해야 제목을 추론할 수 있다.

2 글의 내용을 전체적으로 파악하여 주제를 찾은 뒤, 이를 포괄하는 선택지를 찾는다.

3 선택지가 속담일 경우
→ 속담이 함축하거나 **❷** 하는 바가 주제이다.

4 선택지가 의문문일 경우
→ 질문에 대한 **❸** 이 글의 주제 또는 핵심 내용이 된다.

 글의 제목은 주제를 다른 표현으로 나타낸 것이라고 생각하면 됩니다.

답 ❶ 주제 ❷ 비유 ❸ 답

CHECK

4 다음 글의 요지로 가장 알맞은 것은?

In life, they say that too much of anything is not good for you. Education is the exception to this rule, however. You can never have too much education or knowledge. I am yet to find that one person who has been hurt in life by too much education. But there are lots of casualties resulting from the lack of it.

① All Play and No Work Makes Jack a Smart Boy
② Too Much Education Won't Hurt You
③ Learn from the Future, Not from the Past

개념 돌파 전략 ②

유형 01 글의 목적 추론하기

1 다음 글의 목적으로 가장 적절한 것은? **모평** 응용

Dear Ms. Larson,

I am writing to you with new information about your museum membership. This year we are happy to be celebrating our 50th anniversary. So we would like to offer you further benefits. These include free admission for up to ten people and 20% off museum merchandise on your next visit. You will also be invited to all new exhibition openings this year at discounted prices. We hope you enjoy these offers. For any questions, please feel free to contact us.

Best regards,

Stella Harrison

① 박물관 개관 50주년 기념행사 취소를 공지하려고
② 작년에 가입한 박물관 멤버십의 갱신을 요청하려고
③ 박물관 멤버십 회원을 위한 추가 혜택을 알려 주려고
④ 박물관 기념품점에서 새로 판매할 상품을 홍보하려고
⑤ 박물관 전시 프로그램에서 변경된 내용을 안내하려고

풀이 전략

글쓴이가 글을 쓴 목적을 파악하려면?

① 글의 유형을 파악한다.
→ Dear Ms. Larson, Best regards 등의 표현으로 보아 편지 또는 이메일이다.

② 글쓴이와 글을 읽는 사람 간의 관계를 파악한다.
→ your museum membership이라는 표현에서 ❶_____ 관계자가 박물관 멤버십 회원에게 쓴 글임을 알 수 있다.

③ 글쓴이가 반복하여 언급하는 소재를 찾는다.
→ further benefits와 그것에 해당하는 항목을 구체적으로 언급하고 있다.

④ 중심 소재를 바탕으로 글쓴이가 바라는 바를 파악한다.
→ 박물관이 멤버십 회원에게 추가로 제공하는 ❷_____을 안내하려고 쓴 편지글이다.

답 ❶ 박물관 ❷ 혜택

© Comaniciu Dan / shutterstock

Words
● **membership** 회원 (자격) ● **celebrate** 기념하다, 축하하다 ● **anniversary** 기념일 ● **benefit** 혜택 ● **include** 포함하다, ~을 포함시키다
● **admission** 입장 ● **merchandise** 상품, 홍보용 제품 ● **feel free to** 마음 놓고 ~하다

유형 02 심경 변화 파악하기

2 다음 글에 드러난 Breaden의 심경 변화로 가장 적절한 것은? 수능 응용

All smiling, Breaden, a cute three-year-old boy, was walking along the aisle of snacks, bars, and sweets. "Wow!" he exclaimed. Right in front of his eyes were rows of chocolate bars waiting to be touched. His mom was holding his hand. Breaden had always been the focus of her attention, especially in the busy market. Suddenly, she stopped to say hello to her friends. Breaden stopped, too. He stretched out his arm. When he was about to grab a bar, he felt a tight grip on his hand. "Breaden, not today!" "Okay, Mommy," he sighed. His shoulders fell.

① excited → disappointed
② embarrassed → satisfied
③ lonely → pleased
④ annoyed → relieved
⑤ delighted → jealous

풀이 전략

Breaden의 심경 변화를 파악하려면?

① Breaden이 있는 공간과 상황을 파악한다:
→ 다양한 간식이 진열된 곳에 ❶ ____ 와 함께 있다.

② 초반 Breaden의 행동으로 감정을 추론한다.
e.g. All smiling, exclaimed

③ 이야기의 흐름이 ❷ ____ 부분을 찾는다.
→ 갑자기(Suddenly) 엄마가 멈춰 서면서 상황이 바뀐다.

④ 달라진 Breaden의 행동으로 감정을 추론한다.
e.g. sighed, His shoulders fell

답 ❶ 엄마(어머니) ❷ 전환되는(바뀌는)

© adriaticfoto / shutterstock

Words
● aisle 통로, 복도 ● exclaim 외치다, 소리치다 ● attention 주의 ● stretch out (팔을) 뻗다 ● be about to 막 ~하려 하다 ● grab 쥐다, 잡다 ● grip 움켜쥠, 통제 ● sigh 한숨을 쉬다 ● disappointed 실망한 ● embarrassed 당황한 ● annoyed 짜증이 난

유형 03 주장, 요지, 주제 찾기

3 다음 글의 주제로 가장 적절한 것은? 학평 응용

When we fail to take care of our bodies through proper nutrition, exercise, and rest, we're losing what life is all about. In a business the individual who is in the best physical shape often wins in negotiations, because he has the physical stamina to see the deal through. World-class golfers are in so much better shape than the other golfers are. They work out not just on the practice range but in the weight room. That means they have the energy to win not just the physical game but the mental game in order to close out their opponents in major tournaments.

*practice range 골프 연습장

① the necessity to build up physical strength
② the importance of setting specific goals
③ various ways to overcome obstacles
④ differences between business and sports
⑤ things to consider for successful negotiations

© Sam 100 / shutterstock

Words
● nutrition 영양 ● individual 개인; 개인의 ● negotiation 협상 ● stamina 체력, 스태미나 ● see ~ through ~을 끝까지 해내다
● not just(only) A but (also) B A뿐만 아니라 B도 ● close out 물리치다, 끝내다 ● opponent 상대방, 경쟁자 ● necessity 필요성
● overcome 극복하다 ● obstacle 고난, 장애물

유형 04 글의 제목 추론하기

4 다음 글의 제목으로 가장 적절한 것은?　(학평) 응용

Introducing recovery in all aspects of my life has transformed my overall experience. In four or five intensive hour-and-a-half sessions, each followed by at least fifteen minutes of recovery, I get just about as much done as I did previously in a twelve-hour marathon day. Taking one full day off every week makes me more productive overall rather than less so. And finally, I have come to see vacations as a good investment. Now I work less time with a lot more energy and positive emotions. There is no magic here; I am simply paying better attention to my human needs.

① Productivity Comes from Endurance
② Give Your Body and Mind Time to Relax
③ It Is Dangerous to Get Addicted to Exercise
④ Activate Positive Emotions with Positive Thinking
⑤ Take More Time for Work and Less Time for Vacation

풀이 전략

이 글의 제목을 추론하려면?

① 반복하여 제시되는 개념을 파악하여 주제를 찾는다.
→ '휴식의 중요성'이 **❶** 〔　　〕해서 제시되고 있다.

② 선택지 중 주제를 **❷** 〔　　〕적으로 표현한 것을 찾는다.

③ 선택한 표현이 글 전체의 내용을 포괄하는지 확인한다.

　　답 ❶ 반복 **❷** 함축

Words

- introduce 도입하다　• recovery 회복　• transform 변형시키다　• overall 전체의　• intensive 집중적인　• session 기간
- previously 이전에　• productive 생산적인　• investment 투자　• pay attention to ~에 주의를 기울이다　• need 필요, 욕구
- endurance 인내, 참을성　• addicted 중독된　• activate 활성화하다

대표 유형 1

다음 글의 목적으로 가장 적절한 것은?

수능 기출

Want to improve your Korean writing? Writing is an essential tool that will help you adjust to Korean university life. The Ha-Rang Writing Center offers a free tutoring program open to all international students at our university. We encourage you to take advantage of this. The program has always been very popular among international students. Registration opens from November 28 for three days only. Once you are registered, we will match you with a perfect tutor and contact you to arrange your schedule. We are sure that you will be satisfied with our well-experienced tutors. Don't miss this great opportunity to improve your Korean writing. For more information, feel free to email Jiyung Yoon, HRWC Director, at jyoon@hrwc.org.

① 한국의 대학 생활과 관련한 유의 사항을 알리려고
② 한국어 글쓰기 강좌의 변경된 등록 절차를 공지하려고
③ 한국어 글쓰기 지도를 받을 외국인 학생을 모집하려고
④ 외국인 학생을 위한 글쓰기 센터 설립을 건의하려고
⑤ 한국어 글쓰기 지도 강사의 자격 요건을 안내하려고

유형 해결 전략

Step 1
글의 유형을 파악한다.

Step 2
글쓴이와 글을 읽는 대상의 ❶ 를 파악한다. 글의 첫 부분과 마지막 부분에 주목한다.

Step 3
글쓴이가 ❷ 하여 언급하는 소재를 통해 의도하는 바를 추론한다.

답 ❶ 관계 ❷ 반복

© Hans Kim / shutterstock

Words
● improve 향상시키다 ● essential 필수적인 ● adjust 적응하다 ● tutoring program 개인 교습 프로그램 ● encourage 권장하다
● take advantage of ~을 이용하다 ● registration 등록 ● register 등록하다 ● tutor 개인 지도 교사 ● arrange 정리하다, 배열하다

다음 글에 드러난 Jonas의 심경 변화로 가장 적절한 것은? <u>수능</u> 기출

Looking out the bus window, Jonas could not stay calm. He had been looking forward to this field trip. It was the first field trip for his history course. His history professor had recommended it to the class, and Jonas had signed up enthusiastically. He was the first to board the bus in the morning. The landscape looked fascinating as the bus headed to Alsace. Finally arriving in Alsace after three hours on the road, however, Jonas saw nothing but endless agricultural fields. The fields were vast, but hardly appealed to him. He had expected to see some old castles and historical monuments, but now he saw nothing like that awaiting him. "What can I learn from these boring fields?" Jonas said to himself with a sigh.

① excited → disappointed
② indifferent → thrilled
③ amazed → horrified
④ surprised → relieved
⑤ worried → confident

유형 해결 전략

Step 1
주인공 Jonas가 있는 **❶** 와 처해 있는 상황을 파악한다.

Step 2
글 초반에 나온 Jonas의 동작 묘사나 형용사, 부사 등을 통해 심경을 파악한다.

Step 3
접속부사 **❷** 가 쓰인 문장에서 상황이 바뀐다. 이때 Jonas의 반응을 확인한다.

🔑 ❶ 장소 ❷ however

Words
● look forward to ~을 고대하다 ● field trip 현장 학습 ● recommend 추천하다 ● sign up 등록하다, 신청하다 ● enthusiastically 매우 열심히, 열광적으로 ● board 타다, 탑승하다 ● nothing but 오직, 단지 ~일 뿐인 ● endless 끝없는 ● agricultural 농업의 ● appeal 관심을 끌다 ● historical monument 역사적 기념물 ● await (~을) 기다리다 ● with a sigh 한숨을 쉬며

전략 체크 글쓴이가 바라는 것 파악하기

1 다음 글의 목적으로 가장 적절한 것은? 학평 기출

Dear City Council Members,

My name is Celina Evans and I am a lifelong Woodridge resident. The Woodridge Children's Theater has been the pride of our community since 1975. My daughter Katie has been participating in the theater's activities for six years. The theater has meant so much to so many in our community. However, I have been made aware that you are considering cutting the budget of the theater. The experiences and life lessons children gain at the theater are invaluable. Not only do kids learn about the arts there, but they also learn skills that will last for a lifetime. To reduce funding would be a huge loss to future generations and thus I strongly object to it. Thank you for your consideration in this matter.

Sincerely,

Celina Evans

① 지역 어린이 극장 이용료 인하를 건의하려고
② 지역 문화 시설 이용 시간 연장을 제안하려고
③ 지역 어린이 극장 설립을 위한 기부를 요청하려고
④ 지역 어린이 극장에 대한 예산 삭감을 반대하려고
⑤ 지역 주민들을 위한 문화 공간 부족에 대해 항의하려고

© Oleg Mikhaylov / shutterstock

Words
● **lifelong** 평생 동안의, 일생의 ● **resident** 주민 ● **pride** 자부심, 자랑거리 ● **participate in** ~에 참가하다 ● **aware** 알고 있는, 지각하고 있는 ● **cut the budget** 예산을 삭감하다 ● **invaluable** 귀중한 ● **generation** 세대 ● **object to** ~에 반대하다 ● **consideration** 고려

전략 체크 등장인물이 처한 상황의 변화 파악하기

2 다음 글에 드러난 Natalie의 심경 변화로 가장 적절한 것은? 모평 기출

As Natalie was logging in to her first online counseling session, she wondered, "How can I open my heart to the counselor through a computer screen?" Since the counseling center was a long drive away, she knew that this would save her a lot of time. Natalie just wasn't sure if it would be as helpful as meeting her counselor in person. Once the session began, however, her concerns went away. She actually started thinking that it was much more convenient than expected. She felt as if the counselor were in the room with her. As the session closed, she told him with a smile, "I'll definitely see you online again!"

① doubtful → satisfied
② regretful → confused
③ confident → ashamed
④ bored → excited
⑤ thrilled → disappointed

© Antonio Guillem / shutterstock

Words
● log in 로그인하다, 접속하다 ● session 시간, 기간 ● counselor 상담사 ● drive 자동차 주행 (a long drive away 자동차로 멀리 떨어진 곳에)
● in person 직접 ● convenient 편리한

전략 체크 등장인물이 처한 상황의 변화 파악하기

3 다음 글에 드러난 Dave의 심경 변화로 가장 적절한 것은?   수능 기출

The waves were perfect for surfing. Dave, however, just could not stay on his board. He had tried more than ten times to stand up but never managed it. He felt that he would never succeed. He was about to give up when he looked at the sea one last time. The swelling waves seemed to say, "Come on, Dave. One more try!" Taking a deep breath, he picked up his board and ran into the water. He waited for the right wave. Finally, it came. He jumped up onto the board just like he had practiced. And this time, standing upright, he battled the wave all the way back to shore. Walking out of the water joyfully, he cheered, "Wow, I did it!"

① frustrated → delighted
② bored → comforted
③ calm → annoyed
④ relieved → frightened
⑤ pleased → upset

Words

● manage 간신히 해내다 ● be about to 막 ~하려는 참이다 ● swell 부풀다 ● upright 똑바로 선 ● battle 싸우다 ● shore 해안
● joyfully 기쁘게 ● cheer 환호하다 ● frustrated 좌절한

4 다음 글의 목적으로 가장 적절한 것은?   수능 기출

Dear Mr. Kayne,

I am a resident of Cansinghill Apartments, located right next to the newly opened Vuenna Dog Park. ⓐ As I live with three dogs, I am very happy to let my dogs run around and safely play with other dogs from the neighborhood. ⓑ However, the noise of barking and yelling from the park at night is so loud and disturbing that I cannot relax in my apartment. ⓒ Many of my apartment neighbors also seriously complain about this noise. ⓓ They have recognized the need for another park in the neighborhood. ⓔ I want immediate action to solve this urgent problem. Since you are the manager of Vuenna Dog Park, I ask you to take measures to prevent the noise at night. I hope to hear from you soon.

Sincerely,

Monty Kim

① 애완견 예방 접종 일정을 확인하려고
② 애완견 공원의 야간 이용 시간을 문의하려고
③ 애완견 공원의 야간 소음 방지 대책을 촉구하려고
④ 아파트 인근에 개장한 애완견 공원을 홍보하려고
⑤ 아파트 내 애완견 출입 금지 구역을 안내하려고

Plus

윗글에서 전체 흐름과 관계 없는 문장은?

① ⓐ   ② ⓑ   ③ ⓒ   ④ ⓓ   ⑤ ⓔ

ⓒ viewgene / shutterstock

Words
● located ~에 위치한 ● bark 짖다 ● yell 소리 지르다 ● disturbing 방해가 되는 ● complain 불평하다 ● recognize 인식하다
● immediate 즉각적인 ● urgent 긴급한 ● take measures 조치를 취하다 ● prevent 막다

필수 체크 전략 ①

다음 글의 주제로 가장 적절한 것은?　　　학평 기출

No Stone Age ten-year-old would have been living on tender foods like modern potato chips, hamburgers, and pasta. Their meals would have required far more chewing than is ever demanded of a modern child. Insufficient use of jaw muscles in the early years of modern life may result in their underdevelopment and in weaker and smaller bone structure. The growth of human teeth requires a jaw structure of a certain size and shape, one that might not be produced if usage during development is inadequate. Crowded and misplaced incisors and imperfect wisdom teeth may be diseases of civilization. Perhaps many dental problems would be prevented if more biting were encouraged for children.　　　*incisor 앞니　**wisdom tooth 사랑니

① home remedies for wisdom tooth pain
② effects of chewing on brain development
③ modern dental problems from not chewing enough
④ the importance of dental care education at school
⑤ the technological development of dental treatments

유형 해결 전략

Step 1
글의 초반부를 읽고, 중심 ❶ [　　　]를 파악한다.

Step 2
글쓴이의 견해가 나타난 주제문을 찾는다.
➡ may, might, would 등의 표현에 유의한다.

Step 3
중심 소재와 ❷ [　　　]을 결합하여 선택지에서 이 내용이 가장 잘 반영된 일반적 진술을 찾는다.

답 ❶ 소재 ❷ 주제문

© Jabirki Art / shutterstock

Words
● Stone Age 석기 시대　● tender 부드러운, 씹기 쉬운　● require 요구하다　● chew 씹다　● demand 요구하다　● insufficient 불충분한
● underdevelopment 발달부진, 발육부전　● bone structure 골격　● inadequate 불충분한, 부적당한　● misplace 제 자리에 두지 않다, 자리를 잘못 잡다　● imperfect 불완전한　● civilization 문명 (사회)　● remedy 치료

대표 유형 4

다음 글의 제목으로 가장 적절한 것은? 수능 기출

A defining element of catastrophes is the magnitude of their harmful consequences. To help societies prevent or reduce damage from catastrophes, a huge amount of effort and technological sophistication are often employed to assess and communicate the size and scope of potential or actual losses. This effort assumes that people can understand the resulting numbers and act on them appropriately. However, recent behavioral research casts doubt on this fundamental assumption. Many people do not understand large numbers. Indeed, large numbers have been found to lack meaning and to be underestimated in decisions unless they convey affect (feeling). This creates a paradox that rational models of decision making fail to represent. On the one hand, we respond strongly to aid a single individual in need. On the other hand, we often fail to prevent mass tragedies or take appropriate measures to reduce potential losses from natural disasters.

*catastrophe 큰 재해

① Insensitivity to Mass Tragedy: We Are Lost in Large Numbers
② Power of Numbers: A Way of Classifying Natural Disasters
③ How to Reach Out a Hand to People in Desperate Need
④ Preventing Potential Losses Through Technology
⑤ Be Careful, Numbers Magnify Feelings!

유형 해결 전략

Step 1
글을 읽으며 반복되는 개념을 찾아 ❶ □ 를 파악한다.

Step 2
주제를 함축적으로 표현한 선택지를 찾는다.

Step 3
찾은 선택지가 글 전체의 내용을 ❷ □ 하는지 확인한다.

답 ❶ 주제 ❷ 포괄

© Nigel Spiers / shutterstock

Words

• define 정의하다 • element 요소 • magnitude (거대한) 규모 • consequence 결과 • sophistication 세련, 정교함 • employ (기술·방법을) 이용하다 • assess 평가하다, 산정하다 • scope 범위 • potential 잠재적인 • assume 추측하다 • appropriately 적절하게 • cast doubt on ~을 의심하다 • fundamental 근본적인 • assumption 추정 • underestimate 과소평가하다 • convey 전달하다 • affect 정서, 감정 • paradox 역설 • rational 합리적인, 이성적인 • represent 표현하다, 묘사하다 • respond 반응하다 • aid 돕다 • insensitivity 무감각 • classify 분류하다 • magnify 확대하다, 과장하다

전략 체크 must, have to와 같은 강한 어조의 표현 찾기

1 다음 글에서 필자가 주장하는 바로 가장 적절한 것은? 수능 기출

Probably the biggest roadblock to play for adults is the worry that they will look silly, improper, or dumb if they allow themselves to truly play. Or they think that it is irresponsible, immature, and childish to give themselves regularly over to play. Nonsense and silliness come naturally to kids, but they get pounded out by norms that look down on "frivolity." This is particularly true for people who have been valued for performance standards set by parents or the educational system, or measured by other cultural norms that are internalized and no longer questioned. If someone has spent his adult life worried about always appearing respectable, competent, and knowledgeable, it can be hard to let go sometimes and become physically and emotionally free. The thing is this: You have to give yourself permission to improvise, to mimic, to take on a long-hidden identity.

*frivolity 경박함 **improvise 즉흥적으로 하다

① 어른도 규범에 얽매이지 말고 자유롭게 놀이를 즐겨야 한다.
② 아동에게 사회 규범을 내면화할 수 있는 놀이를 제공해야 한다.
③ 개인의 창의성을 극대화할 수 있는 놀이 문화를 조성해야 한다.
④ 타인의 시선을 의식하지 않고 자신의 목표 달성에 매진해야 한다.
⑤ 어른을 위한 잠재력 계발 프로그램에서 놀이의 비중을 늘려야 한다.

Words

• roadblock 장애물 • improper 부당한, 부적절한 • irresponsible 무책임한 • immature 미성숙한 • childish 유치한 • give oneself over to ~에 몰두하다 • nonsense 허튼소리 • pound 마구 치다, 두드리다 • norm 표준, 규범 • look down on ~을 경시하다 • measure 재다, 측정하다 • internalize 내면화하다 • competent 능숙한, 만족할 만한 • knowledgeable 박식한, 아는 것이 많은 • permission 허락 • mimic 흉내 내다 • take on ~을 띠다, 취하다 • identity 정체성

전략 체크 중심 소재 파악하기

2 다음 글의 주제로 가장 적절한 것은?   학평 기출

Early astronomers saw and learned more from eclipses and other forms of shadow than from direct observation. In Galileo's time, the empiricist's insistence on direct observation as the only legitimate way of knowing limited what could be learned about the cosmos, and the medievalist allowance for extraperceptual insights had nothing to contribute to what we would consider scientific inquiry. Galileo's breakthroughs came in part from his understanding of how to use shadows to extend his powers of observation. At the time he trained his telescope on Venus, it was believed the planet shone with its own light and moved in an orbit independent of the sun. Galileo saw that the planet was in partial shadow as it went through its phases, and thus had to be a dark body. He also realized from the logic of the shadow that Venus orbited the sun, since all phases from new to full could be observed from earth. The end of the Ptolemaic system came quickly thereafter, a shadow thus shedding light on the ordering of the cosmos.   *Ptolemaic system 천동설

▼ Galileo Galilei (1564–1642)

© Georgios Kollidas / shutterstock

① difficulties in observing and tracking shadows
② lack of various devices used to observe the universe
③ consistency in human aspiration toward space exploration
④ ways to record planetary movements with early technology
⑤ importance of shadow in making new discoveries in astronomy

Words
● astronomer 천문학자 ● eclipse (해·달의) 식(蝕) ● empiricist 경험주의자 ● insistence 주장, 고집 ● legitimate 정당한, 적법한 ● cosmos 우주 ● medievalist 중세 연구가 ● extraperceptual 지각을 넘어선 ● insight 통찰 ● contribute 기여하다 ● breakthrough 돌파구, 획기적 발견 ● train 겨누다, 조준하다 (on) ● orbit 궤도; 궤도를 돌다 ● phase 단계, 시기 ● thereafter 그 후에 ● shed light on ~을 비추다 ● consistency 일관성 ● aspiration 열망, 포부 ● planetary 행성의

3 다음 글의 제목으로 가장 적절한 것은? 모평 기출

The discovery that man's knowledge is not, and never has been, perfectly accurate has had a humbling and perhaps a calming effect upon the soul of modern man. The nineteenth century, as we have observed, was the last to believe that the world, as a whole as well as in its parts, could ever be perfectly known. We realize now that this is, and always was, impossible. We know within limits, not absolutely, even if the limits can usually be adjusted to satisfy our needs. Curiously, from this new level of uncertainty even greater goals emerge and appear to be attainable. Even if we cannot know the world with absolute precision, we can still control it. Even our inherently incomplete knowledge seems to work as powerfully as ever. In short, we may never know precisely how high is the highest mountain, but we continue to be certain that we can get to the top nevertheless.

① Summits Yet to Be Reached: An Onward Journey to Knowledge
② Over the Mountain: A Single But Giant Step to Success
③ Integrating Parts into a Whole: The Road to Perfection
④ How to Live Together in an Age of Uncertainty
⑤ The Two Faces of a Knowledge-Based Society

© Elnur / shutterstock

Words
● humbling 겸손하게 해 주는 ● calming 진정시키는 ● adjust 조절하다, 조정하다 ● curiously 기묘하게 ● uncertainty 불확실성
● emerge 나타나다 ● attainable 달성할 수 있는, 이룰 수 있는 ● precision 정확성 ● inherently 선천적으로, 본질적으로 ● summit 정상
● onward 앞으로 나아가는 ● integrate 통합시키다, 통합되다

4 다음 글의 요지로 가장 적절한 것은? 수능 기출

One exercise in teamwork I do at a company retreat is to put the group in a circle. At one particular retreat, there were eight people in the circle, and I slowly handed tennis balls to one person to start ⓐthrowing around the circle. If N equals the number of people in the circle, then the maximum number of balls you can have in motion ⓑis N minus 1. Why? Because it's almost impossible to throw and ⓒcatch at the same time. The purpose of the exercise is to demonstrate the importance of an individual's action. People are much more concerned about catching the ball than throwing it. What this demonstrates is that it's ⓓequally important to the success of the exercise that the person you're throwing to catches the ball as ⓔwhat you are able to catch the ball. If you're less concerned about how you deliver information than with how you receive it, you'll ultimately fail at delegation. You have to be equally skilled at both.

*delegation 위임

① 구성원 간의 공통된 목표 의식이 협업의 필수 조건이다.
② 정확한 정보 이해는 신속한 업무 수행을 가능하게 한다.
③ 자유로운 의사소통 문화는 직무 만족도 향상에 기여한다.
④ 여가 활동을 함께하는 것도 협업의 효율성을 증가시킨다.
⑤ 협업에서는 정보를 전달하는 방식에도 능숙할 필요가 있다.

Plus

윗글의 밑줄 친 ⓐ~ⓔ 중 어법상 틀린 것은?

① ⓐ   ② ⓑ   ③ ⓒ   ④ ⓓ   ⑤ ⓔ

ⓒ alphaspirit / shutterstock

Words
● retreat 수련회 ● put ~ in a circle ~을 원형으로 둘러 세우다 ● have ~ in motion ~을 움직이게 하다 ● demonstrate 입증하다, 보여 주다 ● be concerned about ~에 관심을 가지다 ● deliver 전달하다 ● skilled at ~에 능숙한

누구나 합격 전략

1 다음 글에 드러난 'I'의 심경 변화로 가장 적절한 것은? 학평 기출

On December 6th, I arrived at University Hospital in Cleveland at 10:00 a.m. I went through the process of admissions. I grew anxious because the time for surgery was drawing closer. I was directed to the waiting area, where I remained until my name was called. I had a few hours of waiting time. I just kept praying. At some point in my ongoing prayer process, before my name was called, in the midst of the chaos, an unbelievable peace embraced me. All my fear disappeared! An unbelievable peace overrode my emotions. My physical body relaxed in the comfort provided, and I looked forward to getting the surgery over with and working hard at recovery.

① cheerful → sad
② worried → relieved
③ angry → ashamed
④ jealous → thankful
⑤ hopeful → disappointed

© sirtravelalot / shutterstock

Words
● process 절차 ● admission 입원, 입장 ● anxious 불안해하는, 염려하는 ● surgery 수술 ● pray 기도하다 ● ongoing 계속하고 있는
● in the midst of ~의 가운데 ● chaos 혼돈 ● embrace 감싸다, 포옹하다 ● override ~보다 우위에 서다, ~에 우선하다

2 다음 글의 주제로 가장 적절한 것은? 학평 기출

Emotions usually get a bad reputation. They are often seen as something to be regulated or managed. People even think emotions are harmful if they get out of control. However, all emotions have a point. They played an important part in our evolutionary history and helped us survive. For example, by seeing disgust on someone's face when presented with moldy food, we were able to avoid eating something dangerous. By communicating happiness, we were able to develop beneficial social interactions. Even anger was an important emotion to our ancestors, motivating us to seek food when we were hungry, to fight off predators and to compete for scarce resources.

*moldy 곰팡이가 낀

① reasons we need to hide our emotions
② difficulties of reading others' emotions
③ contributions of emotions to human survival
④ ways of expressing emotions in different cultures
⑤ differences between emotional and physical responses

© kotikoti / shutterstock

Words
● reputation 평판 ● regulate 조절하다 ● have a point 나름의 의미(이유)가 있다 ● play an important part in ~에서 중요한 역할을 하다
● evolutionary 진화의 ● survive 살아남다, 생존하다 ● disgust 역겨움, 혐오감 ● beneficial 유익한, 이로운 ● interaction 상호작용
● ancestor 조상 ● motivate 동기를 부여하다 ● predator 포식자 ● compete 경쟁하다 ● scarce 부족한 ● contribution 기여, 공헌

3 다음 글의 주제로 가장 적절한 것은?   학평 기출

Animals as well as humans engage in play activities. In animals, play has long been seen as a way of learning and practicing skills and behaviors that are necessary for future survival. In children, too, play has important functions during development. From its earliest beginnings in infancy, play is a way in which children learn about the world and their place in it. Children's play serves as a training ground for ~~_____~~ — skills like walking, running, and jumping that are necessary for everyday living. Play also allows children to try out and learn social behaviors and to acquire values and personality traits that will be important in adulthood. For example, they learn how to compete and cooperate with others, how to lead and follow, how to make decisions, and so on.

① necessity of trying out creative ideas
② roles of play in children's development
③ contrasts between human and animal play
④ effects of children's physical abilities on play
⑤ children's needs at various developmental stages

Plus

윗글의 빈칸에 들어갈 말로 가장 적절한 것은?

① accepting how vulnerable they are
② developing physical abilities
③ learning language skills
④ mixing with their peer group
⑤ surviving alone in the wilderness

Words
● engage in 관여하다, 참여하다 ● function 기능 ● infancy 유아기, 초창기 ● trait 특징 ● cooperate 협력하다, 협조하다 ● role 역할
● contrast 대조 ● vulnerable 연약한, 취약한 ● peer 또래 ● wilderness 황무지

4 다음 글의 요지로 가장 적절한 것은? 학평 기출

Think of a buffet table at a party, or perhaps at a hotel you've visited. You see platter after platter of ⓐ<u>different</u> foods. You don't eat many of these foods at home, and you want to try them all. But trying them all might mean eating more than your ⓑ<u>usual</u> meal size. The availability of different types of food is one factor in ⓒ<u>gaining</u> weight. Scientists have seen this behavior in studies with rats: Rats that normally maintain a steady body weight when eating one type of food eat huge amounts and become ⓓ<u>underweight</u> when they are presented with a variety of high-calorie foods, such as chocolate bars, crackers, and potato chips. The same is true of humans. We eat much more when a variety of ⓔ<u>good-tasting</u> foods are available than when only one or two types of food are available.

① 편식을 피하고 다양한 음식을 섭취할 필요가 있다.
② 음식 섭취와 관련된 실험 결과가 왜곡되는 경우가 있다.
③ 먹을 수 있는 음식의 종류가 많을 때 과식을 하게 된다.
④ 열량이 높은 음식보다 영양가가 많은 음식을 먹어야 한다.
⑤ 다이어트는 운동과 병행할 때 더 좋은 결과를 가져올 수 있다.

Plus

윗글의 밑줄 친 ⓐ~ⓔ 중 문맥상 낱말의 쓰임이 <u>잘못된</u> 것은?

① ⓐ　　　② ⓑ　　　③ ⓒ　　　④ ⓓ　　　⑤ ⓔ

Words
● platter (서빙용의) 큰 접시　● usual 평상시의, 보통의　● availability 가능성, 유용성　● factor 요소　● gain weight 체중이 늘다
● normally 보통, 평소에　● a variety of 다양한　● be true of ~도 마찬가지이다

창의·융합·코딩 전략 ①

1 다음 기사 제목을 보고, 기사 내용으로 예상되는 것을 바르게 말한 사람을 고르시오.

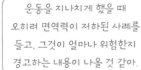

Power Foods That Boost Your Immunity

균형 잡힌 식단이 기억력을 얼마나 개선시키는지와 그것에 대한 과학적 근거를 다룰 것 같아.

운동을 지나치게 했을 때 오히려 면역력이 저하된 사례를 들고, 그것이 얼마나 위험한지 경고하는 내용이 나올 것 같아.

면역력을 키우는 데 도움이 된다고 알려진 식품들의 효능에 대해 알려주는 내용을 기사로 다루지 않았을까?

Brian

Sophia

Olivia

2 Matthew의 경험에 대해 읽고, 괄호 안에서 어울리는 것을 고르시오. [학평] 응용

Matthew

It was a day I was due to give a presentation at work. It was not something I'd do often. As I stood up to begin, I (froze / felt excited). A chilly 'pins-and-needles' feeling crept over me, starting in my hands. Time seemed to stand still as I (enjoyed speaking / struggled to start speaking), and I felt a pressure around my throat, as though my voice was trapped and couldn't come out. Gazing around at the blur of faces, I realized they were all waiting for me to begin, but by now I knew I (could / couldn't) continue.

3 두 사람의 메일 앞부분을 읽고, 각각 어떤 목적으로 메일을 썼을지 추측하시오.

(1)

Dear John Owen,

My name is George Smith, an assistant professor at Riverside Teacher's College. I teach a seminar course for fifteen student teachers. At this point in their studies, my students are looking for guidance on their future teaching career. Your authority in this field will help them as they prepare a teaching portfolio. I would like to invite you to speak to my students. ……

···→ _____ 이(가) 되고 싶어 하는 학생들을 위한 강의를 _____ 하려고

(2)

Dear Ms. Burke,

Thank you for your question about how to donate children's books for our book drive. The event will take place for one week from September 10th to 16th. Books can be dropped off 24 hours a day during this period. There are two locations designated for donations: Adams Children's Library and Aileen Community Center. ……

···→ 아동용 _____ 을(를) 기부하는 방법을 _____ 하려고

창의·융합·코딩 전략 ②

4 다음 주제에 관해 나머지 세 명과 <u>다른</u> 주장을 하는 사람을 고르시오. (학평) 응용

> How to convince others to change their mind

Ms. Green

Ask them well-chosen questions to look at their own views from another angle, and this might trigger fresh insights.

Mr. Brown

You'll have better luck if you ask well-chosen, open-ended questions that let them challenge their own assumptions.

Ms. Black

Try to lay out a logical argument, or make a passionate plea as to why your view is right and their opinion is wrong.

Mr. White

Encouraging them to question their own worldview will often yield better results than trying to force them into accepting your opinion as fact.

5 다음 글을 읽고, 가장 적절한 단어를 골라 아래 표를 완성하시오. 모평 응용

> Sharon received a ticket to an upcoming tango concert from her friend. While surfing the Internet, she came across a review for the concert. The reviewer was harsh, calling it "an awful performance." That raised in Sharon's mind the question of whether it was worthwhile to go, but in the end, she reluctantly decided to attend the concert. The hall located in the old town was ancient and run-down. Looking around, Sharon again wondered what kind of show she could expect. But as soon as the tango started, everything changed. The piano, guitar, flute, and violin magically flew out in harmony. The audience cheered. "Oh my goodness! What fantastic music!" Sharon shouted. The rhythm and tempo were so energetic and sensational that they shook her body and soul. The concert was far beyond her expectations.

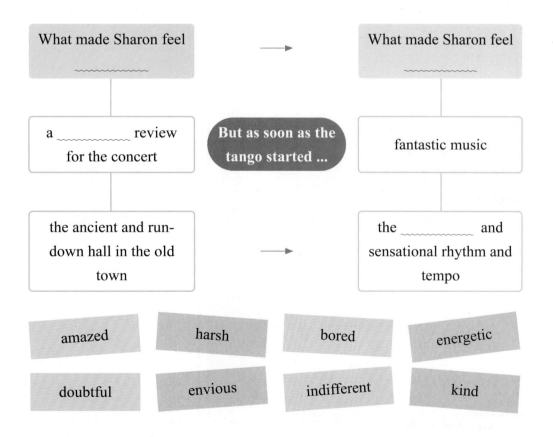

유형 01 지문 일치·불일치 파악하기

↪ **지문의 내용과 일치하지 않는 선택지를 고르는 유형**

1 선택지를 **❶ [　]** 읽고, 글에서 어떤 정보를 확인해야 할지 미리 파악한다.

2 글을 읽으며, 선택지의 정보와 일치하는지 차례로 확인한다.

   tip 선택지의 순서는 글에서 제시되는 순서와 동일하다.

3 오답인 선택지는 일부 내용만 일치하지 **❷ [　]** 표현으로 제시될 경우가 많으므로 유의한다.

4 최근에는 주로 전기문이 출제되나, 생소한 동식물이나 지형지물 등에 대한 설명문도 언제나 출제될 가능성이 있다.

답 ❶ 먼저 ❷ 않는

> 이 유형의 문제는 지문의 난이도도 높지 않고, 선택지를 차근차근 확인하면 비교적 쉽게 풀 수 있습니다. 단, 선택지 문장에서 일부 내용만 일치하지 않는 답이 많으므로 선택지를 끝까지 유의해서 읽도록 해야 합니다.

CHECK

1 teak에 관한 다음 글의 내용과 일치하지 <u>않는</u> 것은?

Teak is among the most prized of the tropical hardwoods. It is native to India, Thailand, and Vietnam. The wood of teak is particularly attractive, having a golden brown color. Teak is strong, making it a valued wood for high-quality furniture.

① 인도, 태국, 베트남이 원산지이다.
② 목재는 금빛이 도는 갈색이다.
③ 목질이 연해서 고급 가구에 많이 쓰인다.

유형 02 도표 일치·불일치 파악하기

↪ **도표 내용을 설명한 지문에서 도표와 일치하지 않는 문장을 고르는 유형**

1 도표의 제목과 범례를 살펴본다.

2 1에서 얻은 정보와 글의 **❶ [　]** 문장을 통해 도표 및 지문이 무엇에 관한 것인지 파악한다.

3 선택지를 **❷ [　]** 와 하나씩 대조하여, 일치하지 않는 것을 고른다.

4 비교·증감 표현에 유의하고, 수치를 더하거나 배수를 구하는 등 간단한 계산을 할 때 주의한다.

답 ❶ 첫 ❷ 도표

증감을 나타내는 표현
- continuously(steadily) increase 꾸준히 증가하다
- decrease 감소하다 ● fall 하락하다 ● soar 치솟다

비교, 비율 표현
- the same as ~와 같은 more(less) than ~보다 많은(적은)
- 숫자+times ~ 배 ● half 절반의 ● one third 3분의 1의

CHECK

2 다음 도표의 내용과 일치하도록 괄호 안에서 알맞은 말을 고르시오.

Natural Disasters by Region, 2014

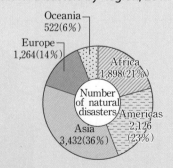

The number of natural disasters in Asia was (more / less) than twice that in Europe.

유형 03 실용문 일치 · 불일치 파악하기

↳ 실용문 내용과 일치하는/일치하지 않는 선택지를 고르는 유형

1 일치하는 것을 찾아야 하는지, 일치하지 ❶ [ ] 것을 찾아야 하는지 반드시 확인한다.

tip 각각 한 문제씩 출제되는 경우가 대부분이다.

2 선택지를 읽고, 지문에서 찾아야 할 정보를 파악한다.

3 선택지와 지문의 정보를 비교하여 일치하는/일치하지 않는 것을 찾는다.

일정 관련 표현

● location 장소 ● hours (영업) 시간
● period, duration ❷ [ ] ● reservation 예약
● register 등록하다

비용, 지불 관련 표현

● cost, price 비용, 가격 ● entry(admission) fee 입장료
● discounted, off 할인된

🔒 ❶ 않는 ❷ 기간

CHECK

3 Spring Farm Camp에 관한 다음 안내문의 내용과 일치하는 것은?

Spring Farm Camp

Our one-day spring farm camp gives your kids true farm experience.

When: April 19 – May 14

Time: 9 a.m. – 4 p.m.

Ages: 6 – 10

Participation Fee: $70 per person

(lunch and snacks included)

We are open rain or shine!

① 하루 8시간 일정으로 운영한다.

② 점심식사가 제공된다.

③ 비가 오면 운영하지 않는다.

유형 04 어법 판단하기

↳ 밑줄 친 부분 중 어법상 어색한 것을 고르는 유형

1 밑줄 친 부분의 문법적 형태와 기능을 파악한다.

2 밑줄 친 부분의 앞뒤를 살펴 문장의 구조를 파악하고, 문맥을 살핀다.

3 밑줄 친 부분이 문장의 구조와 ❶ [ ]에 맞는 역할을 하는지 검토한다.

tip 네모 안에서 어법상 자연스러운 것을 고르는 유형도 출제 가능성이 있다. 네모에 들어갈 말이 문장 안에서 해야 하는 역할을 파악한 뒤 알맞은 것을 골라야 한다.

자주 출제되는 어법 사항

❶ **동사**: 주어와 동사의 ❷ [ ]가 일치하는지 주로 묻는다.
❷ **관계사**: 「전치사 + 관계대명사」와 관련된 문제가 자주 출제된다.
❸ **접속사**: 접속사와 전치사, 접속사와 관계사의 쓰임을 구분하는 문제가 자주 출제된다.
❹ **분사와 부정사**: 분사/부정사가 문장 안에서 하는 역할을 확인하는 문제가 자주 출제된다.

🔒 ❶ 문맥 ❷ 수

자주 출제되는 어법 사항을 기억하고, 밑줄 친 부분이 어떤 어법 사항을 묻고 있는지 빠르게 파악하는 것이 중요합니다.

CHECK

4 밑줄 친 부분 중, 어법상 틀린 것은?

There ① are many methods for finding answers to the mysteries of the universe, and science is only one of these. However, science is unique. Instead of making guesses, scientists follow a system ② designed to prove if their ideas are true or false. They constantly reexamine and test their theories and conclusions. Old ideas are replaced when scientists find new information ③ what they cannot explain.

개념 돌파 전략 ②

1 Georg Dionysius Ehret에 관한 다음 글의 내용과 일치하지 <u>않는</u> 것은?

수능 응용

Georg Dionysius Ehret is often praised as the greatest botanical artist of the 18th century. Born in Heidelberg, Germany, he was the son of a gardener who taught him much about art and nature. As a young man, Ehret traveled around Europe, observing plants and developing his artistic skills. In Holland, he became acquainted with the Swedish naturalist Carl Linnaeus. Through his collaborations with Linnaeus and others, Ehret provided illustrations for several horticultural publications. Ehret's reputation for scientific accuracy gained him many commissions from wealthy patrons, particularly in England, where he eventually settled.

*horticultural 원예(학)의

① 18세기의 가장 위대한 식물 화가로서 칭송받는다.

② 정원사로 일한 경험이 있다.

③ 젊은 시절에 유럽을 여행했다.

④ 다수의 원예 출판물에 삽화를 제공하였다.

⑤ 영국에 정착하였다.

풀이 전략

지문과 선택지가 일치하는지, 일치하지 않는지 파악하려면?

① 지시문을 읽는다.

➡ 이 글이 Georg Dionysius Ehret라는 사람에 관한 글임을 알 수 있다.

② 선택지를 읽고, 어떤 정보를 파악해야 하는지 파악한다.

➡ ① 그가 살았던 시대는 언제이고, 그의 **❶** 은 무엇인가?
② 정원사로 일한 경험이 있는가?
③ 여행을 한 시기와 장소는?
④ 어떤 출판물에 무엇을 제공했는가?
⑤ 어디에 정착했는가?

③ 글을 읽으며 파악해야 할 정보를 확인한다.

➡ ② 정원사의 **❷** 로 태어났으며, 정원사로 일한 경험은 언급되지 않았다.

답 **❶** 직업 **❷** 아들

▼ Martynia annua / Georg Dionysius Ehret

Words
● praise 칭찬하다, 찬사를 보내다　● botanical 식물의　● acquainted 알고 있는, 안면이 있는　● naturalist 동식물 연구가, 박물학자
● collaboration 공동 작업　● illustration 삽화　● publication 출판물　● reputation 평판, 명성　● accuracy 정확성　● commission 의뢰, 수수료　● patron 후원자, 고객　● eventually 결국　● settle 정착하다

2 다음 도표의 내용과 일치하지 <u>않는</u> 것은? 학평 응용

Materials Landfilled
as Municipal Waste in the U.S.

(unit: thousand of tons)

2000

Material	Amount
Paper	40,450
Plastics	19,950
Metals	10,290
Wood	9,910
Glass	8,100
Textiles	6,280
Other Materials	6,360
Total	101,340

2017

Material	Amount
Plastics	26,820
Paper	18,350
Metals	13,800
Wood	12,140
Textiles	11,150
Glass	6,870
Other Materials	7,930
Total	97,060

※ Note: Details may not add to totals due to rounding.

The tables above show the materials landfilled as municipal waste in the U.S. in 2000 and 2017. ① The total amount of materials landfilled in 2017 was smaller than in 2000. ② While paper was the material most landfilled as municipal waste in 2000, plastics were the most landfilled material in 2017. ③ In 2000, metals and wood were the third and fourth most landfilled materials, respectively, and this remained the same in 2017. ④ More glass was landfilled than textiles in 2000, but more textiles were landfilled than glass in 2017. ⑤ The amount of textiles landfilled in 2017 was more than twice that in 2000.

풀이 전략

도표와 지문 내용이 일치하는지, 일치하지 않는지 파악하려면?

① 도표 제목과 범례, 지문의 첫 문장을 통해 내용을 파악한다.

➡ '2000년과 ❶ [　] 년에 미국에서 도시 쓰레기로 매립된 물질'에 관한 도표와 그것을 설명한 글이다.

② 선택지를 하나씩 도표와 비교하며 읽는다.

➡ 비교하는 대상과 시기에 유의하며 선택지를 도표에 나타난 정보와 비교한다.

③ 간단한 계산을 할 때 주의한다.

➡ ⑤ 직물은 2000년에 ❷ [　] 만 톤이 매립되었으며, 이 매립양의 두 배는 1천 256만 톤이다.

답 ❶ 2017 ❷ 628

Words
● landfilled 매립된 ● municipal 시의, (자치) 도시의 ● municipal waste 도시 쓰레기 ● textile 직물 ● respectively 각각, 개별적으로

3 Fremont Art College's 7th Annual Art Exhibition에 관한 다음 안내문의 내용과 일치하지 <u>않는</u> 것은? 수능 응용

> ### Fremont Art College's 7th Annual
> ### ART EXHIBITION
> ### November 21–27
> 3rd Floor Gallery in the Student Union
>
> **Hours**: 10:00 a.m. - 5:00 p.m. (Monday - Friday)
>
> 11:00 a.m. - 3:00 p.m. (Saturday & Sunday)
> - Fremont Art College will be hosting its 7th Annual Art Exhibition for one week.
> - Paintings, ceramic works, and photographs submitted by students will be exhibited. All exhibits are for sale.
> - The exhibition is free to all.
> - Free snacks will be available at the cafeteria.
>
> For more information, please visit our website at www. fremontart.edu.

① 개장 시간은 주중과 주말이 다르다.
② 학생들이 출품한 사진이 전시될 예정이다.
③ 모든 전시품은 판매되지 않는다.
④ 누구나 무료로 관람할 수 있다.
⑤ 카페테리아에서 간식이 무료로 제공될 것이다.

풀이 전략

실용문과 선택지가 일치하는지, 일치하지 않는지 파악하려면?

① 일치하는 것을 찾아야 하는지, 일치하지 않는 것을 찾아야 하는지 확인한다.
➔ 안내문과 일치하지 않는 선택지를 찾아야 한다.

② 선택지를 읽고, 지문에서 찾아야 할 정보를 파악한다.
➔ ① 개장 ❶⎵⎵⎵과 관련된 정보 ② 전시품 종류와 출품자 ③ 전시품 판매 여부 ④ 관람료 정보 ⑤ 카페테리아에서의 ❷⎵⎵⎵ 제공 여부를 확인해야 한다.

③ 실용문의 정보와 선택지를 비교하여 일치하지 않는 것을 찾는다.
➔ ③ 'All exhibits are for sale.'이라는 정보를 선택지와 비교한다.
답 ❶ 시간 ❷ 간식

© Getty Images Korea

Words

● annual 매년의 ● student union 학생회관 ● host 주최하다 ● ceramic work 도예품 ● submit 제출하다 ● available 이용 가능한

유형 04 어법 판단하기

4 다음 글의 밑줄 친 부분 중, 어법상 틀린 것은? 학평 응용

Many businesses send free gifts or samples through the mail, or allow customers to try and ① test new products in order to persuade future customers ② to purchase them. Charity organizations, too, use the give-and-take approach by perhaps sending target persons a package of Christmas cards or calendars. Those who receive the package ③ feels obligated to send something in return. So powerful ④ is this sense of obligation to return the favor that it affects our daily lives very much. ⑤ Invited to a dinner party, we feel under pressure to invite our hosts to one of ours. If someone gives us a gift, we need to return it in kind.

*obligation 의무

풀이 전략

밑줄 친 부분의 쓰임이 어법상 적절한지 확인하려면?

① 밑줄 친 부분의 문법적 형태를 파악한다.
→ ① to가 생략된 부정사 ② to부정사 ③ 일반동사 ④ be동사 ⑤ 과거분사

② 밑줄 친 부분의 앞뒤를 살펴 문장 구조와 문맥을 살핀다.

③ 밑줄 친 부분의 쓰임이 문장 구조와 문맥에 적절한지 판단한다.
→ ①, ② to부정사가 각각 allow와 ❶ 의 목적격 보어로 쓰임 ③, ④ 문장의 동사로 쓰였으므로 ❷ 와 수가 일치해야 함 ⑤ 분사구문을 이끄는 과거분사이며, 수동의 의미를 나타냄

답 ❶ persuade ❷ 주어

© G capture / shutterstock

Words
● persuade 설득하다 ● charity organization 자선단체 ● approach 접근(법) ● obligated 의무가 있는 ● favor 호의, 선의
● under pressure 압박을 당하는 ● in kind 동일한 것으로

필수 체크 전략 ①

대표 유형 1

Frank Hyneman Knight에 관한 다음 글의 내용과 일치하지 <u>않는</u> 것은?

수능 기출

Frank Hyneman Knight was one of the most influential economists of the twentieth century. After obtaining his Ph.D. in 1916 at Cornell University, Knight taught at Cornell, the University of Iowa, and the University of Chicago. Knight spent most of his career at the University of Chicago. Some of his students at Chicago later received the Nobel Prize. Knight is known as the author of the book *Risk, Uncertainty and Profit*, a study of the role of the entrepreneur in economic life. He also wrote a brief introduction to economics entitled *The Economic Organization*, which became a classic of microeconomic theory. But Knight was much more than an economist; he was also a social philosopher. Later in his career, Knight developed his theories of freedom, democracy, and ethics. After retiring in 1952, Knight remained active in teaching and writing.

① 20세기의 가장 영향력 있는 경제학자들 중 한 명이었다.
② 경력의 대부분을 University of Chicago에서 보냈다.
③ 그의 학생들 중 몇 명은 나중에 노벨상을 받았다.
④ *Risk, Uncertainty and Profit*의 저자로 알려져 있다.
⑤ 은퇴 후에는 가르치는 일은 하지 않고 글 쓰는 일에 전념했다.

유형 해결 전략

Step 1
지시문과 ❶[   ]를 읽고 글에서 확인해야 할 정보를 파악한다.

Step 2
글을 읽으며 ❷[   ]의 정보를 차례로 확인한다.

Step 3
일치하지 않는 서술을 한 선택지를 고른다.

답 ❶ 선택지 ❷ 선택지

Words
● **influential** 영향력 있는 ● **economist** 경제학자 ● **obtain** 획득하다 ● **Ph.D.** 박사 학위(Doctor of Philosophy) ● **uncertainty** 불확실성 ● **entrepreneur** 기업가 ● **an introduction to economics** 경제학 개론서 ● **entitle** 제목을 붙이다 ● **microeconomic** 미시 경제학의 ● **theory** 이론 ● **democracy** 민주주의 ● **ethics** 윤리학 ● **retire** 은퇴하다

다음 도표의 내용과 일치하지 <u>않는</u> 것은?　수능 기출

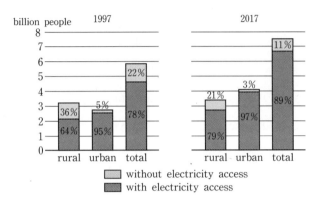

World Population Access to Electricity

The above graph shows the world population access to electricity in 1997 and in 2017. ① The percentage of the total world population with electricity access in 2017 was 11 percentage points higher than that in 1997. ② Both in 1997 and in 2017, less than 80% of the rural population had access to electricity while over 90% of the urban population had access to electricity. ③ In 1997, 36% of the rural population did not have electricity access while 5% of the urban population did not have access to electricity. ④ The percentage of the rural population without electricity access in 2017 was 20 percentage points lower than that in 1997. ⑤ The percentage of the urban population without electricity access decreased from 5% in 1997 to 3% in 2017.

유형 해결 전략

Step 1
도표의 ❶ ☐ 과 범례를 살펴본다.

Step 2
글의 첫 문장을 읽고 내용을 파악한다.
➡ 첫 문장이 ❷ ☐ 의 내용을 알려준다.

Step 3
선택지 문장을 도표와 하나씩 대조하여 일치하지 않는 것을 찾는다.

답 ❶ 제목 ❷ 도표

Words
● access 접근(권), 이용　● electricity 전기　● rural 지방의, 시골의　● urban 도시의　● decrease 감소하다

전략 체크　선택지로 글의 내용 파악한 뒤 지문 읽기

1 Waldemar Haffkine에 관한 다음 글의 내용과 일치하지 <u>않는</u> 것은?　학평 기출

Waldemar Haffkine was born on the 16th of March 1860 at Odessa in Russia. He graduated in the Science Faculty of Odessa University in 1884. In 1889, Haffkine went to Paris to work at the Pasteur Institute, and did research to prepare a vaccine against cholera. His initial work on developing a cholera vaccine was successful. After a series of animal trials, in 1892 he tested the cholera vaccine on himself, risking his own life. During the Indian cholera epidemic of 1893, at the invitation of the Government of India he went to Calcutta and introduced his vaccine. After initial criticism by the local medical bodies, it was widely accepted. Haffkine was appointed as the director of the Plague Laboratory in Bombay (now called the Haffkine Institute). After his retirement in 1914, he returned to France and occasionally wrote for medical journals. He revisited Odessa in 1927, but could not adapt to the tremendous changes after the revolution in the country of his birth. He moved to Switzerland in 1928 and remained there for the last two years of his life.

① Pasteur Institute에서 일한 적이 있다.
② 콜레라 백신을 자기 자신에게 시험했다.
③ Calcutta로 가서 자신의 백신을 소개했다.
④ 은퇴 후 의학 저널에 글을 기고하지 않았다.
⑤ 생애 마지막 2년 동안 스위스에 머물렀다.

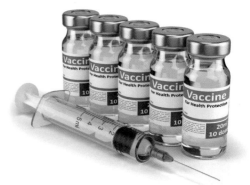

© Getty Images Korea

Words
● faculty (대학의) 학부　● initial 초기의　● animal trial 동물 실험　● risk one's life 목숨을 걸다　● epidemic 유행병, 감염병　● criticism 비판, 비난　● appoint 지명하다, 임명하다　● plague 질병　● retirement 은퇴　● occasionally 때때로　● tremendous 엄청난

2 다음 표의 내용과 일치하지 <u>않는</u> 것은?

Global Plastic Waste Generation by Industry in 2015

Market Sectors	Million Tons	%
Packaging	141	46.69
Textiles	38	12.58
Consumer and Institutional Products	37	12.25
Transportation	17	5.63
Electrical and Electronic	13	4.30
Building and Construction	13	4.30
Industrial Machinery	1	0.33
Others	42	13.91
Total	302	100

※ Note: Due to rounding, the percentages may not sum to 100%

The above table shows global plastic waste generation by industry in 2015. ① The sector that generated plastic waste most was packaging, accounting for 46.69% of all plastic waste generated. ② The textiles sector generated 38 million tons of plastic waste, or 12.58% of the total plastic waste generated. ③ The consumer and institutional products sector generated 37 million tons of plastic waste, and the amount was more than twice that of plastic waste the transportation sector generated. ④ The electrical and electronic sector generated just as much plastic waste as the building and construction sector did, each sector accounting for 8.60% of the total plastic waste generation. ⑤ Only one million tons of plastic waste were generated in the industrial machinery sector, representing less than 0.50% of the total plastic waste generated.

Words
● generation 발생 ● sector 부문 ● packaging 포장 ● institutional 기관의 ● machinery 기계(류) ● generate 발생시키다
● account for ~을 차지하다 ● represent 보여 주다, 제시하다

WEEK 2_DAY 2 45

전략 체크 | 선택지를 지문과 차례로 대조하기

3 Great Bear Rainforest에 관한 다음 글의 내용과 일치하지 <u>않는</u> 것은? 모평 기출

Along the coast of British Columbia ⓐ<u>lies</u> a land of forest green and sparkling blue. This land is the Great Bear Rainforest, ⓑ<u>which</u> measures 6.4 million hectares about the size of Ireland or Nova Scotia. It is home to a wide variety of wildlife. One of the unique animals ⓒ<u>living</u> in the area is the Kermode bear. It is a rare kind of bear known to be the official mammal of British Columbia. Salmon are also found here. They play a vital role in this area's ecosystem as a wide range of animals, as well as humans, ⓓ<u>consuming</u> them. The Great Bear Rainforest is also home to the Western Red Cedar, a tree that can live for several hundred years. The tree's wood is lightweight and rot-resistant, so it is ⓔ<u>used</u> for making buildings and furniture.

① British Columbia의 해안가를 따라 위치한다.
② Ireland와 Nova Scotia를 합친 크기이다.
③ Kermode 곰이 살고 있다.
④ 연어는 이 지역 생태계에서 중요한 역할을 한다.
⑤ Western Red Cedar의 서식지이다.

Plus
윗글의 밑줄 친 ⓐ~ⓔ 중 어법상 <u>틀린</u> 것은?

① ⓐ   ② ⓑ   ③ ⓒ   ④ ⓓ   ⑤ ⓔ

© Natures Momentsuk / shutterstock

Words
● lie 있다, 위치해 있다   ● measure 측정하다, (크기나 길이 등이) ~이다   ● home to ~의 고향(서식지)   ● rare 희귀한   ● mammal 포유류
● play a role in ~에서 역할을 하다   ● vital 매우 중요한   ● ecosystem 생태계   ● consume 먹다, 마시다   ● lightweight 가벼운   ● rot-resistant 부패에 강한, 썩지 않는

4 다음 도표의 내용과 일치하지 <u>않는</u> 것은? 모평 기출

U.S. Adults' Book Consumption by Age Group and Format

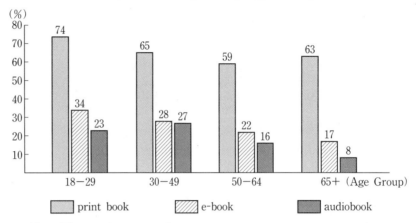

Note: Those who gave other answers or no answer are not shown.

The above graph, which was based on a survey conducted in 2019, shows the percentages of U.S. adults by age group who said they had read (or listened to) a book in one or more of the formats — print books, e-books, and audiobooks — in the previous 12 months. ① The percentage of people in the 18−29 group who said they had read a print book was 74%, which was the highest among the four groups. ② The percentage of people who said they had read a print book in the 50−64 group was higher than that in the 65 and up group. ③ While 34% of people in the 18−29 group said they had read an e-book, the percentage of people who said so was below 20% in the 65 and up group. ④ In all age groups, the percentage of people who said they had read an e-book was higher than that of people who said they had listened to an audiobook. ⑤ Among the four age groups, the 30−49 group had the highest percentage of people who said they had listened to an audiobook.

Words
● age group 연령대 ● format 형식 ● be based on ~에 근거하다 ● survey (설문) 조사 ● conduct 실시하다 ● print book 활자본, 종이책 ● previous 이전의

대표 유형 3

Poetry Writing Basics Workshop에 관한 다음 안내문의 내용과 일치하는 것은?

모평 기출

Poetry Writing Basics Workshop

Join our Poetry Writing Basics Workshop and meet the poet,

Ms. Grace Larson!

All students of George Clarkson University are invited.

When: Thursday, September 24, 2020 (1:00 p.m. – 4:00 p.m.)

Where: Main Seminar Room, 1st Floor, Student Union

After an introduction to the basic techniques of poetry writing,

you will:

1. Write your own poem.

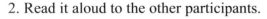

2. Read it aloud to the other participants.

3. Receive expert feedback from Ms. Larson.

Registration Fee: $10

※ Register on or before September 18 and pay only $7.

Any related inquiries should be sent via email to studentun@

georgeclarkson.edu.

① 목요일 오전에 진행된다.

② 학생회관 3층에서 열린다.

③ 참가자는 자신이 창작한 시를 낭독할 것이다.

④ 9월 18일까지는 등록비가 10달러이다.

⑤ 관련 문의는 이메일로 할 수 없다.

유형 해결 전략

Step 1
지시문을 읽고 **❶**⬚하는 것을 찾아야 한다는 것을 확인한다.

Step 2
선택지를 읽고, 어떤 정보를 **❷**⬚에서 확인해야 하는지 파악한다.

Step 3
지문에서 선택지를 확인할 수 있는 정보를 찾아 비교하여 답을 찾는다.

답 ❶ 일치 ❷ 지문

Words

• introduction 소개 • participant 참가자 • registration fee 등록비 • inquiry 문의 • via ~을 통해, ~을 거쳐

대표 유형 4

다음 글의 밑줄 친 부분 중, 어법상 틀린 것은? 모평 기출

To begin with a psychological reason, the knowledge of another's personal affairs can tempt the possessor of this information ①to repeat it as gossip because as unrevealed information it remains socially inactive. Only when the information is repeated can its possessor ②turn the fact that he knows something into something socially valuable like social recognition, prestige, and notoriety. As long as he keeps his information to ③himself, he may feel superior to those who do not know it. But knowing and not telling does not give him that feeling of "superiority that, so to say, latently contained in the secret, fully ④actualizing itself only at the moment of disclosure." This is the main motive for gossiping about well-known figures and superiors. The gossip producer assumes that some of the "fame" of the subject of gossip, as ⑤whose "friend" he presents himself, will rub off on him.

* prestige 명성   ** notoriety 악명   *** latently 잠재적으로

유형 해결 전략

Step 1

글의 전체적인 내용을 파악한다.

Step 2

밑줄 친 부분의 ❶[　　]적 역할을 파악한다.

Step 3

밑줄 친 부분의 앞뒤를 살펴 어법적으로도, ❷[　　]상으로도 자연스러운지 살핀다.

답 ❶ 어법 ❷ 문맥

Words

● psychological 심리적인   ● affair 일, 사건   ● tempt 부추기다, 유혹하다   ● gossip 험담, 소문; 험담을 하다   ● unrevealed 숨겨진, 드러나지 않은   ● inactive 효력이 나타나지 않는   ● recognition 인지   ● superior 우월한; 우월한 사람   ● superiority 우월   ● actualize 실현하다   ● disclosure 폭로, 발각, 드러남   ● motive 동기   ● figure 인물   ● rub off on ~으로 옮겨지다, ~에 영향을 주다

필수 체크 전략 ②

1 (A), (B), (C)의 각 네모 안에서 어법에 맞는 표현으로 가장 적절한 것은? 학평 기출

Sometimes perfectionists find that they are troubled because (A) what / whatever they do it never seems good enough. If I ask, "For whom is it not good enough?" they do not always know the answer. After giving it some thought they usually conclude that it is not good enough for them and not good enough for other important people in their lives. This is a key point, because it suggests that the standard you may be struggling to (B) meet / be met may not actually be your own. Instead, the standard you have set for yourself may be the standard of some important person in your life, such as a parent or a boss or a spouse. (C) Live / Living your life in pursuit of someone else's expectations is a difficult way to live. If the standards you set were not yours, it may be time to define your personal expectations for yourself and make self-fulfillment your goal.

	(A)		(B)		(C)
①	what	⋯⋯	meet	⋯⋯	Live
②	what	⋯⋯	be met	⋯⋯	Living
③	whatever	⋯⋯	meet	⋯⋯	Live
④	whatever	⋯⋯	meet	⋯⋯	Living
⑤	whatever	⋯⋯	be met	⋯⋯	Live

© Iakov Filimonov / shutterstock

Words
● perfectionist 완벽주의자 ● conclude 결론을 내리다 ● suggest 시사하다 ● standard 기준 ● struggle to ~하려고 애쓰다 ● spouse 배우자 ● in pursuit of ~을 추구하는 ● expectation 기대 ● define 규정하다, 분명히 밝히다 ● self-fulfillment 자기실현

전략 체크   선택지 내용 파악한 뒤 안내문 읽기

2 Double Swan Hot Springs에 관한 다음 안내문의 내용과 일치하는 것은? 학평 기출

Double Swan Hot Springs

Soak your way to health and have your cares float away!

Water Temperatures:

- Hot springs: 40°C year round

- Swimming pools: 30−31°C in summer / 32−33°C in winter

Hours:

- Monday: Closed

- Tuesday through Friday: 11 a.m. – 7 p.m.

- Saturday & Sunday: 9 a.m. – 8 p.m.

Fees:

	One-Day Pass	10-Swim Pass
Adults	$12	$85
Children (3-12)	$7	$50
2 & Under	Free	
Double Swan residents: 50% off		

Notes:

• Visitors can bring their own Coast Guard approved life jackets.

• Swimming equipment rental is not available.

Reservations can be made at www.dshotsprings.com or by calling us at 719-980-3456.

---

① 수영장의 수온은 겨울보다 여름이 더 높다.

② 화요일에는 개장하지 않는다.

③ Double Swan 주민은 절반 가격에 이용할 수 있다.

④ 이용객은 수영 장비를 빌릴 수 있다.

⑤ 웹 사이트를 통해서만 예약할 수 있다.

 Words

● hot spring 온천 ● soak 담그다, 푹 적시다 ● float 떠가다, 흘러가다 ● pass 출입증, 탑승권 ● approved 인가된, 입증된 ● life jacket 구명조끼 ● equipment 장비 ● reservation 예약

3 다음 글의 밑줄 친 부분 중, 어법상 틀린 것은? 학평 기출

Organisms living in the deep sea have adapted to the high pressure by storing water in their bodies, some ① consisting almost entirely of water. Most deepsea organisms lack gas bladders. They are cold-blooded organisms that adjust their body temperature to their environment, allowing them ② to survive in the cold water while maintaining a low metabolism. Many species lower their metabolism so much that they are able to survive without food for long periods of time, as finding the sparse food ③ that is available expends a lot of energy. Many predatory fish of the deep sea are equipped with enormous mouths and sharp teeth, enabling them to hold on to prey and overpower ④ it. Some predators hunting in the residual light zone of the ocean ⑤ has excellent visual capabilities, while others are able to create their own light to attract prey or a mating partner.

*bladder (물고기의) 부레

© Konstantin G / shutterstock

Words
● organism 유기체 ● adapt 적응하다 ● lack ~이 없다 ● adjust 적응하다, 맞추다 ● metabolism 신진대사 ● sparse 드문 ● expend (시간·노력 등을) 들이다, 소비하다, 쓰다 ● predatory 포식자의 ● be equipped with ~을 갖추고 있다 ● enable ~할 수 있게 하다, 가능하게 하다 ● hold on to ~에 매달리다, 꼭 잡다 ● prey 먹이 ● overpower 제압하다 ● predator 포식자 ● residual light zone 잔광 구역 ● mating partner 짝, 짝짓기 상대

4 KSFF International Exchange Program에 관한 다음 안내문의 내용과 일치하지 **않는** 것은? 학평 기출

KSFF International Exchange Program

Are you interested in participating in an international exchange program? The Korea-Singapore Friendship Foundation (KSFF) will send high school students to 6 schools in Singapore. This opportunity will be great for developing a global perspective and lifelong memories.

OPPORTUNITY and DATES

• Each school will host 7 to 10 high school students.

• Two weeks: from September 3, 2018, to September 16, 2018

ACTIVITIES

• Classroom participation and extra-curricular activities

• Visiting tourist sites

ACCOMMODATIONS

• KSFF will arrange for participants to stay with local families.

More information is available at www.ksffexchange.net.

Please note: The application must be completed on our website by June 9, 2018.

---

① 고등학생을 대상으로 한다.

② 2018년 9월 16일부터 2주간 운영된다.

③ 관광지 방문 활동을 포함한다.

④ KSFF가 참가자를 위해 현지 가정 체류를 주선한다.

⑤ 웹 사이트에서 신청을 완료해야 한다.

Words

• participate in ~에 참가하다 • perspective 관점 • host (손님을) 접대하다 • extra-curricular 과외의, 정규 교과 외의

• accommodation 숙소, 숙박 시설 • arrange 준비하다, 마련하다 • application 신청, 지원

1 Carol Ryrie Brink에 관한 다음 글의 내용과 일치하지 <u>않는</u> 것은? 학평 기출

Born in 1895, Carol Ryrie Brink was orphaned by age 8 and raised by her grandmother. Her grandmother's life and storytelling abilities inspired her writing. She married Raymond Woodard Brink, a young mathematics professor she had met in Moscow, Idaho many years before. After their son and daughter were born, early in her career, she started to write children's stories and edited a yearly collection of short stories. She and her husband spent several years living in France, and her first novel *Anything Can Happen on the River* was published in 1934. After that, she wrote more than thirty fiction and nonfiction books for children and adults. She received the Newbery Award in 1936 for *Caddie Woodlawn*.

① 할머니에 의해 길러졌다.

② Moscow에서 만났던 수학 교수와 결혼했다.

③ 자녀가 태어나기 전에 어린이 이야기를 쓰기 시작했다.

④ 1939년에 그녀의 첫 번째 소설이 출간되었다.

⑤ *Caddie Woodlawn*으로 Newbery 상을 받았다.

뉴베리상은 미국에서 가장 권위있는 아동문학상으로 꼽힙니다. 1922년부터 시상되기 시작했으며, 아동문학 출판에 크게 이바지한 출판업자 John Newbery(1713-1767)의 이름을 따서 만들어졌습니다.

Words

● be orphaned 고아가 되다, 부모를 잃다 ● inspire 영감을 주다 ● edit 편집하다 ● publish 출판하다

2 다음 도표의 내용과 일치하지 <u>않는</u> 것은? 학평 기출

How Often Did Americans Eat at Fast Food Restaurants?

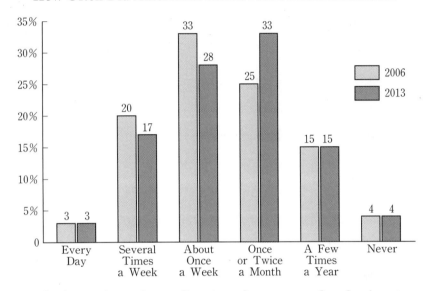

The graph above shows how often Americans ate at fast food restaurants in 2006 and 2013. ① Respondents who ate at fast food restaurants every day took up the smallest proportion with 3% both in 2006 and 2013. ② Compared to 2006, the percentage of respondents who ate at fast food restaurants several times a week and the percentage of those who did about once a week decreased in 2013. ③ In 2006, the percentage of respondents reporting that they ate at fast food restaurants about once a week was the largest, accounting for 33%. ④ In 2013, the percentage of respondents who ate at fast food restaurants once or twice a month was less than twice that of respondents who said that they did a few times a year. ⑤ The percentages of respondents who never ate at fast food restaurants in 2006 and 2013 were equal to each other.

Words
• respondent 응답자 • take up (시간 · 공간을) 차지하다 • proportion 비율 • compared to ~와 비교하여 • decrease 감소하다
• account for ~을 차지하다 • be equal to ~와 동일하다

3 Springfield Photo Contest에 관한 다음 안내문의 내용과 일치하지 <u>않는</u> 것은? 학평 기출

Springfield Photo Contest

Show off your pictures taken in this beautiful town. All the winning entries will be included in the official Springfield tour guide book!

Prizes

• 1st Place: $500   • 2nd Place: $250   • 3rd Place: $150

Contest Rules

• Limit of 5 photos per entrant

• Photos must be taken in Springfield.

• Photos must be submitted digitally as JPEG files.

• Photos should be in color (black-and-white photos are not accepted).

The submission must be completed on our website (www.visitspringfield.org) by December 27, 2019.

Please email us at info@visitspringfield.org for further information.

---

① 모든 수상작은 공식 여행 안내 책자에 수록될 것이다.

② 1등 상금은 2등 상금의 두 배이다.

③ Springfield에서 촬영한 사진이어야 한다.

④ 컬러 사진 및 흑백 사진이 허용된다.

⑤ 12월 27일까지 웹 사이트로 제출이 완료되어야 한다.

Words

● show off 자랑하다, 뽐내다 ● winning entry 수상작 ● include ~을 포함하다 ● official 공식의 ● entrant 출전자, 응시생
● submit 제출하다 ● submission 제출

4 다음 글의 밑줄 친 부분 중, 어법상 틀린 것은? 학평 기출

An economic theory of Say's Law holds that everything that's made will get sold. The money from anything that's produced is used to ①buy something else. There can never be a situation ②which a firm finds that it can't sell its goods and so has to dismiss workers and close its factories. Therefore, recessions and unemployment are impossible. Picture the level of spending like the level of water in a bath. Say's Law applies ③because people use all their earnings to buy things. But what happens if people don't spend all their money, saving some of ④it instead? Savings are a 'leakage' of spending from the economy. You're probably imagining the water level now falling, so there's less spending in the economy. That would mean firms producing less and ⑤dismissing some of their workers.

*recession 경기 후퇴

© MJTH / shutterstock

Words
● law 법칙 ● situation 상황 ● dismiss 해고하다 ● unemployment 실업 ● apply 적용되다 ● earning 소득, 수입 ● leakage 누출, 누수 ● water level 수위, 물의 높이

창의·융합·코딩 전략 ①

1 다음 안내문의 내용을 <u>잘못</u> 이해한 사람을 <u>모두</u> 고르시오.　 응용

2020 K-Culture Video Contest

▶ **Who Can Enter**

The contest is open to U.S. residents only.

▶ **How to Enter**

Create your own video clip and upload it on our website by July 31, 2020.

▶ **Entry Categories**

Choose to enter one or both categories from below:

K-Pop	Sing and dance to K-pop
K-Drama	Act out a scene from a K-drama

▶ **Prizes**

• 1st Place: two round-trip flight tickets to Seoul

• 2nd Place: home theater system

• 3rd Place: K-pop artist's autographed album

The winners will be announced on August 15 at www.k_culture.org.

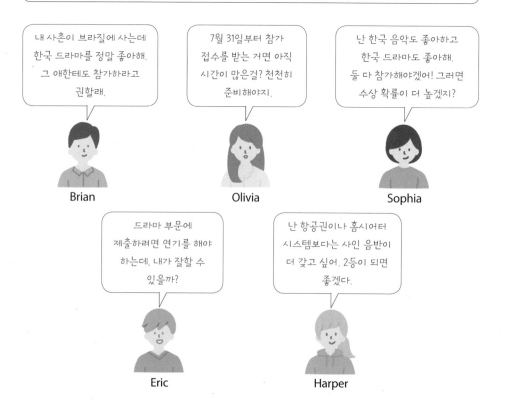

2 다음 표를 설명한 글을 읽고, 빈칸에 알맞은 카드를 아래에서 골라 쓰시오. 모평 응용

U.S. States That Added the Most Solar Industry Workers Between 2015 and 2020

Rank	State	Number of Workers Added	Growth Percentage (%)
1	Florida	4,659	71
2	Utah	4,246	158
3	Texas	3,058	44
4	Virginia	2,352	120
5	Minnesota	2,003	101
6	New York	1,964	24
7	Pennsylvania	1,810	72

The table above shows seven U.S. states ranked by the number of workers added in the solar industry between 2015 and ① [   ], and provides information on the corresponding growth percentage in each state. During this period, ② [   ], which ranked first with regard to the number of workers added, exhibited 71% growth. The number of workers added in Utah was about 1,200 ③ [   ] than the number of workers added in Texas. Regarding Virginia and Minnesota, each state showed more than 100% growth. New York added more than 1,900 workers, displaying ④ [   ]% growth. Among these seven states, Pennsylvania added the ⑤ [   ] number of workers during this period.

2015	2020	72	Utah
Virginia	Florida	more	less
24	highest	lowest	1964

창의·융합·코딩 전략 ②

3 다음 인형 사용 설명서를 읽고, 인형 판매 사이트 고객 게시판의 FAQ에서 <u>다른</u> 부분을 찾으시오.

*FAQ: frequently asked questions (자주 묻는 질문) 학평 응용

Hide & Seek Sayley Interactive Doll

How to Play with Sayley

1. Hide Sayley and make sure she is in an upright sitting position.

2. The seeker (child) will get messages from Sayley through the Detector.

3. When the seeker presses the green button on the Detector, Sayley will start to respond as the seeker looks for her.

4. The LED indicators on the front of the Detector will indicate if the seeker is far away from Sayley or not:

  • Blue – The seeker is at a far distance.

  • Yellow – The seeker is getting close.

  • Red – The seeker is very close.

NOTES:

1. Sayley's voice comes out of the Detector, not from the doll itself.

2. Do not hide Sayley inside any metallic containers, as it will affect the signals transmitted from Sayley.

FAQ　　　　　　　　　　　자주 묻는 질문을 먼저 확인하세요

Q1　인형을 눕혀도 괜찮나요?

A1　아뇨, 인형은 ①똑바로 앉은 자세로 두어야 합니다.

Q2　놀이를 시작했는데 탐지기에 아무 반응이 없어요!

A2　②탐지기 위의 녹색 버튼을 누르셨나요? 그래야 인형이 반응할 수 있답니다.

Q3　탐지기의 불빛 색이 자꾸 바뀌어요!

A3　탐지기의 불빛은 ③찾는 시간이 길어질수록 파란색, 노란색, 빨간색으로 바뀝니다.

Q4　인형이 말을 하지 않아요!

A4　목소리는 Sayley가 아니라 ④탐지기에서 나옵니다. 고장이 아니니 안심하세요.

Q5　인형과 탐지기가 연결이 안 돼요!

A5　혹시 Sayley를 ⑤금속 재질의 가구나 상자에 넣으셨나요? 인형에서 나오는 신호가 영향을 받을 수 있으니, 다른 곳에 인형을 놓아 보세요.

4 다음 Maurice Maeterlinck에 관한 글을 읽고, 표에서 **틀린** 부분을 고르시오.   학평 응용

Maurice Maeterlinck, the greatest symbolist playwright of the nineteenth and twentieth centuries, was born on August 29, 1862, in Ghent, Belgium. He studied law and worked as a lawyer until 1889, when he decided to devote himself to writing. In 1897, Maeterlinck went to Paris, where he met many of the leading symbolist writers of the day. His first play, *La Princesse Maleine* (*The Princess Maleine*), was sent to major French symbolist poet and critic Mallarmé and became an immediate success. Another of his plays, *L'Oiseau bleu* (*The Blue Bird*), was an international success and has been adapted several times as a children's book and a major motion picture. The phrase "the bluebird of happiness" derives from this enormously popular and enduring story. Maeterlinck won the Nobel Prize for literature in 1911. He died of a heart attack on May 6, 1949, in Nice, France.

© the University of Texas Libraries, The University of Texas at Austin

The Life of Maurice Maeterlinck   **Timeline**

year	1862	1889	1897	1911	1949
	① born in Ghent, Belgium	② started to work as a lawyer	③ went to Paris, met many leading symbolist writers	④ won the Nobel Prize for literature	⑤ died in Nice, France

BOOK 1 마무리 전략

지난 2주간 학습한 독해 전략을 한눈에 살펴보세요.

1주 | 전체 내용 파악하기

1 글의 목적 추론하기

2 심경 변화 파악하기

3, 4 주장, 요지, 주제 찾기 / 글의 제목 추론하기

2주 세부 사항 파악하기

1 지문 일치 · 불일치 파악하기

2 도표 일치 · 불일치 파악하기

3 실용문 일치 · 불일치 파악하기

4 어법 판단하기

신유형·신경향 전략

1 다음 글의 밑줄 친 부분 중 도표의 내용과 일치하지 <u>않는</u> 것은? 수능 응용

Online Shares of Retail Sales in 2012 and in 2019

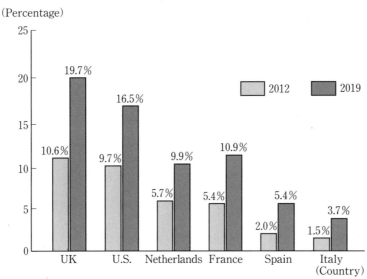

Note: Vacations, autos, gas, and tickets are excluded from retail sales.

The graph above shows the online shares of retail sales for each of six countries in 2012 and in 2019. The online share of retail sales refers to the percentage of retail sales conducted online in a given country. For each country, its online share of retail sales in 2019 was ①larger than that in 2012. Among the six countries, the UK owned the ②largest online share of retail sales with 19.7% in 2019. In 2019, the U.S. had the second ③largest online share of retail sales with 16.5%. In 2012, the online share of retail sales in the Netherlands was ④smaller than that in France, whereas the reverse was true in 2019. In the case of Italy, the online share of retail sales was ⑤less than 5.0% both in 2012 and in 2019.

How to Solve

1 도표의 내용과 범주를 파악합니다.

2 지문을 읽으며 밑줄 친 부분의 일치 여부를 확인하려면 ❶ [   ]의 어느 부분을 확인해야 하는지 파악합니다.

3 해당하는 부분을 도표와 하나씩 ❷ [   ]하여 일치 여부를 확인합니다.

답 ❶ 도표 ❷ 대조(비교)

- retail sales 소매 판매
- conduct 수행하다, 처리하다
- whereas ～에 반하여
- reverse 반대

2 Wireless Charging Pad 사용에 관한 다음 안내문의 내용과 일치하는 것은? 기출

> # Wireless Charging Pad
> ## - Instructions -
>
> **Wireless Smartphone Charging:**
>
> 1. Connect the charging pad to a power source.
> 2. Place your smartphone on the charging pad with the display facing up.
> 3. Place your smartphone on the center of the charging pad (or it will not charge).
>
>
>
> **Charge Status LED:**
>
> • Blue Light: Your smartphone is charging. If there's a problem, the blue light will flash.
> • White Light: Your smartphone is fully charged.
>
> **Caution:**
>
> • Do not place anything between your smartphone and the charging pad while charging.
> • The charging pad is not water-resistant. Keep it dry.

① 스마트폰의 화면을 아래로 향하게 두어야 한다.
② 스마트폰을 충전 패드 중앙에 놓지 않아도 된다.
③ LED 빛이 흰색이면 스마트폰이 완전히 충전되지 않은 것이다.
④ 스마트폰과 충전 패드 사이에 어떤 것도 놓지 않아야 한다.
⑤ 충전 패드는 방수가 된다.

신경향 소재 알기 Instructions

실용문 일치·불일치 유형에서는 행사·강좌의 안내문 또는 홍보문 등이 가장 많이 출제되지만, 실생활 용품의 사용 설명서가 제시될 때도 있습니다. 대개 해당 용품의 ❶〔　　　〕을 안내하는 그림과 함께 사용 방법, 취급 시 ❷〔　　　〕점 등이 소개됩니다. 다른 실용문과 마찬가지로 선택지를 차례대로 설명서의 내용과 비교하면 쉽게 답을 찾을 수 있습니다.

답 ❶ 기능 ❷ 유의(주의)

Words
● charge 충전하다
● instruction 사용 설명서
● water-resistant 방수의

3 다음 글의 Jill에 관한 내용으로 적절하지 <u>않은</u> 것은?
학평 응용

Jill is driving her two young sons to the movies. After the third time that the kids have quarreled, she pulls over the car, turns around, and screams at them at the top of her lungs: "ENOUGH! One more word and nobody goes to the movies!" After seeing the frightened looks on the children's faces and feeling the aftermath of the hurricane that just overtook her, she drives to the movies in a state of shock and disbelief. The kids were just being kids, she thinks. How could I have lost it and scared them so badly? Jill finds herself feeling overwhelmed, exhausted, and pretty guilty for the rest of the trip.

① 두 아들을 데리고 영화관에 가고 있다.
② 아이들이 세 번째로 다투자 차를 세운다.
③ 아이들에게 소리를 친다.
④ 영화관에 가지 않고 집으로 차를 돌렸다.
⑤ 아이들에게 겁을 준 것 때문에 죄책감을 느끼고 있다.

© Getty Images Bank

How to Solve

1 선택지를 먼저 읽고, 글의 내용을 [❶   ]해 봅니다.
2 이야기의 흐름을 따라가며 선택지와 글을 차례로 비교합니다.
3 반드시 글 안에서 [❷   ]를 찾도록 유의합니다.

답 ❶ 예상(추측) ❷ 단서

Words

- quarrel 다투다
- pull over (길 한쪽에) 차를 대다, 정차하다
- at the top of one's lungs 있는 힘껏(목청껏) 큰 소리로
- aftermath 여파
- overtake 불시에 닥치다, 엄습하다
- disbelief 믿기지 않음, 불신감
- lose it (웃음, 울음, 화 등을) 참지 못하다
- overwhelmed 압도된, 어쩔 줄 모르는

4 다음 밑줄 친 부분 중 어법상 어색한 것은? 학평 응용

In the "good old days," you earned positive feedback slowly through good deeds or other accomplishments. With the advent of social media, ① our children become impatient for an immediate answer or "Like" within minutes of ② sending that urgent piece of information out, as a text to one person, a group, the hundreds of "friends" they've amassed, or the entire world. "I just have to check again to see ③ if anyone has responded, yet." Every positive response gives a small drop of dopamine right into the brain's reward center. Even more powerfully, neuroimaging studies reveal that the anticipation of a reward is more stimulating than ④ its actual receipt. Plus, the reward from each response is not enough to be totally satisfying, leaving you still hungry for more — another feature of addictive behavior. Thus, the dopamine reward of the instant feedback contributes to ⑤ the time spending on social media.

Words

- **feedback** 피드백, (무엇에 대한) 의견, 반응
- **good deed** 선행
- **advent** 도래, 출현
- **impatient** 안달하는, 못 견디는
- **urgent** 긴급한, 다급한
- **amass** 모으다, 축적하다
- **dopamine** 도파민(신경 전달 물질 등의 기능을 하는 체내 유기 화합물)
- **neuroimaging** 신경 촬영법, 두뇌 영상
- **anticipation** 기대, 예상
- **stimulating** 자극적인, 고무적인
- **receipt** 영수증, 인수, 수령
- **addictive** 중독성의
- **contribute to** ~의 원인이 되다, ~에 기여하다

© Mjase design / shutterstock

How to Solve

1 글의 첫 부분을 읽고, 글의 중심 소재와 **❶** 를 파악한 뒤 읽습니다.

2 각 문장에서 밑줄 친 부분이 하는 **❷** 을 파악하고 그것에 적합한 어법적 형태를 가졌는지 확인합니다.

3 밑줄 친 어구 안에서의 문법적 구조에도 어색한 부분이 없는지 확인합니다.

답 ❶ 주제 ❷ 역할

01 다음 도표의 내용과 일치하지 <u>않는</u> 것은?   수능 기출

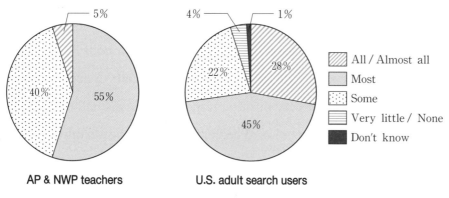

Accuracy or Trustworthiness of the Information found Using Search Engines

- 5%
- 40%
- 55%

AP & NWP teachers

- 4%
- 1%
- 22%
- 28%
- 45%

U.S. adult search users

- All / Almost all
- Most
- Some
- Very little / None
- Don't know

■AP: Advanced Placement courses
■NWP: National Writing Project

The two pie charts above show how much of the information found using search engines is considered to be accurate or trustworthy by two groups of respondents (AP & NWP teachers and U.S. adult search users) in 2012. ① As for AP & NWP teachers, five percent say that "All / Almost all" of the information found using search engines is accurate or trustworthy, while 28 percent of U.S. adult search users say the same. ② The largest percentage of both AP & NWP teachers and U.S. adult search users answer that "Most" of the information is accurate or trustworthy. ③ In addition, 40 percent of AP & NWP teachers say that "Some" of the information is accurate or trustworthy, and more than 30 percent of U.S. adult search users respond the same. ④ U.S. adult search users saying that "Very little / None" of the information found using search engines is accurate or trustworthy account for less than five percent. ⑤ The percentage of U.S. adult search users who answer "Don't know" is only one percent.

02 Donald Griffin에 관한 다음 글의 내용과 일치하지 <u>않는</u> 것은?

Donald Griffin was an American biophysicist and animal behaviourist known for his research in animal navigation, acoustic orientation, and sensory biophysics. During his childhood, he was influenced by his uncle, who was a Harvard professor of biology. Griffin received a Ph.D. in zoology from Harvard University in 1942. He demonstrated that bats emit high-frequency sounds with which they can locate objects as small as flying insects. In 1965, he became a professor at Rockefeller University in New York and a research zoologist for the New York Zoological Society. After he retired from Rockefeller University in 1986, he didn't stop his research: he continued to present papers at national and international meetings. In the late 1970s Griffin argued that animals might possess the ability to think and reason. Although his claim sparked much controversy in the science community, there is no question that he radically opened up the field of animal cognition.

① 미국의 생물 물리학자이자 동물 행동학자이다.
② 어렸을 때 수학 교수인 삼촌에게 영향을 받았다.
③ 박쥐가 고주파음으로 사물의 위치를 파악함을 증명했다.
④ Rockefeller University 퇴직 후 연구를 멈추지 않았다.
⑤ 동물이 생각하고 추론하는 능력을 지녔을 수 있다고 주장했다.

[03~04] 다음 글을 읽고, 물음에 답하시오.　　　　　학평 응용

Surf and Tutor Sessions

We're offering a personalized 3.5-hour curriculum in which students are tutored in chosen subjects for 1.5 hours. In addition to tutoring, students take part in a 2-hour surf lesson at Torrance Beach!

What's included

• Beach gear (surfboards) and all necessary study gear

• Lunch, drinks, snacks, photos and videos of the students riding waves

Available subjects for tutoring

• Math and Science　　　• Writing and Grammar　　　• Chinese

Schedule

• July 16 – August 24 (Mon. – Fri.)

• Tutoring 9:00 a.m. – 10:30 a.m.

• Surfing 10:30 a.m. – 12:30 p.m.

• Only surf lessons OR tutoring available upon request

For inquiry, call (310) 345–9876.

03 Surf and Tutor Sessions에 관한 위 안내문의 내용과 일치하는 것은?

① 학과 교습 시간이 서핑 교습 시간보다 길다.

② 학습 도구는 신청자가 별도 지참해야 한다.

③ 학과 교습이 가능한 과목은 수학, 과학, 스페인어이다.

④ 서핑 교습 후 학과 교습을 받는다.

⑤ 서핑 교습과 학과 교습 중 하나만 받을 수도 있다.

04 Surf and Tutor Sessions에 관한 위 안내문의 내용과 일치하지 <u>않는</u> 것은?

① 학과 교습은 하루에 한 시간 반 동안 받는다.

② 서핑 교습은 Torrance Beach에서 받는다.

③ 점심 식사와 음료가 제공된다.

④ 참가자가 서핑하는 모습을 촬영해서 제공한다.

⑤ 서핑 교습은 주말에 받는다.

[05~06] 다음 글을 읽고, 물음에 답하시오.　　　　학평 응용

There was once a king who was unhappy at being overweight, so he called the wisest man in the kingdom to help him to get into shape. The wise man told him ⓐthat there was a magic mirror in the king's woods and, if one looked into it, one would become as thin as one wanted. The only problem was that this mirror could only be found in the woods early in the morning at sunrise and then only for a few minutes ⓑdid its magic work. The king then proceeded to get up just before dawn every morning and ⓒrun around the woods searching for this mirror. After a couple of months the wise man ⓓplacing a mirror in the woods for the king to find miraculously he had lost all the weight he had wanted. Of course the mirror was not magic. The king's weight loss was directly ⓔattributable to two months of early morning jogging. Would the king have taken the advice if he had been told to do that?

05 윗글의 내용과 일치하지 <u>않는</u> 것은?

① 왕은 자신의 체중 문제를 해결하기 위해 현자를 불렀다.
② 현자는 왕이 가진 숲속에 마법의 거울이 있다고 말했다.
③ 현자는 왕이 마법의 거울을 들여다보면 날씬해질 것이라고 말했다.
④ 왕은 매일 동트기 전에 일어나 숲속을 뛰어다녔다.
⑤ 왕은 숲속에 거울을 가져다 놓도록 현자에게 명령했다.

06 윗글의 밑줄 친 부분 중, 어법상 <u>틀린</u> 것은?

① ⓐ　　　② ⓑ　　　③ ⓒ　　　④ ⓓ　　　⑤ ⓔ

[01~02] 다음 글을 읽고, 물음에 답하시오. 학평 응용

"No thanks," you say when a waitress comes around with a basket of warm, freshly baked bread, even though you're starving, because you're out to dinner with your new boss. When we want to impress someone or make them ⓐ think a certain way about us, we tend to eat less in their presence than we would if we were alone. Modest consumption is often viewed favorably regardless of one's gender — as it implies self-control, discipline, and ⓑ what you are paying more attention to the person you are with than to your food.

In addition to wanting to make a good impression, simply being watched makes us self-conscious. This along with the anxiety about what critical observations the new boss may be making, can further suppress food intake. In Deborah Roth's experiment in which participants were ⓒ given fake information about prior volunteers, the enhancing effects of imaginary greedy eaters totally disappeared when the experimenter was in the room watching. Regardless of how much the imaginary predecessors had ⓓ previously eaten, when the real participant knew she was being observed she ate very little. This kind of effect can even occur when the observer isn't a person at all. In an experiment conducted at the University of Missouri, participants finished their meals more quickly and sometimes ⓔ got up and left without finishing when they were being stared at by a life-sized bust of a human head.

© Getty Images Bank

01 윗글의 제목으로 가장 적절한 것은?

① Table Manners: A Necessary Evil?

② A Solitary Meal Is Not Good for Health

③ Watching Eyes May Make You Eat Less

④ Effects of Modest Consumption on Health

⑤ Effective Ways to Stimulate Your Appetite

02 윗글의 밑줄 친 부분 중, 어법상 틀린 것은?

① ⓐ   ② ⓑ   ③ ⓒ   ④ ⓓ   ⑤ ⓔ

© michaeljung / shutterstock

[03~04] 다음 글을 읽고, 물음에 답하시오. (학평) 응용

Have you ever found yourself speaking to someone at length only to realize they haven't heard a single thing you've said? As ⓐremarkable as our ability to see or hear is our capacity to disregard. This capacity, along with the inherent need to pay attention to something, has dictated the development of the attention industries.

Every instant of every day we are overloaded with information. In fact, all complex organisms, especially those with brains, ⓑsuffer from information overload. Our eyes and ears receive lights and sounds across the spectrums of visible and audible wavelengths. All told, every second, our senses transmit an estimated 11 million bits of information to our poor brains, as if a giant fiber-optic cable were plugged directly into ⓒit firing information at full speed. In light of this, it is rather incredible that we are even capable of boredom.

Fortunately, we have a valve by which to turn the flow on or off at will. To use another term, we can both "tune in" and "tune out." When we shut the valve, we ignore almost everything, while ⓓfocusing on just one discrete stream of information out of the millions of bits coming in. In fact, we can even shut out everything external to us, and concentrate on an internal dialogue, as when we are "lost in thought." This ability — to block out most everything, and focus — is ⓔwhat neuroscientists and psychologists refer to as paying attention.

© Getty Images Korea

03 윗글의 요지로 가장 적절한 것은?

① 새로운 대상에 대한 호기심은 인간의 선천적 욕구이다.

② 뇌가 있는 생명체들은 정보의 과부하로 고통을 받는다.

③ 인간의 뇌는 1초에 1,100만 비트의 정보를 처리한다.

④ 인간은 받아들이는 정보의 흐름과 양을 조절할 수 있다.

⑤ 학자들은 인간의 '사색하는' 능력에 관심을 기울인다.

04 윗글의 밑줄 친 부분 중, 어법상 틀린 것은?

① ⓐ   ② ⓑ   ③ ⓒ   ④ ⓓ   ⑤ ⓔ

[05~06] 다음 글을 읽고, 물음에 답하시오. 학평 기출

While complex, blockchains exhibit a set of core characteristics, which flow from the technology's reliance on a peer-to-peer network, public-private key cryptography, and consensus mechanisms. Blockchains are disintermediated and transnational. They are resilient and resistant to change, and enable people to store nonrepudiable data, pseudonymously, in a transparent manner. Most — if not all — blockchain-based networks feature market-based or game-theoretical mechanisms for reaching consensus, which can be used to coordinate people or machines. These characteristics, when combined, enable the deployment of autonomous software and explain why blockchains serve as a powerful new tool to facilitate economic and social activity that otherwise would be difficult to achieve.

At the same time, these characteristics represent the technology's greatest _____. The disintermediated and transnational nature of blockchains makes the technology difficult to govern and makes it difficult to implement changes to a blockchain's underlying software protocol. Because blockchains are pseudonymous and have a tamper-resistant data structure supported by decentralized consensus mechanisms, they can be used to coordinate socially unacceptable or criminal conduct, including conduct facilitated by autonomous software programs. Moreover, because blockchains are transparent and traceable, they are prone to being co-opted by governments or corporations, transforming the technology into a powerful tool for surveillance and control.

* cryptography 암호화 기법 ** pseudonymous 유사 익명성의

블록체인을 간단히 정의하면 데이터 분산 처리 기술이라고 할 수 있습니다. 개인과 개인의 거래 내역이 기록되는 장부(= block)가 시간이 흐르면서 순차적으로 연결된 사슬 구조(= chain)를 갖게 되어 블록체인이라고 지칭한 것이죠. 네트워크에 참여하는 모든 사용자가 모든 거래 내역의 데이터를 보유하게 되므로 데이터의 위조나 변조가 불가능하며, 중앙 관리자가 필요 없는 특징이 있습니다.

05 윗글의 주제로 가장 적절한 것은?

① a brief history of blockchain technology
② advantages and disadvantages of blockchain technology
③ blockchain as the greatest economic breakthrough ever
④ the reason why people are wild about blockchain-based digital money
⑤ government's control on economy using blockchain technology

06 윗글의 빈칸에 들어갈 말로 가장 적절한 것은?

① limitations ② stereotypes ③ impacts
④ innovations ⑤ possibilities

© Panchenko Vladimir / shutterstock

[07~08] 다음 글을 읽고, 물음에 답하시오. (학평) 응용

To find out whether basketball players shoot in streaks, researchers obtained the shooting records of the Philadelphia 76ers during the 1980-81 season. (The 76ers are the only team who keep records of the order in which a player's hits and misses occurred, rather than simple totals.) The researchers then analyzed these data to determine whether players' hits tended to cluster together more than one would expect by chance. Contrary to the expectations expressed by the researchers' sample of fans, players were not more likely to make a shot after making their last one, two, or three shots than after missing their last one, two, or three shots. In fact, there was a slight tendency for players to shoot better after missing their last shot. They made 51% of their shots after making their previous shot, compared to 54% after missing their previous shot; 50% after making their previous two shots, compared to 53% after missing their previous two; 46% after making three in a row, compared to 56% after missing three in a row.

*streak 연속

07 윗글의 내용을 한 문장으로 요약하고자 한다. 빈칸 (A), (B)에 들어갈 말로 가장 적절한 것은?

> The data of the research above ___(A)___ the expectation that, in basketball shooting, success is more likely to be followed by ___(B)___.

	(A)		(B)
①	contradict	......	distraction
②	contradict	......	success
③	confirm	......	error
④	confirm	......	confidence
⑤	disprove	......	satisfaction

08 윗글의 내용과 일치하지 <u>않는</u> 것은?

① 연구자들은 Philadelphia 76ers의 슈팅 기록을 연구했다.
② Philadelphia 76er는 선수들이 한 슈팅의 명중과 실패의 순서를 기록했다.
③ 팬들은 선수들이 슈팅을 실패한 후 슛을 넣을 가능성이 크다고 예상했다.
④ 선수들은 한 번 슈팅을 실패한 후 슛의 54%를 성공시켰다.
⑤ 선수들은 세 번 연속으로 슈팅을 실패한 후 슛의 56%를 성공시켰다.

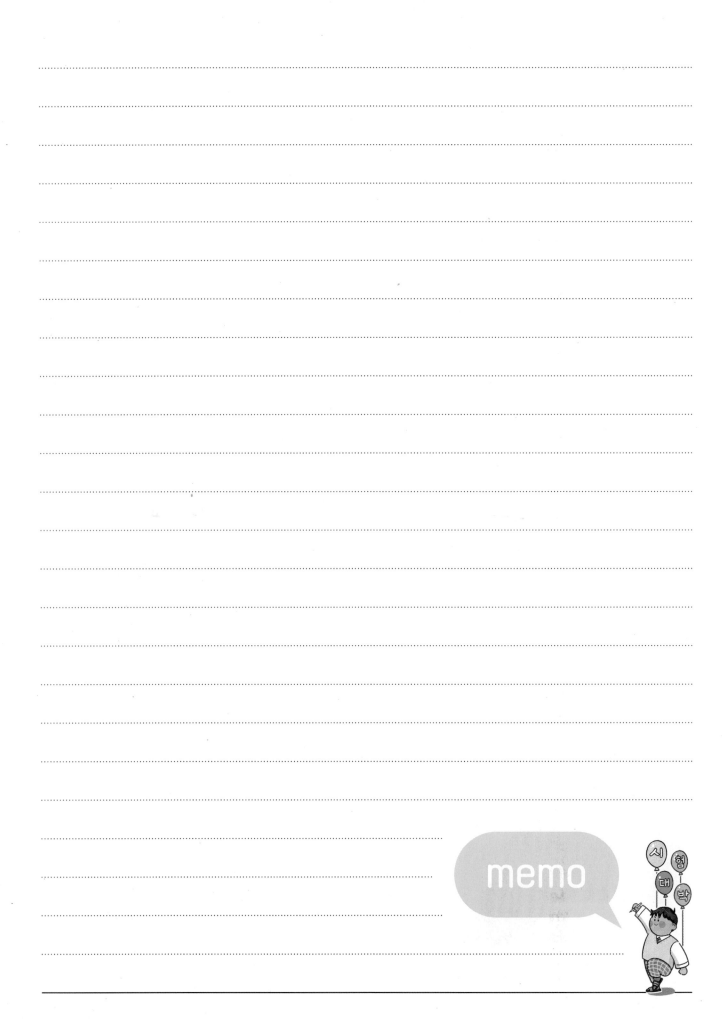

memo

핵심 개념부터 실전까지, 고품격 수능 대비서

고등 수능전략

전과목 시리즈

체계적인 수능 대비	신유형 문제까지 정복	실전 감각 익히기
하루 6쪽, 주 3일 학습으로 핵심 개념과 유형, 실전까지 빠르고 확실하게 준비 완료!	수능에 자주 나오는 유형부터 신유형·신경향 문제까지 다양한 유형의 문제를 마스터!	수능과 모의평가 유형의 구성으로 단기간에 실전 감각을 익혀 실제 수능에 완벽하게 대비!

개념과 유형, 실전을 한 번에!

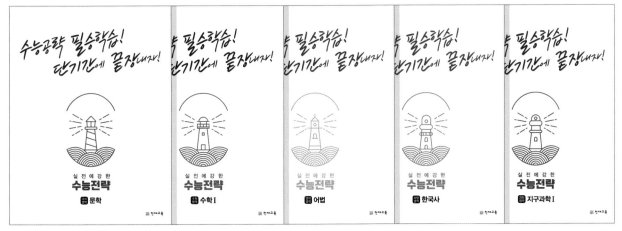

국어: 고2~3(문학/독서/언어와 매체/화법과 작문)
수학: 고2~3(수학Ⅰ/수학Ⅱ/확률과 통계/미적분)
영어: 고2~3(어법/독해 150/독해 300/어휘/듣기)

사회: 고2~3(한국사/사회·문화/생활과 윤리/한국지리)
과학: 고2~3(물리학Ⅰ/화학Ⅰ/생명과학Ⅰ/지구과학Ⅰ)

book.chunjae.co.kr

교재 내용 문의 ·················· 교재 홈페이지 ▶ 고등 ▶ 교재상담

교재 내용 외 문의 ·················· 교재 홈페이지 ▶ 고객센터 ▶ 1:1문의

발간 후 발견되는 오류 ············· 교재 홈페이지 ▶ 고등 ▶ 학습지원 ▶ 학습자료실

수능공략 필승학습!
단기간에 끝장내자!

BOOK 2

실전에 강한
수능전략

영어
영역 독해 150

천재교육

실전에강한
수능전략

영어영역 **독해 150**

수능전략

영·어·영·역

독해 150

BOOK 2

이 책의 구성과 활용

본책인 BOOK 1과 BOOK 2의 구성은 아래와 같습니다.

BOOK 1
1주, 2주

BOOK 2
1주, 2주

BOOK 3
정답과 해설

주 도입

본격적인 학습에 앞서, 재미있는 만화를
살펴보며 이번 주에 학습할 내용을 확인해
봅니다.

1일

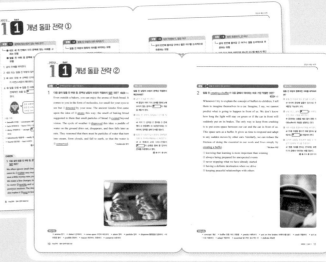

개념 돌파 전략
수능 영어 영역을 대비하기 위해 꼭 알아야 할
독해 유형을 익힌 뒤, 간단한 문제를 풀며 유형 개념을
잘 이해했는지 확인해 봅니다.

2일, 3일

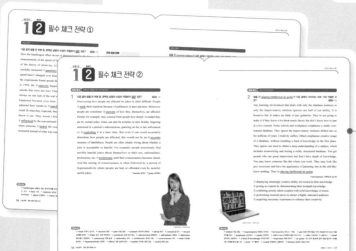

필수 체크 전략
기출 문제에서 선별한 대표 유형 문제와 추가 문제를
풀며 문제에 접근하는 과정과 해결 전략을 체계적으로
익혀 봅니다.

본 책에서 다룬 대표 유형과 그 해결 전략을 집중적으로
연습할 수 있도록 권두 부록을 구성했습니다.
부록을 뜯으면 미니북으로 활용할 수 있습니다.

주 마무리 코너

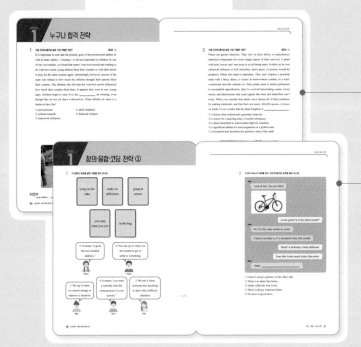

누구나 합격 전략
난이도가 낮은 기출 문제를 풀며
학습 자신감을 높일 수 있습니다.

창의·융합·코딩 전략
수능에서 요구하는 융복합적 사고력과
문제 해결력을 기를 수 있는 재미있는
문제를 풀어 봅니다.

권 마무리 코너

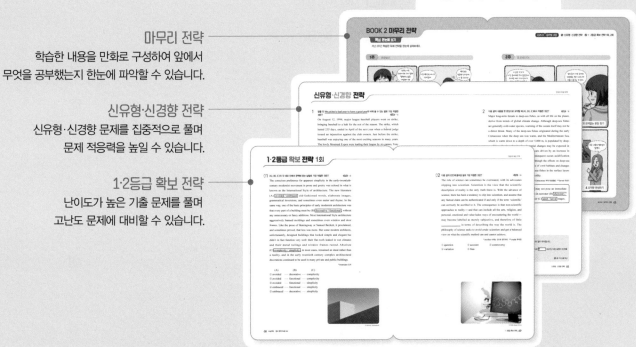

마무리 전략
학습한 내용을 만화로 구성하여 앞에서
무엇을 공부했는지 한눈에 파악할 수 있습니다.

신유형·신경향 전략
신유형·신경향 문제를 집중적으로 풀며
문제 적응력을 높일 수 있습니다.

1·2등급 확보 전략
난이도가 높은 기출 문제를 풀며
고난도 문제에 대비할 수 있습니다.

BOOK 1

추론하기

WEEK 1 DAY 1 개념 돌파 전략 ①

유형 01 문맥에 맞는/맞지 않는 어휘 찾기

↳ ❶ 네모 세 개 안에서 각각 문맥에 맞는 어휘를 고르는 유형

❷ 밑줄 친 어휘 중 문맥에 어긋나는 것을 고르는 유형

1 글의 주제를 파악한다.

2 네모 또는 밑줄 친 부분의 앞뒤에서 단서를 찾는다.

3 ❶ 네모 유형 ➡ 선택한 단어로 완성된 문장의 의미가 자연스러운지 확인한다.

4 ❷ 밑줄 유형 ➡ 밑줄 친 어휘를 포함한 문장이 글의 전체적인 흐름 및 ❶[_____]와 어울리는지 판단한다.

 밑줄 유형에서는 아래의 예시와 같이 밑줄 친 어휘의 반의어를 넣어야 자연스러운 것이 답일 경우가 많습니다.

기출 어휘

● benefit (이점) → constraint (제약)

● lack (부족하다) → have (가지고 있다)

● deny (부정하다) → accept (❷[_____]). concede (인정하다)

● laboriously (힘들게) → easily (쉽게)

● found (발견된) → lost (사라진)

🔳 ❶ 주제 ❷ 인정하다(받아들이다)

CHECK

1 다음 글의 밑줄 친 부분 중, 문맥상 낱말의 쓰임이 적절하지 <u>않은</u> 것은?

We often ignore small changes because they don't seem to ① <u>matter</u> very much in the moment. If you save a little money now, you're still not a millionaire. We make a few changes, but the results never seem to come ② <u>quickly</u> and so we slide back into our previous routines. The slow pace of transformation also makes it ③ <u>easy</u> to break a bad habit.

유형 02 밑줄 친 부분의 의미 파악하기

↳ 밑줄 친 부분의 함축적 의미를 파악하는 유형

1 주제문을 찾아 글의 주제를 파악한다.

2 글을 읽고, 글의 ❶[_____]를 뒷받침하는 세부 사항을 파악한다.

3 글의 주제와 관련지어 밑줄 친 부분의 함축적인 의미를 추론한다.

 선택한 의미를 밑줄 친 부분 대신 넣어 읽고, 흐름이 자연스러운지 확인합니다. 특히 밑줄 친 부분의 앞뒤에 not이나 never 등의 부정어가 있을 경우 주의하세요.

4 주제문에 밑줄이 있을 경우, 세부 사항을 종합하여 주제문의 ❷[_____]적 의미를 파악한다.

🔳 ❶ 주제 ❷ 함축

CHECK

2 밑줄 친 want to use a hammer가 다음 글에서 의미하는 바로 가장 적절한 것은?

What seems to us to be standing out may very well be related to our goals, expectations, or current demands of the situation — "with a hammer in hand, everything looks like a nail." This quote highlights the phenomenon of selective perception. If we <u>want to use a hammer</u>, then the world around us may begin to look as though it is full of nails!

① are unwilling to stand out

② make our effort meaningless

③ intend to do something in a certain way

유형 03 빈칸 추론하기_짧은 어구

↳ 글의 빈칸에 들어갈 단어나 짧은 어구를 논리적으로 추론하는 유형

1 글을 읽기 전에 선택지에 제시된 어구를 빠르게 확인한다.

2 지문에서 빈칸이 있는 문장의 위치를 파악한다. 글의 앞부분이나 뒷부분에 있다면 ❶ [   ]일 가능성이 크다.

> 중간에 있을 경우에는 앞뒤 내용을 근거로 하되, 주제와 관련지어 빈칸에 들어갈 내용을 생각해야 합니다.

3 글을 읽고, ❷ [   ]적으로 나타나는 개념을 통해 글의 중심 내용을 파악한다.

4 중심 내용을 근거로 빈칸에 들어갈 어구를 추론한 뒤, 빈칸에 넣어 자연스러운지 확인한다.

답 ❶ 주제문 ❷ 반복

CHECK

3 다음 글의 빈칸에 들어갈 말로 가장 적절한 것은?

Noise in the classroom has negative effects on communication patterns and the ability to pay attention. Thus, it is not surprising that constant exposure to noise is related to children's _____, particularly in its negative effects on reading and learning to read. When preschool classrooms were changed to reduce noise levels, the children spoke in more complete sentences, and their performance on prereading tests improved.

① independent mobility
② academic achievement
③ social relationships

유형 04 빈칸 추론하기_긴 어구

↳ 글의 빈칸에 들어갈 긴 어구나 절을 논리적으로 추론하는 유형

1 글을 읽기 전에 선택지에 제시된 어구를 빠르게 확인한다.

2 빈칸에 들어갈 말이 글의 주제나 ❶ [   ]일 가능성이 크므로, 이를 뒷받침하는 문장들에 ❷ [   ]으로 나타나는 표현을 통해 주제나 요지를 추론한다.

3 선택지 중 주제나 요지와 가장 관련이 깊은 것을 골라 빈칸에 넣어 앞뒤의 논리적 흐름을 확인한다.

4 지나치게 세부적이거나 포괄적인 선택지를 고르지 않도록 주의한다.

> 긴 어구에는 핵심 어구와 비슷한 표현이 포함될 가능성이 높습니다.

답 ❶ 요지 ❷ 공통

CHECK

4 다음 글의 빈칸에 들어갈 말로 가장 적절한 것은?

Advertising needs to communicate a limited version of the truth. An advertisement must create an image that's appealing, but it can never meet the goal by _____. Ads will cover up or play down negative aspects of the company or service they advertise. In this way, they can promote a favorable comparison with similar products.

① reducing the amount of information
② telling or showing everything
③ making itself available to everyone

개념 돌파 전략 ②

1 다음 글의 밑줄 친 부분 중, 문맥상 낱말의 쓰임이 적절하지 <u>않은</u> 것은? **학평** 응용

Even outside a bakery, you can enjoy the aroma of fresh bread. It comes to you in the form of molecules, too small for your eyes to see but ① <u>detected</u> by your nose. The ancient Greeks first came upon the idea of ② <u>atoms</u> this way; the smell of baking bread suggested to them that small particles of bread ③ <u>existed</u> beyond vision. The cycle of weather ④ <u>disproved</u> this idea: a puddle of water on the ground dries out, disappears, and then falls later as rain. They reasoned that there must be particles of water that turn into steam, form clouds, and fall to earth, so that the water is ⑤ <u>conserved</u>.

*molecule 분자

풀이 전략

밑줄 친 낱말의 쓰임이 문맥상 적절한지 확인하려면?

① 글의 주제를 파악한다.
→ 물질의 여러 가지 상태를 통해 눈에 보이지 않는 분자나 ❶ 의 개념을 깨닫게 된다.

② 밑줄 친 부분의 앞뒤에서 단서를 찾는다.
→ 각각 '① 감지된 ② 원자들 ③ 존재했다 ④ 반증했다 ⑤ 보존된'이라는 의미이며, 앞뒤를 살펴 단서를 찾는다.

③ 밑줄 친 어휘가 있는 문장이 전체적인 흐름 및 주제와 어울리는지 확인한다.
→ ④ 뒤에서 고대 그리스인들이 ❷ 의 순환을 통해 물 입자의 존재를 추론했다고 했다.

답 ❶ 원자 ❷ 날씨

Words
● aroma 향기 ● detect 감지하다 ● come upon 우연히 떠오르다 ● atom 원자 ● particle 입자 ● disprove 틀렸음을 입증하다, ~의 반증을 들다 ● puddle 웅덩이 ● reason 판단하다, 추론하다 ● conserve 보존하다

유형 02 밑줄 친 부분의 의미 파악하기

2 밑줄 친 <u>creating a buffer</u>가 다음 글에서 의미하는 바로 가장 적절한 것은?

학평 응용

Whenever I try to explain the concept of buffers to children, I tell them to imagine themselves in a car. Imagine, I say, we cannot predict what is going to happen in front of us. We don't know how long the light will stay on green or if the car in front will suddenly put on its brakes. The only way to keep from crashing is to put extra space between our car and the car in front of us. This space acts as a buffer. It gives us time to respond and adapt to any sudden moves by other cars. Similarly, we can reduce the friction of doing the essential in our work and lives simply by <u>creating a buffer</u>.

* friction 마찰

① knowing that learning is more important than winning
② always being prepared for unexpected events
③ never stopping what we have already started
④ having a definite destination when we drive
⑤ keeping peaceful relationships with others

풀이 전략

밑줄 친 부분의 함축적인 의미를 파악하려면?

① 밑줄 친 부분이 있는 문장을 파악한다.
➡ 밑줄이 있는 마지막 문장은 주제문일 가능성이 크다.

② 글을 읽고, 글의 **①** 를 뒷받침하는 세부 사항을 파악한다.
➡ 운전하는 상황을 예로 들어 완충 지대(buffer)의 개념을 설명하고 있다.

③ 세부 사항을 종합하여 주제를 파악한다.
➡ 주제: 마찰을 줄이기 위해 일이나 삶에서도 **②** 를 만들어야 한다.

④ 파악한 내용을 종합하여 밑줄 친 부분의 함축적 의미를 추론한다.
➡ '완충 지대를 만드는 것'이라는 표현이 이 글에서 의미하는 바를 찾는다.

답 ① 주제 **②** 완충 지대

Words
● concept 개념 ● buffer 완충 지대, 완충물 ● predict 예측하다 ● put on the brakes 브레이크를 밟다 ● crash 추돌하다 ● act as ~으로 작용하다 ● adapt 적응하다 ● essential 필수적인; 필수적인 것 ● definite 확실한

유형 03 빈칸 추론하기_짧은 어구

3 다음 글의 빈칸에 들어갈 말로 가장 적절한 것은? 학평 기출

_____ works as a general mechanism for the mind, in many ways and across many different areas of life. For example, Brian Wansink, author of *Mindless Eating*, showed that it can also affect our waistlines. We decide how much to eat not simply as a function of how much food we actually consume, but by a comparison to its alternatives. Say we have to choose between three burgers on a menu, at 8, 10, and 12 ounces. We are likely to pick the 10-ounce burger and be perfectly satisfied at the end of the meal. But if our options are instead 10, 12, and 14 ounces, we are likely again to choose the middle one, and again feel equally happy and satisfied with the 12-ounce burger at the end of the meal, even though we ate more, which we did not need in order to get our daily nourishment or in order to feel full.

① Originality ② Relativity
③ Visualization ④ Imitation
⑤ Forgetfulness

풀이 전략

빈칸에 들어갈 말을 파악하려면?

① 선택지에 제시된 어구를 빠르게 확인한다.

② 지문에서 빈칸이 있는 문장의 위치를 파악한다.
→ 글의 가장 ❶ _____ 단어가 빈칸이므로, 주제문의 핵심적인 단어를 찾아야 한다.

③ 글을 읽고, 공통적으로 나타나는 개념을 통해 글의 주제를 파악한다.
→ 세 가지 크기의 버거 중 ❷ _____ 크기를 고르고 만족감을 느끼는 사례를 들어, '비교'를 통한 선택이 주는 만족을 설명하고 있다.

④ 파악한 내용을 바탕으로 빈칸에 들어갈 어구를 추론한 뒤, 빈칸에 넣어 확인한다.

답 ❶ 첫 ❷ 중간

© veryullisa / shutterstock

Words
● **general** 일반적인 ● **mechanism** (생물체 내에서 특정 기능을 수행하는) 구조, 메커니즘 ● **author** 저자 ● **function** 함수, 기능
● **comparison** 비교 ● **alternative** 대안, 선택 가능한 것 ● **option** 선택, 선택권 ● **nourishment** 영양분

유형 **04** 빈칸 추론하기_긴 어구

4 다음 글의 빈칸에 들어갈 말로 가장 적절한 것은? 〔학평〕기출

Even companies that sell physical products to make profit are forced by their boards and investors to reconsider their underlying motives and to collect as much data as possible from consumers. Supermarkets no longer make all their money selling their produce and manufactured goods. They give you loyalty cards with which they track your purchasing behaviors precisely. Then supermarkets sell this purchasing behavior to marketing analytics companies. The marketing analytics companies perform machine learning procedures, slicing the data in new ways, and resell behavioral data back to product manufacturers as marketing insights. When data and machine learning become currencies of value in a capitalist system, then every company's natural tendency is to maximize its ability to conduct surveillance on its own customers because _____.

*surveillance 관찰, 감시

① its success relies on the number of its innovative products
② more customers come through word-of-mouth marketing
③ it has come to realize the importance of offline stores
④ the customers are themselves the new value-creation devices
⑤ questions are raised on the effectiveness of the capitalist system

풀이 전략

빈칸에 들어갈 말을 파악하려면?

① 글을 읽기 전에 선택지를 빠르게 확인한다.

② 글을 읽으며 반복적으로 나타나는 표현을 통해 주제를 추론한다.
→ 고객의 **❶** 행위에 대한 정보가 이동하며 가치를 창출하는 과정이 설명되면서, 고객, 정보, 가치 등의 개념이 반복해서 나타난다.

③ 선택지 중 **❷** 와 가장 관련이 깊은 것을 골라 빈칸에 넣고 논리적 흐름을 확인한다.

답 ❶ 구매 ❷ 주제

© 3d imagination / shutterstock

Words
● physical 물질의, 물질적인 ● be forced to ~하도록 강요당하다 ● reconsider 재고하다 ● underlying 근원적인 ● motive 동기 ● loyalty card 고객 우대 카드 ● track 추적하다 ● precisely 정밀하게, 정확히 ● analytics 분석 ● machine learning 기계 학습(과거의 작동 축적을 통해 자기 동작을 개선하는 슈퍼컴퓨터의 능력) ● procedure 절차 ● insight 통찰력 ● currency 통화, 화폐 ● capitalist system 자본주의 체제 ● maximize 최대화하다 ● conduct 수행하다 ● innovative 혁신적인 ● word-of-mouth 구전의, 입소문의

대표 유형 1

다음 글의 밑줄 친 부분 중, 문맥상 낱말의 쓰임이 적절하지 <u>않은</u> 것은? 수능 기출

How the bandwagon effect occurs is demonstrated by the history of measurements of the speed of light. Because this speed is the basis of the theory of relativity, it's one of the most frequently and carefully measured ① <u>quantities</u> in science. As far as we know, the speed hasn't changed over time. However, from 1870 to 1900, all the experiments found speeds that were too high. Then, from 1900 to 1950, the ② <u>opposite</u> happened — all the experiments found speeds that were too low! This kind of error, where results are always on one side of the real value, is called "bias." It probably happened because over time, experimenters subconsciously adjusted their results to ③ <u>match</u> what they expected to find. If a result fit what they expected, they kept it. If a result didn't fit, they threw it out. They weren't being intentionally dishonest, just ④ <u>influenced</u> by the conventional wisdom. The pattern only changed when someone ⑤ <u>lacked</u> the courage to report what was actually measured instead of what was expected.

유형 해결 전략

Step 1
글의 [❶   ]를 파악한다.

Step 2
밑줄 친 부분의 [❷   ]에서 단서를 찾는다.

Step 3
밑줄 친 어휘를 포함한 문장이 글의 전체적인 흐름 및 주제와 어울리는지 판단한다.

답 ❶ 주제 ❷ 앞뒤

편승 효과, 즉 밴드왜건 효과(bandwagon effect)란 대중이 자신의 판단이 아닌, 많은 사람들의 선택에 따르는 현상을 말합니다. 밴드왜건은 서커스 행렬의 맨 앞에서 악대를 태우고 이동하는 차를 가리키는데, 1900년대 중반에 밴드왜건에 대통령 후보가 올라타 선거운동을 하여 이목을 끈 데에서 이 표현이 유래했다고 합니다.

Words
● bandwagon effect 편승 효과(우세를 보이는 다수의 선택에 편승하는 현상) ● demonstrate 입증하다, 보여 주다 ● measurement 측정, 치수, 크기 ● basis 기초 ● relativity 상대성 ● frequently 빈번히, 자주 ● quantity 분량, 양 ● bias 편견, 편향 ● subconsciously 잠재의식적으로 ● adjust 조정하다 ● match 일치하다 ● intentionally 의도적으로 ● conventional wisdom 일반 통념

대표 유형 2

밑줄 친 journey edges가 다음 글에서 의미하는 바로 가장 적절한 것은?

수능 기출

Many ancillary businesses that today seem almost core at one time started out as <u>journey edges</u>. For example, retailers often boost sales with accompanying support such as assembly or installation services. Think of a home goods retailer selling an unassembled outdoor grill as a box of parts and leaving its customer's mission incomplete. When that retailer also sells assembly and delivery, it takes another step in the journey to the customer's true mission of cooking in his backyard. Another example is the business-to-business service contracts that are layered on top of software sales. Maintenance, installation, training, delivery, anything at all that turns do-it-yourself into a do-it-for-me solution originally resulted from exploring the edge of where core products intersect with customer journeys.   *ancillary 보조의, 부차적인 **intersect 교차하다

① requiring customers to purchase unnecessary goods
② decreasing customers' dependence on business services
③ focusing more on selling end products than components
④ adding a technological breakthrough to their core products
⑤ providing extra services beyond customers' primary purchase

유형 해결 전략

Step 1
밑줄 친 표현이 글의 주제문에 있다는 것을 파악한다.

Step 2
뒷받침 문장에 공통으로 나타나는 개념을 통해 **❶** 를 파악한다.

Step 3
파악한 **❷** 를 바탕으로 밑줄 친 표현의 의미를 추론한다.

답 ❶ 주제 ❷ 주제

Words
● core 중심부, 핵심 ● retailer 소매업자 ● boost 신장시키다, 북돋우다 ● accompanying 동반하는 ● assembly 조립 ● installation 설치 ● home goods 가정용 제품 ● unassembled 조립되지 않은 ● incomplete 미완성의, 불완전한 ● contract 계약 ● layer 층층으로 쌓다 ● solution 해결책 ● originally 원래, 본래 ● component 부품 ● breakthrough 큰 발전, 약진

필수 체크 전략 ②

1 다음 글의 밑줄 친 부분 중, 문맥상 낱말의 쓰임이 적절하지 <u>않은</u> 것은? (학평) 기출

Discovering how people are affected by jokes is often difficult. People ① <u>mask</u> their reactions because of politeness or peer pressure. Moreover, people are sometimes ② <u>unaware</u> of how they, themselves, are affected. Denial, for example, may conceal from people how deeply wounded they are by certain jokes. Jokes can also be termites or time bombs, lingering unnoticed in a person's subconscious, gnawing on his or her self-esteem or ③ <u>exploding</u> it at a later time. But even if one could accurately determine how people are affected, this would not be an ④ <u>accurate</u> measure of hatefulness. People are often simply wrong about whether a joke is acceptable or hateful. For example, people notoriously find terribly hateful jokes about themselves or their sex, nationalities, professions, etc. ⑤ <u>problematic</u> until their consciousness becomes raised. And the raising of consciousness is often followed by a period of hypersensitivity where people are hurt or offended even by tasteful, tactful jokes.

*termite 흰개미 **gnaw 갉아먹다

© pikselstock / shutterstock

Words
● mask 가리다, 숨기다 ● reaction 반응 ● peer 또래, 동료 ● unaware 의식하지 못하는 ● denial 부인 ● conceal 숨기다 ● wound 상처를 입히다 ● linger 남다, 오래 머무르다 ● unnoticed 눈에 띄지 않고 ● subconscious 잠재의식 ● self-esteem 자존감 ● determine 알아내다, 결정하다 ● notoriously 악명 높게 ● nationality 국적 ● problematic 문제가 되는 ● consciousness 의식 ● raise (수준을) 높이다 ● hypersensitivity 과민증 ● offend 기분 상하게 하다 ● tasteful 우아한, 품위 있는 ● tactful 재치 있는

2 밑줄 친 playing intellectual air guitar가 다음 글에서 의미하는 바로 가장 적절한 것은?   수능 기출

Any learning environment that deals with only the database instincts or only the improvisatory instincts ignores one half of our ability. It is bound to fail. It makes me think of jazz guitarists: They're not going to make it if they know a lot about music theory but don't know how to jam in a live concert. Some schools and workplaces emphasize a stable, rote-learned database. They ignore the improvisatory instincts drilled into us for millions of years. Creativity suffers. Others emphasize creative usage of a database, without installing a fund of knowledge in the first place. They ignore our need to obtain a deep understanding of a subject, which includes memorizing and storing a richly structured database. You get people who are great improvisers but don't have depth of knowledge. You may know someone like this where you work. They may look like jazz musicians and have the appearance of jamming, but in the end they know nothing. They're <u>playing intellectual air guitar</u>.

*rote-learned 기계적으로 암기한

① displaying seemingly creative ability not rooted in firm knowledge
② posing as experts by demonstrating their in-depth knowledge
③ exhibiting artistic talent coupled with solid knowledge of music
④ performing musical pieces to attract a highly educated audience
⑤ acquiring necessary experience to enhance their creativity

© Maxx-Studio / shutterstock

Words

● **instinct** 직감, 본능 ● **improvisatory** 즉흥의, 즉석의 ● **be bound to** 반드시 ~하다 ● **jam** (다른 연주자들과 미리 연습해 보지 않고) 즉흥 연주를 하다 ● **emphasize** 강조하다 ● **stable** 안정적인 ● **drill A into B** B에게 A를 주입시키다 ● **suffer** 악화되다, 더 나빠지다 ● **install** 설치하다, 설비하다 ● **a fund of knowledge** 지식의 축적 ● **improviser** 즉흥 연주자 ● **air guitar** 기타 연주 흉내(록 음악 등을 들으며 기타를 치는 것처럼 흉내 내는 것) ● **pose** ~인 체하다 ● **couple** 연결하다, 결합하다 ● **enhance** 높이다, 향상시키다

3 (A), (B), (C)의 각 네모 안에서 문맥에 맞는 낱말로 가장 적절한 것은? ⟨학평⟩ 기출

Hypothesis is a tool which can cause trouble if not used properly. We must be ready to abandon or modify our hypothesis as soon as it is shown to be (A) consistent / inconsistent with the facts. This is not as easy as it sounds. When delighted by the way one's beautiful idea offers promise of further advances, it is tempting to overlook an observation that does not fit into the pattern woven, or to try to explain it away. It is not at all rare for investigators to adhere to their broken hypotheses, turning a blind eye to contrary evidence, and not altogether unknown for them to (B) deliberately / unintentionally suppress contrary results. If the experimental results or observations are definitely opposed to the hypothesis or if they necessitate overly complicated or improbable subsidiary hypotheses to accommodate them, one has to (C) defend / discard the idea with as few regrets as possible. It is easier to drop the old hypothesis if one can find a new one to replace it. The feeling of disappointment too will then vanish.

*subsidiary 부차적인

	(A)	(B)	(C)
①	consistent	deliberately	defend
②	consistent	unintentionally	discard
③	inconsistent	deliberately	discard
④	inconsistent	unintentionally	discard
⑤	inconsistent	deliberately	defend

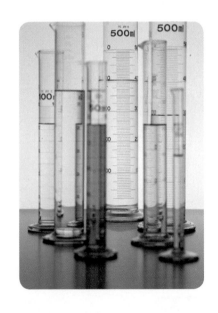

Words
● hypothesis 가설 ● abandon 버리다 ● modify 수정하다 ● consistent with ~와 일치하는 ● overlook 간과하다, 무시하다 ● woven 짜인(weave의 과거분사) ● adhere 집착하다 ● turn a blind eye to ~을 못 본 체하다 ● contrary 반대의 ● altogether 전적으로, 완전히 ● deliberately 고의로, 의도적으로 ● unintentionally 무심코 ● suppress 숨기다, 진압하다 ● necessitate ~을 필요하게 만들다 ● improbable 있을 것 같지 않은 ● accommodate 수용하다 ● discard 버리다, 폐기하다 ● replace 대신하다, 대체하다 ● vanish 사라지다, 없어지다

전략 체크 글의 주제 파악하기

4 밑줄 친 training for a marathon이 다음 글에서 의미하는 바로 가장 적절한 것은?

학평 기출

The known fact of contingencies, without knowing precisely what those contingencies will be, shows that disaster preparation is not the same thing as disaster rehearsal. No matter how many mock disasters are staged according to prior plans, the real disaster will never mirror any one of them. Disaster-preparation planning is more like <u>training for a marathon</u> than training for a high-jump competition or a sprinting event. Marathon runners do not practice by running the full course of twenty-six miles; rather, they get into shape by running shorter distances and building up their endurance with cross-training. If they have prepared successfully, then they are in optimal condition to run the marathon over its predetermined course and length, assuming a range of weather conditions, predicted or not. This is normal marathon preparation.

*contingency 비상사태 **cross-training 여러 가지 운동을 조합하여 행하는 훈련법

① developing the potential to respond to a real disaster
② making a long-term recovery plan for a disaster
③ seeking cooperation among related organizations
④ saving basic disaster supplies for an emergency
⑤ testing a runner's speed as often as possible

USE THE STAIRS

ⓒ Piggy Bank / shutterstock

Words
● rehearsal 예행연습 ● mock 모의의, 가짜의 ● stage 조직하다, 벌이다 ● prior 사전의 ● mirror (그대로) 반영하다 ● sprinting event 단거리 경주 ● get into shape 몸 상태를 좋게 만들다 ● endurance 지구력 ● optimal 최적의 ● predetermined 미리 정해진 ● assume 가정하다 ● a range of 다양한 ● potential 잠재력

대표 유형 3

다음 빈칸에 들어갈 말로 가장 적절한 것은? **수능** 기출

In the classic model of the Sumerian economy, the temple functioned as an administrative authority governing commodity production, collection, and redistribution. The discovery of administrative tablets from the temple complexes at Uruk suggests that token use and consequently writing evolved as a tool of centralized economic governance. Given the lack of archaeological evidence from Uruk-period domestic sites, it is not clear whether individuals also used the system for _____. For that matter, it is not clear how widespread literacy was at its beginnings. The use of identifiable symbols and pictograms on the early tablets is consistent with administrators needing a lexicon that was mutually intelligible by literate and nonliterate parties. As cuneiform script became more abstract, literacy must have become increasingly important to ensure one understood what he or she had agreed to.

*archaeological 고고학적인 **lexicon 어휘 목록 ***cuneiform script 쐐기문자

① religious events
② personal agreements
③ communal responsibilities
④ historical records
⑤ power shifts

유형 해결 전략

Step 1
빈칸을 포함하는 문장을 읽고, 어떤 정보가 필요한지 파악한다.

Step 2
반복해서 제시되는 개념을 통해 ❶ 를 파악한다. 빈칸에 들어갈 말은 대개 ❷ 와 관련이 있다.

Step 3
주제를 바탕으로 빈칸에 들어갈 말을 추론한다.

답 ❶ 주제 ❷ 주제

수메르의 쐐기문자 ▶

© Fedor Selivanov / shutterstock

Words

● administrative authority 행정 당국, 관리 당국 ● commodity 상품, 물품 ● redistribution 재분배, 재배포 ● tablet 판, 평평한 판
● complex (건물) 단지, 복합 건물 ● token (개별적이고 구체적인 표식으로서의) 상징, 대용 화폐, 기념물 ● consequently 결과적으로
● evolve 발달하다, 진화하다 ● governance 지배 ● domestic 가정의, 집안의 ● literacy 글을 읽고 쓸 수 있음 ● identifiable 인식
가능한 ● pictogram 그림 문자 ● administrator 행정가 ● mutually 상호간에, 공통으로 ● intelligible (쉽게) 이해할 수 있는
● nonliterate 읽고 쓸 수 없는, 문맹의 ● party 측, 정당 ● abstract 추상적인 ● ensure 확실히 하다 ● communal 공동의

대표 유형 4

다음 빈칸에 들어갈 말로 가장 적절한 것은? (수능) 기출

Heritage is concerned with the ways in which very selective material artefacts, mythologies, memories and traditions become resources for the present. The contents, interpretations and representations of the resource are selected according to the demands of the present; an imagined past provides resources for a heritage that is to be passed onto an imagined future. It follows too that the meanings and functions of memory and tradition are defined in the present. Further, heritage is more concerned with meanings than material artefacts. It is the former that give value, either cultural or financial, to the latter and explain why they have been selected from the near infinity of the past. In turn, they may later be discarded as the demands of present societies change, or even, as is presently occurring in the former Eastern Europe, when pasts have to be reinvented to reflect new presents. Thus heritage is _____.

① a collection of memories and traditions of a society
② as much about forgetting as remembering the past
③ neither concerned with the present nor the future
④ a mirror reflecting the artefacts of the past
⑤ about preserving universal cultural values

유형 해결 전략

Step 1
선택지를 빠르게 확인한다.

Step 2
글을 읽으며 주제를 뒷받침하는 내용을 통해 주제 또는 **❶** 를 추론한다.

Step 3
선택지 중 주제나 요지와 관련이 깊은 것을 빈칸에 넣어 글의 **❷** 이 자연스러운지 확인한다.

답 ❶ 요지 ❷ 흐름

© Getty Images Korea

Words

• **heritage** 유산 • **selective** 선별적인 • **material** 물질적인 • **artefact** 인공물 • **mythology** 신화 • **interpretation** 해석
• **representation** 표현 • **pass onto** ~을 전하다, 옮기다 • **follow** (결과가) 뒤따르다, 나오다 • **define** 정의하다, 규정하다
• **former** 전자 • **financial** 재정의 • **latter** 후자 • **infinity** 무한대, 무한성 • **reinvent** 재창조하다 • **reflect** 반영하다

필수 체크 전략 ②

1 다음 빈칸에 들어갈 말로 가장 적절한 것은?

 수능 기출

The creativity that children possess needs to be cultivated throughout their development. Research suggests that overstructuring the child's environment may actually limit creative and academic development. This is a central problem with much of science instruction. The exercises or activities are devised to eliminate different options and to focus on predetermined results. The answers are structured to fit the course assessments, and the wonder of science is lost along with cognitive intrigue. We define cognitive intrigue as the wonder that stimulates and intrinsically motivates an individual to voluntarily engage in an activity. The loss of cognitive intrigue may be initiated by the sole use of play items with predetermined conclusions and reinforced by rote instruction in school. This is exemplified by toys, games, and lessons that are a(n) _____ in and of themselves and require little of the individual other than to master the planned objective.   *rote 기계적인 암기

① end   ② input   ③ puzzle
④ interest   ⑤ alternative

© goodluz / shutterstock

전략 체크 세부 사항을 종합하여 주제 파악하기

2 다음 빈칸에 들어갈 말로 가장 적절한 것은? **수능** 응용

_____ is something that leaders are uniquely positioned to do, because several obstacles stand in the way of people voluntarily working alone. For one thing, the fear of being left out of the loop can keep them glued to their enterprise social media. Individuals don't want to be — or appear to be — isolated. For another, knowing what their teammates are doing provides a sense of comfort and security, because people can adjust their own behavior to be in harmony with the group. It's risky to go off on their own to try something new that will probably not be successful right from the start. But even though it feels reassuring for individuals to be hyperconnected, it's better for the organization if they periodically go off and think for themselves and generate diverse — if not quite mature — ideas. Thus, it becomes the leader's job to create conditions that are good for the whole by enforcing intermittent interaction even when people wouldn't choose it for themselves, without making it seem like a punishment. *intermittent 간헐적인

① Breaking physical barriers and group norms that prohibit cooperation
② Having people stop working together and start working individually
③ Encouraging people to devote more time to online collaboration
④ Shaping environments where higher productivity is required
⑤ Requiring workers to focus their attention on group projects

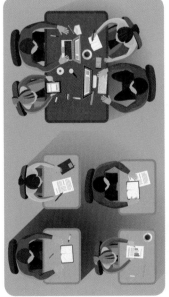

© Nucleartist / shutterstock

Words
● voluntarily 자발적으로 ● out of the loop 소외된, 잘 모르는 ● enterprise 기업 ● isolated 고립된 ● security 안심, 안도감 ● adjust 조정하다 ● risky 위험한 ● go off 자리를 벗어나다 ● reassuring 안심시키는 ● hyperconnected 과잉연결된 ● periodically 주기적으로 ● diverse 다양한 ● mature 심사숙고한, 무르익은 ● enforce 집행하다, 강요하다 ● interaction 상호작용 ● barrier 장벽 ● norm 표준, 규범 ● prohibit 방해하다 ● devote 바치다, 쏟다

전략 체크 글의 주제 파악하기

3 다음 빈칸에 들어갈 말로 가장 적절한 것은? 수능 기출

Choosing similar friends can have a rationale. Assessing the survivability of an environment can be risky (if an environment turns out to be deadly, for instance, it might be too late by the time you found out), so humans have evolved the desire to associate with similar individuals as a way to perform this function efficiently. This is especially useful to a species that lives in so many different sorts of environments. However, the carrying capacity of a given environment _____.
If resources are very limited, the individuals who live in a particular place cannot all do the exact same thing (for example, if there are few trees, people cannot all live in tree houses, or if mangoes are in short supply, people cannot all live solely on a diet of mangoes). A rational strategy would therefore sometimes be to avoid similar members of one's species.

① exceeds the expected demands of a community
② is decreased by diverse means of survival
③ places a limit on this strategy
④ makes the world suitable for individuals
⑤ prevents social ties to dissimilar members

© Nowik Sylwia / shutterstock

Words
● **rationale** 이유, 근거 ● **assess** 평가하다 ● **survivability** 생존 가능성 ● **associate with** ~와 함께하다, ~와 어울리다 ● **function** 기능, 역할 ● **efficiently** 효율적으로 ● **carrying capacity** 수용 능력, 적재량 ● **given** 주어진 ● **resource** 자원 ● **solely** 오로지, 단지 ● **rational** 합리적인 ● **strategy** 전략 ● **exceed** 초과하다 ● **dissimilar** 같지 않은, 다른

4 다음 빈칸에 들어갈 말로 가장 적절한 것은?   모평 기출

Enabling animals to _____ is an almost universal function of learning. Most animals innately avoid objects they have not previously encountered. Unfamiliar objects may be dangerous; treating them with caution has survival value. If persisted in, however, such careful behavior could interfere with feeding and other necessary activities to the extent that the benefit of caution would be lost. A turtle that withdraws into its shell at every puff of wind or whenever a cloud casts a shadow would never win races, not even with a lazy rabbit. To overcome this problem, almost all animals habituate to safe stimuli that occur frequently. Confronted by a strange object, an inexperienced animal may freeze or attempt to hide, but if nothing unpleasant happens, sooner or later it will continue its activity. The possibility also exists that an unfamiliar object may be useful, so if it poses no immediate threat, a closer inspection may be worthwhile.   *innately 선천적으로

① weigh the benefits of treating familiar things with care
② plan escape routes after predicting possible attacks
③ overcome repeated feeding failures for survival
④ operate in the presence of harmless stimuli
⑤ monitor the surrounding area regularly

Words

● enable ~을 할 수 있게 하다 ● universal 보편적인 ● encounter 마주치다 ● survival value 생존가(생물체의 특질이 생존·번식에 기여하는 유용성) ● persist in ~을 (고집스럽게) 지속하다 ● interfere with ~을 방해하다 ● to the extent that ~하는 정도까지 ● withdraw 움츠리다 ● a puff of wind (훅 날아오는) 적은 양의 바람 ● habituate to ~에 익숙해지다 ● stimuli stimulus(자극)의 복수형 ● confront 직면하다, 맞서다 ● inspection 검사, 조사 ● worthwhile ~할 가치가 있는 ● operate 움직이다 ● in the presence of ~의 앞에서

누구나 합격 전략

1 다음 빈칸에 들어갈 말로 가장 적절한 것은?　　학평 기출

It is important to note that the primary goal of the professional athlete as well as many adults — winning — is far less important to children. In one of our own studies, we found that teams' won-lost records had nothing to do with how much young athletes liked their coaches or with their desire to play for the same coaches again. Interestingly, however, success of the team was related to how much the children thought their parents liked their coaches. The children also felt that the won-lost record influenced how much their coaches liked them. It appears that, even at very young ages, children begin to tune in to the ＿＿＿＿＿ on winning, even though they do not yet share it themselves. What children do share is a desire to have fun!

① peer pressure
② adult emphasis
③ critical research
④ financial reliance
⑤ teamwork influence

© Iakov Filimonov / shutterstock

Words

● note 주목하다　● primary 주된　● emphasis 강조　● critical 비판적인　● financial 재정의　● reliance 의존

2 다음 빈칸에 들어갈 말로 가장 적절한 것은? 학평 기출

Plants are genius chemists. They rely on their ability to manufacture chemical compounds for every single aspect of their survival. A plant with juicy leaves can't run away to avoid being eaten. It relies on its own chemical defenses to kill microbes, deter pests, or poison would-be predators. Plants also need to reproduce. They can't impress a potential mate with a fancy dance, a victory in horn-to-horn combat, or a well-constructed nest like animals do. Since plants need to attract pollinators to accomplish reproduction, they've evolved intoxicating scents, sweet nectar, and pheromones that send signals that bees and butterflies can't resist. When you consider that plants solve almost all of their problems by making chemicals, and that there are nearly 400,000 species of plants on Earth, it's no wonder that the plant kingdom is _____.

① a factory that continuously generates clean air

② a source for a dazzling array of useful substances

③ a silent battlefield in which plants fight for sunshine

④ a significant habitat for microorganisms at a global scale

⑤ a document that describes the primitive state of the earth

Words

● chemist 화학자 ● manufacture 제조하다 ● compound 혼합물 ● aspect 면, 측면 ● defense 방어 수단 ● microbe 세균, 미생물 ● deter 저지하다 ● pest 해충, 유해 동물 ● would-be 잠재적인 ● predator 포식자 ● reproduce 번식하다 ● potential 잠재적인 ● combat 결투 ● pollinator 꽃가루 매개자 ● intoxicating 취하게 하는 ● scent 향기 ● nectar 화밀, 과즙 ● pheromone 페로몬, 동종 유인 물질 ● dazzling 놀라운, 눈부신 ● an array of 많은 ● habitat 서식지 ● microorganism 미생물 ● primitive 원시적인

3 다음 밑줄 친 부분 중, 문맥상 낱말의 쓰임이 적절하지 <u>않은</u> 것은? 학평 기출

The repairman is called in when the ① <u>smooth</u> operation of our world has been disrupted, and at such moments our dependence on things normally taken for granted (for example, a toilet that flushes) is brought to vivid awareness. For this very reason, the repairman's ② <u>presence</u> may make the narcissist uncomfortable. The problem isn't so much that he is dirty or the job is messy. Rather, he seems to pose a ③ <u>challenge</u> to our self-understanding that is somehow fundamental. We're not as free and independent as we thought. Street-level work that disrupts the infrastructure (the sewer system below or the electrical grid above) brings our shared ④ <u>isolation</u> into view. People may inhabit very different worlds even in the same city, according to their wealth or poverty. Yet we all live in the same physical reality, ultimately, and owe a ⑤ <u>common</u> debt to the world.

*narcissist 자아도취자 **electrical grid 전력망

© WPAINTER-Std / shutterstock

Words
- **disrupt** 방해하다, 지장을 주다 • **dependence** 의존 • **take ~ for granted** ~을 당연히 여기다 • **flush** (물이) 쏟아져 나오다
- **awareness** 인식 • **presence** 존재, 있음 • **self-understanding** 자기 인식 • **fundamental** 근본적인 • **infrastructure** 사회 기반 시설 • **sewer system** 하수도 체계 • **isolation** 고립 • **ultimately** 궁극적으로 • **owe a debt** 빚을 지다

4 밑줄 친 everyone is no one이 다음 글에서 의미하는 바로 가장 적절한 것은? 학평 기출

Many writers make the common mistake of being too vague when picturing a reader. When it comes to identifying a target audience, <u>everyone is no one</u>. You may worry about excluding other people if you write specifically for one individual. Relax — that doesn't necessarily happen. A well-defined audience simplifies decisions about explanations and word choice. Your style may become more distinctive, in a way that attracts people beyond the target reader. For example, Andy Weir wrote *The Martian* for science fiction readers who want their stories firmly grounded in scientific fact, and perhaps rocket scientists who enjoy science fiction. I belong to neither audience, yet I enjoyed the book. Weir was so successful at pleasing his target audience that they shared it widely and enthusiastically. Because Weir didn't try to cater to everyone, he wrote something that delighted his core audience. Eventually, his work traveled far beyond that sphere. It may be counterintuitive, but if you want to broaden your impact, tighten your focus on the reader.

① It is desirable to consider as broad a class of readers as possible.
② All readers want to buy best sellers regardless of their tastes.
③ A story can cause various reactions depending on its readers.
④ Trying to satisfy all readers leads to nobody's satisfaction.
⑤ To specifically target readers is harmful to fiction writers.

© Rawpixel.com / shutterstock

Words

● vague 모호한 ● identify 확인하다, 식별하다 ● exclude 배제하다 ● specifically 특별히 ● simplify 단순화하다 ● distinctive 특색 있는 ● firmly 굳건하게 ● enthusiastically 열광적으로 ● cater (~의) 요구를 채우다, 비위를 맞추다 ● sphere 범위, 영역 ● counterintuitive 직관에 어긋나는, 반직관적인 ● broaden 넓히다 ● impact 영향 ● regardless of ~와 관계없이 ● depending on ~에 따라

창의·융합·코딩 전략 ①

1 각 표현의 속뜻을 말한 사람을 찾아 보시오.

| icing on the cake | make no difference | grasp at straws |

| you reap what you sow | in the bag |

ⓐ It means "a good but not essential addition."

Olivia

ⓑ You can say it when you are certain to get or achieve something.

Dean

ⓒ We say it when we cannot change or improve a situation.

Mia

ⓓ It means "you must eventually face the consequences of your actions."

Sam

ⓔ We say it when someone tries anything to deal with a difficult situation.

Ella

2 수진과 Mike의 대화를 읽고, 빈칸에 들어갈 표현을 골라 보시오.

Mike

Look at this. My new bike!

Looks great! Is it the latest model?

Mike

No. It's the same model as yours.

I liked your bike so I've decided to buy that model.

What? It definitely looks different.

Your bike looks much better than mine.

Mike

Haha. ＿＿＿＿＿＿＿＿＿＿＿＿＿＿＿＿

① Grass is always greener on the other side.
② There's no place like home.
③ Strike while the iron is hot.
④ There's always someone better.
⑤ No news is good news.

창의·융합·코딩 전략 ②

3 세 사람의 토론 내용을 읽고, 네모 안에서 알맞은 낱말을 고르시오. 학평 응용

Heesu

Craft objects are less worthy than fine art products. Because they serve an everyday function, they're not purely | creative / practical |.

I don't think so. Most contemporary high art began as some sort of craft. The composition of what we now call "classical music" began as a form of craft music.

Eugene

Heesu

You mean classical music originally had specific functions? I didn't know that.

Many of them were composed to | satisfy / ignore | the entertainment needs of royal patrons. For example, chamber music was often designed to be performed in wealthy homes as background music.

Eugene

Right. The dances composed by Bach or Chopin originally did indeed accompany dancing. But today, the contexts and functions they were composed for were | born / gone |, and we listen to these works as fine art.

Bill

4 주어진 문장의 뒷받침 문장을 읽고, 빈칸에 들어갈 알맞은 말을 고르시오. **학평** 응용

> Translating academic language into everyday language can be an essential tool for you as a writer to ＿＿＿＿＿＿＿＿.

Writing is generally not a process in which we start with a fully formed idea in our heads that we then simply transcribe in an unchanged state onto the page.

Writing is often a means of discovery in which we use the writing process to figure out what our idea is.

Writers are often surprised to find that what they end up with on the page is quite different from what they thought it would be when they started.

Translating your ideas into more common, simpler terms can help you figure out what your ideas really are, as opposed to what you initially imagined they were.

① finish writing quickly
② reduce sentence errors
③ appeal to various readers
④ come up with creative ideas
⑤ clarify your ideas to yourself

개념 돌파 전략 ①

유형 **01** 글의 순서 배열하기

↳ 주어진 문단에 이어질 다른 세 문단의 순서를 배열하는 유형

1 주어진 문단을 읽고 글의 소재나 주제를 파악하며, 글의 **❶** 방향을 추측해 본다.

tip 주어진 문단에 단서가 주어지는데, 대개 핵심 어구나 주요 소재 등이 제시된다.

2 문단 (A), (B), (C)를 읽고 각각의 중심 내용을 파악한다.

3 각 문단의 중심 내용을 **❷** 적으로 연결되는 순서로 배열하되, 지시어와 접속사 등의 단서를 활용해야 한다.

> 논설문이나 설명문 등 글의 흐름이 분명하게 나타나는 지문이 주로 출제됩니다.

4 배열된 글의 흐름이 자연스러운지 다시 확인한다.

접속사·부사구
● but/however 그러나, similarly 유사하게, so 그래서, then 그리고 나서, for example 예를 들어, in addition 게다가, finally 마침내, in brief 간단히 말해

대명사·지시어
● he/she/it, they, this ~, that ~

그 외
● some ~, other ~, another ~

답 ❶ 전개 ❷ 논리

CHECK

1 다음 세 문장의 순서를 바르게 배열하시오.

(A) Some people need money more than we do.

(B) So this year, for our birthdays, let's tell our friends and family to donate money to a charity instead of buying us presents.

(C) For example, some people have lost their homes due to natural disasters or war, while others don't have enough food or clothing.

➜ (A) – _____ – _____

유형 **02** 흐름과 관계 없는 문장 찾기

↳ 글 전체의 흐름과 어긋나는 문장을 찾는 유형

1 글의 첫 부분을 읽고, 글의 소재와 **❶** 를 파악한다. 대개 첫 문장이 주제문이다.

2 각 문장이 주제와 일관된 맥락을 유지하는지 확인하면서 글을 읽는다.

3 논리적으로 어색하거나 흐름에 **❷** 가 되는 문장을 찾는다.

> 지문과 동일한 소재를 포함하면서도 맥락상 주제와 어긋나는 서술을 하는 문장일 경우가 많습니다.

4 선택한 문장을 빼고 읽었을 때 글의 흐름이 자연스러운지 확인한다.

답 ❶ 주제 ❷ 방해

CHECK

2 다음 글에서 전체 흐름과 관계 <u>없는</u> 문장은?

It is important to recognize your pet's particular needs and respect them. Imagine that you have an athletic, high-energy dog. ① If you take her outside to run for an hour every day, she is going to be much more manageable indoors. ② You must have your dog under effective control at all times. ③ If your cat is shy and timid, he won't want to be displayed in cat shows.

유형 03 주어진 문장의 위치 찾기

↳ 주어진 문장이 들어갈 적절한 위치를 지문에서 찾는 유형

1 주어진 문장을 읽고 의미를 파악한다.

2 주어진 문장의 앞뒤에 올 내용을 유추한다.
   tip 연결어, 대명사나 지시어 등이 중요한 단서가 된다.

3 주어진 문장과 연결될 수 있는 단서를 찾으며 글을 읽는다.

4 문장 사이의 ❶[ ]을 확인하여 논리적인 흐름이 매끄럽지 않거나, 정보가 빠진 곳을 찾는다.

5 주어진 문장을 넣고, ❷[ ]적으로 매끄럽게 읽히는지 확인한다.

目 ❶ 연결 ❷ 논리

CHECK

3 글의 흐름으로 보아, 주어진 문장이 들어가기에 가장 적절한 곳은?

> Therefore, overcoming your instinct to avoid uncomfortable things at first is essential.

Sometimes, you want to avoid something that will lead to success out of discomfort. (①) You are actively shutting out success because you just feel uncomfortable. (②) Try doing new things outside of your comfort zone. (③) Change is uncomfortable, but it is key to doing things differently in order to find that magical formula for success.

유형 04 요약문 완성하기

↳ 지문의 내용을 요약한 문장의 빈칸에 들어갈 핵심 어구를 고르는 유형

1 요약문과 선택지를 먼저 읽고, 글의 ❶[ ]를 추측해 본다.
   tip 요약문 내용을 통해 글의 중심 소재를 확인한 후 글을 읽으면 이해에 도움이 된다.

2 글을 읽으며 글 전체의 요지와 핵심 어구를 파악한다. 반복해서 제시되는 개념에 유의해야 한다.

3 요약문의 빈칸에 알맞은 말을 선택지에서 찾아 문장을 완성한다.

> 요약문의 빈칸에 들어갈 말은 대개 글의 핵심 단어나 어구, 또는 이를 다른 표현으로 바꾼 것이라는 점을 기억하세요.

4 글을 읽으며 파악한 ❷[ ]와 요약문의 내용이 일치하는지 확인한다.

目 ❶ 주제 ❷ 요지

CHECK

4 다음 글을 한 문장으로 요약할 때 괄호 안에서 알맞은 말을 고르시오.

Eye contact may be the most powerful human force in cooperation, but we lose it in traffic and become so noncooperative on the road. Most of the time we are moving too fast or it is not safe to look. Maybe our view is blocked by tinted windows. Often other drivers are wearing sunglasses. Sometimes we make eye contact through the rearview mirror, but it does not feel believable, as it is not "face-to-face."

➔ While driving, people become (confident / uncooperative), because they make (direct / little) eye contact.

개념 돌파 전략 ②

1 주어진 글 다음에 이어질 글의 순서로 가장 적절한 것은? (학평) 기출

> Land is always a scarce resource in urban development; high building density, by providing more built-up space on individual sites, can maximize the utilization of the scarce urban land.

(A) However, some people argue that the opposite is also true. In order to achieve high building density, massive high-rise buildings are inevitable, and these massive structures, crammed into small sites, can conversely result in very little open space and a congested cityscape.

(B) High building density, therefore, helps to reduce the pressure to develop open spaces and releases more land for communal facilities and services to improve the quality of urban living.

(C) This may happen when high-density development is carried out without planning. Therefore, in order to avoid the negative impacts of high density, thorough planning and appropriate density control are essential.

* cram 밀어 넣다

① (A) − (C) − (B)　　　② (B) − (A) − (C)
③ (B) − (C) − (A)　　　④ (C) − (A) − (B)
⑤ (C) − (B) − (A)

풀이 전략

주어진 글 다음에 이어진 글의 순서를 파악하려면?

① 주어진 글을 읽고, 글의 주제와 핵심 어구를 파악한다.
➡ 도시는 **❶** 가 부족하며, 높은 건축 밀도가 부족한 토지의 활용을 극대화할 수 있다.

② 세 문단 (A), (B), (C)를 읽고 각각의 중심 내용을 파악한다.
➡ (A): 높은 건축 밀도의 부작용 (B): 높은 건축 밀도의 순기능 (C): 높은 건축 밀도의 부작용을 줄일 수 있는 방법

③ 지시어와 연결 어구 등의 단서를 활용하여 문단을 배열한다.
➡ (A)의 **❷** , (B)의 therefore, (C)의 This가 단서가 될 수 있다.

④ 배열된 글의 흐름이 자연스러운지 다시 확인한다.

답 **❶** 토지 **❷** However

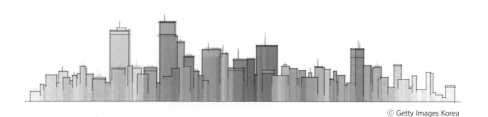

© Getty Images Korea

Words
● scarce 희소한, 부족한　● density 밀도　● built-up 건물이 가득 들어선　● maximize 극대화하다　● utilization 활용　● argue 주장하다
● opposite 반대　● massive 거대한　● inevitable 불가피한　● conversely 역으로　● open space 공지(空地)　● congested 혼잡한
● release 풀어 주다　● communal facility 공용 시설　● negative 부정적인　● impact 영향　● appropriate 적절한

유형 02 흐름과 관계 없는 문장 찾기

2 다음 글에서 전체 흐름과 관계 <u>없는</u> 문장은? **학평** 기출

New technologies encounter challenges based on both how many of our existing habits they promise to alter and the strength of these habits. ① Lasting behavioral change must occur through existing habits rather than attempts to alter them. ② People are likely to adopt innovations only if they improve rather than destroy their existing habits, in the same way that electronic calculators made mathematical computations faster. ③ The success of an electronics product is linked to the innovative technological design both of its electronic processes and of its major components. ④ Thus, public policy should encourage behavioral change by targeting the least fixed habits. ⑤ For example, developing countries could encourage increased protein consumption by offering new high-protein beverages rather than new types of high-protein foods.

© Roobcio / shutterstock

Words

● encounter 직면하다 ● based on ~에 기초한 ● existing 기존의 ● attempt 시도 ● alter 바꾸다, 변경하다 ● adopt 채택하다, 받아들이다 ● innovation 혁신 ● electric calculator 전자계산기 ● mathematical computation 수학적 계산 ● be linked to ~와 연관이 있다 ● component 부품 ● public policy 공공 정책 ● encourage 장려하다, 촉진하다 ● target 목표로 삼다, 겨냥하다 ● developing country 개발도상국 ● protein 단백질 ● beverage 음료

유형 03 주어진 문장의 위치 찾기

3 글의 흐름으로 보아, 주어진 문장이 들어가기에 가장 적절한 곳은? 기출

> The illusion of relative movement works the other way, too.

You are in a train, standing at a station next to another train. Suddenly you seem to start moving. But then you realize that you aren't actually moving at all. (①) It is the second train that is moving in the opposite direction. (②) You think the other train has moved, only to discover that it is your own train that is moving. (③) It can be hard to tell the difference between apparent movement and real movement. (④) It's easy if your train starts with a jolt, of course, but not if your train moves very smoothly. (⑤) When your train overtakes a slightly slower train, you can sometimes fool yourself into thinking your train is still and the other train is moving slowly backwards.

*apparent 외견상의 **jolt 덜컥하고 움직임

풀이 전략

주어진 문장이 들어갈 적절한 위치를 지문에서 찾으려면?

① 주어진 문장의 의미를 파악한다.

② 주어진 문장의 앞뒤에 어떤 내용이 올지 유추한다.
➡ '상대적인 움직임에 대한 착각(The illusion of relative movement)'의 내용이 **❶** 에, '다른 방식(the other way)'에 대한 설명이 **❷** 에 나올 것이다.

③ 주어진 문장과 연결될 수 있는 단서를 찾으며 글을 읽는다.
➡ 빈칸 ②를 사이에 두고 서로 다른 **❸** 의 내용이 나온다.

④ 논리적인 연결이 매끄럽지 않은 곳에 주어진 문장을 넣고 흐름을 확인한다.
답 ❶ 앞 **❷** 뒤 **❸** 착각

© Corepics / shutterstock

Words

● illusion 착각, 환상 ● relative 상대적인, 비교상의 ● opposite 반대의 ● direction 방향 ● only to 그 결과 ~할 뿐인 ● tell 구별하다, 식별하다 ● difference 차이 ● overtake 따라잡다 ● slightly 약간 ● fool A into -ing A를 속여서 ~하게 하다 ● still 정지한

유형 04 요약문 완성하기

4 다음 글의 내용을 한 문장으로 요약하고자 한다. 빈칸 (A), (B)에 들어갈 말로 가장 적절한 것은? 학평 기출

The perception of the same amount of discount on a product depends on its relation to the initial price. In one study, respondents were presented with a purchase situation. The persons put in the situation of buying a calculator that cost $15 found out that the same product was available at $10 in a different store 20 minutes away. In this case, 68% of respondents decided to make their way down to the store in order to save $5. In the second condition, which involved buying a jacket for $125, the respondents were also told that the same product was available in a store 20 minutes away and cost $120 there. This time, only 29% of the persons said that they would get the cheaper jacket. In both cases, the product was $5 cheaper, but in the first case, the amount was 1/3 of the price, and in the second, it was 1/25 of the price. What differed in both of these situations was the price context of the purchase.

> When the same amount of discount is given in a purchasing situation, the __(A)__ value of the discount affects how people __(B)__ its value.

	(A)	(B)		(A)	(B)
①	absolute	modify	②	absolute	express
③	identical	produce	④	relative	perceive
⑤	relative	advertise			

풀이 전략

요약문을 완성하려면?

① 요약문과 선택지를 먼저 읽고, 글의 주제를 추측해 본다.
→ 다른 구매 상황에서의 할인 금액에 대한 사람들의 반응이 글의 주제일 것이다.

② 글을 읽으며 글 전체의 요지와 핵심 어구를 파악한다.
→ 동일한 할인 금액도 상품의 원래 가격에 따라 ❶ 받아들여진다.

③ 요약문의 빈칸에 알맞은 말을 선택지에서 찾는다.

④ 글의 ❷ 와 완성한 요약문의 내용이 일치하는지 확인한다.

답 ❶ 다르게 ❷ 요지

© olessya · g / shutterstock

Words
● perception 인식 ● relation 관계 ● initial 처음의 ● respondent 응답자 ● be presented with ~을 제시받다, 수여하다 ● involve 포함하다, 관련시키다, 참여시키다 ● differ 다르다 ● context 맥락 ● absolute 절대적인 ● modify 수정하다 ● identical 동일한
● perceive 인식하다

대표 유형 1

주어진 글 다음에 이어질 글의 순서로 가장 적절한 것은? **수능** 기출

The objective of battle, to "throw" the enemy and to make him defenseless, may temporarily blind commanders and even strategists to the larger purpose of war. War is never an isolated act, nor is it ever only one decision.

(A) To be political, a political entity or a representative of a political entity, whatever its constitutional form, has to have an intention, a will. That intention has to be clearly expressed.

(B) In the real world, war's larger purpose is always a political purpose. It transcends the use of force. This insight was famously captured by Clausewitz's most famous phrase, "War is a mere continuation of politics by other means."

(C) And one side's will has to be transmitted to the enemy at some point during the confrontation (it does not have to be publicly communicated). A violent act and its larger political intention must also be attributed to one side at some point during the confrontation. History does not know of acts of war without eventual attribution.

*entity 실체 **transcend 초월하다

① (A) – (C) – (B)
② (B) – (A) – (C)
③ (B) – (C) – (A)
④ (C) – (A) – (B)
⑤ (C) – (B) – (A)

유형 해결 전략

Step 1
주어진 글을 읽고, 글의 주제와 ❶ ☐☐☐ 를 파악한다.

Step 2
(A), (B), (C) 각 문단의 ❷ ☐☐☐ 내용을 파악하며 읽는다.

Step 3
각 문단에서 접속사, 대명사, 지시어 등의 단서를 찾아 내용을 논리적으로 연결한다.

🔑 ❶ 소재 ❷ 중심

© Ryan fletcher / shutterstock

Words

● objective 목표 ● defenseless 무방비의 ● temporarily 일시적으로 ● commander 지휘관 ● strategist 전략가 ● isolated 고립된 ● representative 대표(자) ● constitutional 체제상의, 헌법(상)의 ● intention 의도 ● will 의지 ● insight 통찰, 통찰력 ● capture 포착하다 ● continuation 계속, 지속 ● transmit 전달하다 ● confrontation 대치 ● publicly 공개적으로, 정부에 의해 ● be attributed to ~의 탓으로 돌려지다 ● eventual 궁극적인 ● attribution 귀인, 원인의 귀착

다음 글에서 전체 흐름과 관계 <u>없는</u> 문장은? 모평 기출

One of the most widespread, and sadly mistaken, environmental myths is that living "close to nature" out in the country or in a leafy suburb is the best "green" lifestyle. Cities, on the other hand, are often blamed as a major cause of ecological destruction — artificial, crowded places that suck up precious resources. Yet, when you look at the facts, nothing could be farther from the truth. ① The pattern of life in the country and most suburbs involves long hours in the automobile each week, burning fuel and pumping out exhaust to get to work, buy groceries, and take kids to school and activities. ② City dwellers, on the other hand, have the option of walking or taking transit to work, shops, and school. ③ The larger yards and houses found outside cities also create an environmental cost in terms of energy use, water use, and land use. ④ This illustrates the tendency that most city dwellers get tired of urban lives and decide to settle in the countryside. ⑤ It's clear that the future of the Earth depends on more people gathering together in compact communities.

*compact 밀집한

유형 해결 전략

Step 1
글의 첫 부분을 읽고, 글의 소재와 ❶ 를 파악한다.

Step 2
각 문장이 ❷ 와 일관된 맥락을 유지하는지 확인한다.

Step 3
흐름을 방해하는 문장을 찾고, 그 문장을 빼고 읽어 보며 글의 흐름이 자연스러운지 확인한다.

❶ 주제 ❷ 주제

Words
• mistaken 잘못된, 틀린 • myth 근거 없는 통념, 미신 • leafy 녹음이 우거진, 나무가 많은 • suburb 교외 • blame 비난하다
• ecological 생태계의 • artificial 인공적인 • suck up ~을 빨아들이다 • precious 귀중한 • involve 수반하다, 관련짓다 • exhaust 배기가스 • dweller 거주자 • transit 대중교통 • in terms of ~의 측면에서 • illustrate 보여 주다, 실증하다 • tendency 경향
• settle 정착하다

필수 체크 전략 ②

전략 체크 | 주어진 글로 글 전체의 주제 파악하기

1 주어진 글 다음에 이어질 글의 순서로 가장 적절한 것은? 모평 기출

> Green products involve, in many cases, higher ingredient costs than those of mainstream products.

(A) They'd rather put money and time into known, profitable, high-volume products that serve populous customer segments than into risky, less-profitable, low-volume products that may serve current noncustomers. Given that choice, these companies may choose to leave the green segment of the market to small niche competitors.

(B) Even if the green product succeeds, it may cannibalize the company's higher-profit mainstream offerings. Given such downsides, companies serving mainstream consumers with successful mainstream products face what seems like an obvious investment decision.

(C) Furthermore, the restrictive ingredient lists and design criteria that are typical of such products may make green products inferior to mainstream products on core performance dimensions (e.g., less effective cleansers). In turn, the higher costs and lower performance of some products attract only a small portion of the customer base, leading to lower economies of scale in procurement, manufacturing, and distribution.   *segment 조각 **cannibalize 잡아먹다 ***procurement 조달

① (A) – (C) – (B)   ② (B) – (A) – (C)   ③ (B) – (C) – (A)
④ (C) – (A) – (B)   ⑤ (C) – (B) – (A)

Words

● ingredient 성분, 원료   ● ingredient cost 원료비   ● mainstream 주류의   ● profitable 수익성이 있는   ● high-volume 다량의   ● populous 다수의   ● niche (시장의) 틈새   ● offering 제품   ● downside 부정적인 면   ● investment 투자   ● restrictive 제한하는   ● criterion 기준 (*pl.* criteria)   ● inferior to ~보다 열등한   ● dimension 차원   ● attract 끌다, 유인하다   ● portion 부분   ● customer base 고객 층   ● economies of scale 규모의 경제   ● distribution 유통, 분배

2 다음 글에서 전체 흐름과 관계 <u>없는</u> 문장은? 모평 기출

Since the concept of a teddy bear is very obviously not a genetically inherited trait, we can be confident that we are looking at a cultural trait. However, it is a cultural trait that seems to be under the guidance of another, genuinely biological trait: the cues that attract us to babies (high foreheads and small faces). ① Cute, baby-like features are inherently appealing, producing a nurturing response in most humans. ② Teddy bears that had a more baby-like appearance — however slight this may have been initially — were thus more popular with customers. ③ Teddy bear manufacturers obviously noticed which bears were selling best and so made more of these and fewer of the less popular models, to maximize their profits. ④ As a result, using animal images for commercial purposes was faced with severe criticism from animal rights activists. ⑤ In this way, the selection pressure built up by the customers resulted in the evolution of a more baby-like bear by the manufacturers.

© Alexey D. Vedernikov / shutterstock

● concept 개념 ● genetically 유전학적으로 ● inherited 유전된, 물려받은 ● trait 특성 ● guidance 유도 ● genuinely 진짜로, 진실로 ● cue 신호 ● forehead 이마 ● inherently 선천적으로 ● appeal 관심을 끌다 ● nurture 보살피다 ● appearance 외모, 생김새 ● initially 처음에 ● manufacturer 제조자, 생산 회사 ● maximize 극대화하다 ● profit 이익 ● criticism 비판 ● evolution 진화

3 주어진 글 다음에 이어질 글의 순서로 가장 적절한 것은? 모평 기출

> Clearly, schematic knowledge helps you — guiding your understanding and enabling you to reconstruct things you cannot remember.

(A) Likewise, if there are things you can't recall, your schemata will fill in the gaps with knowledge about what's typical in that situation. As a result, a reliance on schemata will inevitably make the world seem more "normal" than it really is and will make the past seem more "regular" than it actually was.

(B) Any reliance on schematic knowledge, therefore, will be shaped by this information about what's "normal." Thus, if there are things you don't notice while viewing a situation or event, your schemata will lead you to fill in these "gaps" with knowledge about what's normally in place in that setting.

(C) But schematic knowledge can also hurt you, promoting errors in perception and memory. Moreover, the types of errors produced by schemata are quite predictable: Bear in mind that schemata summarize the broad pattern of your experience, and so they tell you, in essence, what's typical or ordinary in a given situation.

① (A) − (C) − (B) ② (B) − (A) − (C) ③ (B) − (C) − (A)
④ (C) − (A) − (B) ⑤ (C) − (B) − (A)

© Getty Images Korea

Words
- schematic 도식적인 ● enable 가능하게 하다 ● recall 기억해 내다, 상기하다 ● schema 도식, 스키마 (*pl.* schemata) ● gap 공백, 틈
- typical 전형적인 ● reliance 의존 ● inevitably 불가피하게 ● in place 제자리에 ● setting 환경, 배경 ● promote 조장하다, 촉진하다
- predictable 예측할 수 있는 ● bear in mind ~을 명심하다 ● summarize 요약하다

4 다음 글에서 전체 흐름과 관계 <u>없는</u> 문장은? 수능 기출

Although commonsense knowledge may have merit, it also has weaknesses, not the least of which is that it often contradicts itself. For example, we hear that people who are similar will like one another ("Birds of a feather flock together") but also that persons who are dissimilar will like each other ("Opposites attract"). ① We are told that groups are wiser and smarter than individuals ("Two heads are better than one") but also that group work inevitably produces poor results ("Too many cooks spoil the broth"). ② Each of these contradictory statements may hold true under particular conditions, but without a clear statement of when they apply and when they do not, aphorisms provide little insight into relations among people. ③ That is why we heavily depend on aphorisms whenever we face difficulties and challenges in the long journey of our lives. ④ They provide even less guidance in situations where we must make decisions. ⑤ For example, when facing a choice that entails risk, which guideline should we use — "Nothing ventured, nothing gained" or "Better safe than sorry"?

*aphorism 격언, 경구(警句) **entail 수반하다

Practice makes perfect.

Words
- commonsense 상식적인 • merit 장점 • weakness 약점 • not the least of which 가장 중요한 것은 • contradict 모순되다
- flock 모이다 • dissimilar 닮지 않은 • spoil 망치다 • contradictory 모순된 • statement 말, 진술 • hold true 사실이다, 진실이다
- apply 적용하다, 적용되다 • even less 하물며(더구나) ~ 아니다 • venture 모험하다

필수 체크 전략 ①

글의 흐름으로 보아, 주어진 문장이 들어가기에 가장 적절한 곳은?　학평 기출

> In order to make some sense of this, an average wind direction over an hour is sometimes calculated, or sometimes the direction that the wind blew from the most during the hour is recorded.

Wind direction is usually measured through the use of a simple vane. (①) This is simply a paddle of some sort mounted on a spindle; when it catches the wind, it turns so that the wind passes by without obstruction. (②) The direction is recorded, but if you ever have a chance to watch a wind vane on a breezy day, you will notice that there is a lot of variation in the direction of wind flow — a lot! (③) Sometimes the wind can blow from virtually every direction within a minute or two. (④) Either way, it is a generalization, and it's important to remember that there can be a lot of variation in the data. (⑤) It's also important to remember that the data recorded at a weather station give an indication of conditions prevailing in an area but will not be exactly the same as the conditions at a landscape some distance from the weather station.

*vane 풍향계 **spindle 회전축

유형 해결 전략

Step 1
주어진 문장을 읽고, 앞뒤에 올 내용을 추론해 본다.

Step 2
글을 읽으며 ❶ [　　　]의 흐름이 매끄럽지 않은 곳이나 ❷ [　　　]가 빠진 곳을 찾는다.

Step 3
주어진 문장을 해당하는 곳에 넣고 앞뒤를 연결해 읽어 본다.

답 ❶ 논리 ❷ 정보

Words
● make sense of ~을 이해하다　● direction 방향　● calculate 계산하다　● paddle 노, 노 모양의 물체　● mount 고정하다, 설치하다
● obstruction 방해　● breezy 산들바람[미풍]이 부는　● variation 변화, 변형　● virtually 사실상, 거의　● generalization 일반화
● indication 암시, 조짐　● prevailing 우세한

대표 유형 4

다음 글의 내용을 한 문장으로 요약하고자 한다. 빈칸 (A), (B)에 들어갈 말로 가장 적절한 것은? (모평) 기출

The idea that planting trees could have a social or political significance appears to have been invented by the English, though it has since spread widely. According to Keith Thomas's history *Man and the Natural World*, seventeenth- and eighteenth-century aristocrats began planting hardwood trees, usually in lines, to declare the extent of their property and the permanence of their claim to it. "What can be more pleasant," the editor of a magazine for gentlemen asked his readers, "than to have the bounds and limits of your own property preserved and continued from age to age by the testimony of such living and growing witnesses?" Planting trees had the additional advantage of being regarded as a patriotic act, for the Crown had declared a severe shortage of the hardwood on which the Royal Navy depended. *aristocrat 귀족 **patriotic 애국적인

> For English aristocrats, planting trees served as statements to mark the __(A)__ ownership of their land, and it was also considered to be a(n) __(B)__ of their loyalty to the nation.

(A)	(B)	(A)	(B)
① unstable	confirmation	② unstable	exaggeration
③ lasting	exhibition	④ lasting	manipulation
⑤ official	justification		

유형 해결 전략

Step 1 요약문과 선택지를 읽고, 글의 ❶ 를 추측해 본다.

Step 2 글을 읽으며 글의 ❷ 와 핵심 어구를 파악한다.

Step 3 요약문의 빈칸에 알맞은 말을 선택지에서 찾은 후, 글의 요지와 일치하는지 확인한다.

답 ❶ 주제 ❷ 요지

Words
● significance 의미, 중요성 ● invent 고안하다, 발명하다 ● hardwood tree 활엽수 ● declare 선언하다, 선포하다 ● extent 규모, 범위 ● property 재산 ● permanence 영속성 ● claim 권리 ● bound 경계(선) ● preserve 보존하다, 지키다 ● testimony 증언 ● witness 증인, 목격자 ● the Crown 군주, 왕 ● shortage 부족 ● the Royal Navy 영국 해군 ● loyalty 충성심 ● unstable 불안정한 ● confirmation 확인 ● exaggeration 과장 ● exhibition 표현 ● manipulation 조작 ● justification 정당화, 변명

1 다음 글의 내용을 한 문장으로 요약하고자 한다. 빈칸 (A), (B)에 들어갈 말로 가장 적절한 것은? 수능 기출

From a cross-cultural perspective the equation between public leadership and dominance is questionable. What does one mean by 'dominance'? Does it indicate coercion? Or control over 'the most valued'? 'Political' systems may be about both, either, or conceivably neither. The idea of 'control' would be a bothersome one for many peoples, as for instance among many native peoples of Amazonia where all members of a community are fond of their personal autonomy and notably allergic to any obvious expression of control or coercion. The conception of political power as a coercive force, while it may be a Western fixation, is not a universal. It is very unusual for an Amazonian leader to give an order. If many peoples do not view political power as a coercive force, nor as the most valued domain, then the leap from 'the political' to 'domination' (as coercion), and from there to 'domination of women', is a shaky one. As Marilyn Strathern has remarked, the notions of 'the political' and 'political personhood' are cultural obsessions of our own, a bias long reflected in anthropological constructs.

*coercion 강제 **autonomy 자율 ***anthropological 인류학의

It is   (A)   to understand political power in other cultures through our own notion of it because ideas of political power are not   (B)   across cultures.

(A)	(B)	(A)	(B)
① rational	..... flexible	② appropriate	..... commonplace
③ misguided	..... uniform	④ unreasonable	..... varied
⑤ effective	..... objective		

Words
• equation 방정식 • dominance 지배력 • questionable 의심스러운 • conceivably 아마도 • bothersome 성가신 • be allergic to ~을 몹시 싫어하다 • fixation 고정관념 • universal 보편적인 것 • domain 영역, 범위 • leap 비약, 도약 • domination 지배, 우세 • shaky 불안정한 • notion 개념 • personhood 개성 • obsession 강박 (관념) • bias 편견 • construct 구성 개념, 구성체

전략 체크 주어진 문장의 앞뒤에 올 내용 추론하기

2 글의 흐름으로 보아, 주어진 문장이 들어가기에 가장 적절한 곳은? 수능 기출

> The advent of literacy and the creation of handwritten scrolls and, eventually, handwritten books strengthened the ability of large and complex ideas to spread with high fidelity.

The printing press boosted the power of ideas to copy themselves. Prior to low-cost printing, ideas could and did spread by word of mouth. While this was tremendously powerful, it limited the complexity of the ideas that could be propagated to those that a single person could remember. (①) It also added a certain amount of guaranteed error. (②) The spread of ideas by word of mouth was equivalent to a game of telephone on a global scale. (③) But the incredible amount of time required to copy a scroll or book by hand limited the speed with which information could spread this way. (④) A well-trained monk could transcribe around four pages of text per day. (⑤) A printing press could copy information thousands of times faster, allowing knowledge to spread far more quickly, with full fidelity, than ever before.   *fidelity 충실 **propagate 전파하다

© Dja65 / shutterstock

Words
- advent 출현 ● literacy 글을 읽고 쓸 줄 아는 능력 ● handwritten 손으로 쓴, 필사의 ● scroll 두루마리 ● printing press 인쇄기
- boost 신장시키다 ● prior to ~ 이전에 ● word of mouth 구전 ● tremendously 대단히 ● complexity 복잡성 ● guaranteed 확실한, 보장된 ● equivalent 동등한, 맞먹는 ● scale 규모 ● incredible 엄청난 ● monk 수도승 ● transcribe 필사하다

3 글의 흐름으로 보아, 주어진 문장이 들어가기에 가장 적절한 곳은? 학평 기출

> To understand how human societies operate, it is therefore not sufficient to only look at their DNA, their molecular mechanisms and the influences from the outside world.

A meaningful level of complexity in our history consists of culture: information stored in nerve and brain cells or in human records of various kinds. The species that has developed this capacity the most is, of course, humankind. (①) In terms of total body weight, our species currently makes up about 0.005 per cent of all planetary biomass. (②) If all life combined were only a paint chip, all human beings today would jointly amount to no more than a tiny colony of bacteria sitting on that flake. (③) Yet through their combined efforts humans have learned to control a considerable portion of the terrestrial biomass, today perhaps as much as between 25 and 40 percent of it. (④) In other words, thanks to its culture this tiny colony of microorganisms residing on a paint chip has gained control over a considerable portion of that flake. (⑤) We also need to study the cultural information that humans have been using for shaping their own lives as well as considerable portions of the rest of nature.

Words

● sufficient 충분한 ● molecular 분자의 ● consist of ~으로 구성되다 ● species 종 ● capacity 능력, 용량 ● in terms of ~의 면에서, ~에 관해서 ● make up 차지하다, 구성하다 ● planetary 행성의 ● biomass 생물량 ● combined 결합된, 합동의 ● jointly 공동으로, 함께 ● amount 총계가 ~에 이르다 ● colony 집단, 군체; 식민지 ● flake 부스러기, 조각 ● considerable 상당한 ● terrestrial 지구의, 육생의 ● microorganism 미생물 ● reside 거주하다

전략 체크 요약문 먼저 읽고 글의 소재 파악하기

4 다음 글의 내용을 한 문장으로 요약하고자 한다. 빈칸 (A), (B)에 들어갈 말로 가장 적절한 것은? 학평 기출

In 2010 scientists conducted a rat experiment. They locked a rat in a tiny cage, placed the cage within a much larger cell and allowed another rat to roam freely through that cell. The caged rat gave out distress signals, which caused the free rat also to exhibit signs of anxiety and stress. In most cases, the free rat proceeded to help her trapped companion, and after several attempts usually succeeded in opening the cage and liberating the prisoner. The researchers then repeated the experiment, this time placing chocolate in the cell. The free rat now had to choose between either liberating the prisoner, or enjoying the chocolate all by herself. Many rats preferred to first free their companion and share the chocolate (though a few behaved more selfishly, proving perhaps that some rats are meaner than others).

In a series of experiments, when the free rats witnessed their fellow in a state of ___(A)___ in a cage, they tended to rescue their companion, even ___(B)___ eating chocolate.

	(A)	(B)		(A)	(B)
①	anguish	delaying	②	anguish	prioritizing
③	excitement	prioritizing	④	boredom	rejecting
⑤	boredom	delaying			

Words
• conduct (실험 등을) 수행하다 • roam 배회하다, 돌아다니다 • give out 보내다, 발산하다 • distress signal 조난 신호 • proceed 계속해서 ~하다 • companion 동료 • liberate 풀어주다 • selfishly 이기적으로 • prove 입증하다 • mean 비열한, 인색한 • witness 목격하다 • rescue 구조하다 • anguish 고통 • prioritize 우선적으로 하다 • boredom 지루함, 따분함 • reject 거부하다

1 다음 글의 내용을 한 문장으로 요약하고자 한다. 빈칸 (A), (B)에 들어갈 말로 가장 적절한 것은?

학평 기출

The searchability of online works represents a variation on older navigational aids such as tables of contents, indexes, and concordances. But the effects are different. As with links, the ease and ready availability of searching make it much simpler to jump between digital documents than it ever was to jump between printed ones. Our attachment to any one text becomes more tenuous, more transitory. Searches also lead to the fragmentation of online works. A search engine often draws our attention to a particular snippet of text, a few words or sentences that have strong relevance to whatever we're searching for at the moment, while providing little incentive for taking in the work as a whole. We don't see the forest when we search the Web. We don't even see the trees. We see twigs and leaves.

*concordance 용어 색인 **tenuous 미약한 ***snippet 작은 정보의

As online search becomes easier and speedier, people's attachment to a text tends to become more ___(A)___, and their interest in the whole content ___(B)___.

	(A)	(B)		(A)	(B)
①	temporary	····· expands	②	temporary	····· diminishes
③	intense	····· diminishes	④	intense	····· expands
⑤	complicated	····· persists			

© Faber 14 / shutterstock

Words

● searchability 검색 가능성 ● represent 보여 주다, 표시하다 ● variation 변형 ● navigational 탐색의 ● aid 도움, 보조 기구 ● table of contents 목차 ● index 색인 ● availability 이용 가능성 ● attachment 애착, 부착 ● transitory 일시적인, 덧없는 ● fragmentation 단편화, 붕괴 ● relevance 관련성 ● incentive 유인책, 장려책 ● take in ~을 받아들이다, 이해하다 ● twig 잔가지 ● temporary 일시적인 ● diminish 줄어들다 ● persist 계속되다

2 글의 흐름으로 보아, 주어진 문장이 들어가기에 가장 적절한 곳은? 학평 기출

However, newspapers could be posted free of charge, and this provided a loophole for thrifty Victorians.

The ancient Greek historian Aeneas the Tactician suggested conveying a secret message by pricking tiny holes under particular letters in an apparently ordinary page of text. Those letters would spell out a secret message, easily read by the intended receiver. (①) However, any other person who stared at the page would probably be unaware of pinpricks and thus the secret message. (②) Two thousand years later, British letter writers used exactly the same method, not to achieve secrecy but to avoid paying excessive postage costs. (③) Before the establishment of the postage system in the mid-1800s, sending a letter cost about a shilling for every hundred miles, beyond the means of most people. (④) Instead of writing and sending letters, people began to use pinpricks to spell out a message on the front page of a newspaper. (⑤) They could then send the newspaper through the post without having to pay a penny.

*loophole 빠져나갈 구멍 **prick (찔러서) 구멍을 내다

180여 년 전까지만 해도 우편 요금은 배달되는 거리에 따라 달랐습니다. 편지의 무게와 장수에 따라서도 달라졌기 때문에 우체부가 편지를 전해 줄 때 그 자리에서 개봉하여 요금을 계산했다고 합니다. 따라서 요금을 낼 돈이 모자라면 받은 우편물을 되돌려 주기도 했습니다. 1836년에 영국의 로랜드 힐이라는 사람이 이렇게 불편한 우편 제도를 개혁하고자 우편 요금 지급 방법으로 우체국에서 판매하는 우표를 붙이는 방법을 고안했고, 많은 논의를 거쳐 1840년에 세계 최초의 우표를 발행하며 균일 우편 요금 제도가 시행되게 되었습니다.

Words

● post 우송하다; 우편 ● free of charge 무료로 ● thrifty 검소한 ● tactician 책략가, 모사가 ● convey 전달하다 ● apparently 언뜻 보기에 ● spell out 철자를 표시하다 ● intended 의도된 ● pinprick 핀으로 찌른 작은 구멍 ● secrecy 비밀 유지 ● excessive 과도한, 지나친 ● postage 우편 (요금) ● establishment 확립 ● shilling 실링(영국의 옛 화폐 단위) ● means 재력

3 다음 글에서 전체 흐름과 관계 <u>없는</u> 문장은? 학평 기출

Cyber attacks on air traffic control systems have become a leading security concern. ① The federal government released a report in 2009 stating that the nation's air traffic control system is vulnerable to a cyber attack that could interrupt communication with pilots and alter the flight information used to separate aircraft as they approach an airport. ② The report found numerous security problems in airline computer systems, including easy-to-crack passwords and unencrypted file folders, issues that could give invaders easy access. ③ A cyber attack on air traffic has the potential to kill many people and could cripple the country's entire airline industry. ④ Unprecedented declines in consumer demand impacted the profitability of the airline industry, changing the face of aircraft travel for the foreseeable future. ⑤ Tightening airline computer security could be even more important than conducting security screenings of passengers, because in an increasingly cyber-oriented world, plane hijackers of the future may not even be on board.

*unencrypted 암호화되지 않은 **cripple 무력하게 만들다

© Burben / shutterstock

Words
● **air traffic control system** 항공 교통 관제 시스템 ● **leading** 주요한, 주된 ● **release** 발표하다, 공개하다 ● **vulnerable** 취약한
● **interrupt** 방해하다 ● **alter** 바꾸다 ● **easy-to-crack** 풀기 쉬운 ● **invader** 침입자 ● **potential** 잠재력 ● **unprecedented** 전례 없는
● **decline** 감소 ● **demand** 수요 ● **impact** 영향을 주다 ● **profitability** 수익성 ● **foreseeable** 예측할 수 있는 ● **tighten** 엄격하게 하다
● **security screening** 검색 절차 ● **hijacker** (비행기 또는 차량) 납치범

4 주어진 글 다음에 이어질 글의 순서로 가장 적절한 것은? **모평** 기출

> A carbon sink is a natural feature that absorbs or stores more carbon than it releases.

(A) Carbon sinks have been able to absorb about half of this excess CO_2, and the world's oceans have done the major part of that job. They absorb about one-fourth of humans' industrial carbon emissions, doing half the work of all Earth's carbon sinks combined.

(B) Its mass of plants and other organic material absorb and store tons of carbon. However, the planet's major carbon sink is its oceans. Since the Industrial Revolution began in the eighteenth century, CO_2 released during industrial processes has greatly increased the proportion of carbon in the atmosphere.

(C) The value of carbon sinks is that they can help create equilibrium in the atmosphere by removing excess CO_2. One example of a carbon sink is a large forest.

*equilibrium 평형 상태

① (A) − (C) − (B)
② (B) − (A) − (C)
③ (B) − (C) − (A)
④ (C) − (A) − (B)
⑤ (C) − (B) − (A)

Words

● carbon sink 카본 싱크(이산화탄소 흡수계)　● feature 지형, 지세　● absorb 흡수하다　● carbon 탄소　● release 배출하다　● excess 초과된　● emission 배출　● combine 결합하다　● organic material 유기 물질　● proportion 비율　● atmosphere 대기　● remove 제거하다

창의·융합·코딩 전략 ①

1 학생 네 명이 한 가지 주제에 대해 글 이어쓰기를 한 상황에서 각 학생이 쓴 문단의 우리말 요약 문을 완성하고, 글을 쓴 순서대로 배열하시오. 학평 응용

Sonya

We always have a lot of bacteria around us, as they live almost everywhere — in air, soil, in different parts of our bodies, and even in some of the foods we eat. But do not worry!

Andy

But unfortunately, a few of these wonderful creatures can sometimes make us sick. This is when we need to see a doctor, who may prescribe medicines to control the infection.

Marin

Most bacteria are good for us. Some live in our digestive systems and help us digest our food, and some live in the environment and produce oxygen so that we can breathe and live on Earth.

Michael

But what exactly are these medicines and how do they fight with bacteria? These medicines are called "antibiotics," which means "against the life of bacteria." Antibiotics either kill bacteria or stop them from growing.

1 Sonya: 우리 주변에는 어디에나 ＿＿＿＿＿＿＿ 가 있다.

☐ Andy: 박테리아 때문에 아프게 되면 감염을 억제하는 약을 처방 받아야 한다.

☐ Marin: 대부분의 ＿＿＿＿＿＿＿는 우리에게 이롭다.

☐ Michael: 이 약은 '＿＿＿＿＿＿＿'라고 불리며, 박테리아를 죽이거나 성장을 막는다.

2 다음 글을 읽고, 물음에 답하시오.   〔학평〕 응용

Ransom Olds, the father of the Oldsmobile, could not produce his "horseless carriages" fast enough. In 1901 ⓐ<u>he</u> had an idea to speed up the manufacturing process ― instead of building one car at a time, ⓑ<u>he</u> created the assembly line.

(A)

The acceleration in production was unheard-of ― from an output of 425 automobiles in 1901 to an impressive 2,500 cars the following year.

(B)

ⓒ<u>He</u> was, in fact, able to improve upon Olds's clever idea by introducing conveyor belts to the assembly line. As a result, Ford's production went through the roof.

(C)

Instead of taking a day and a half to manufacture a Model T, as in the past, ⓓ<u>he</u> was now able to spit them out at a rate of one car every ninety minutes.

(1) 윗글의 빈칸 (A)~(C) 중에서 다음 문장이 들어가기에 적절한 곳을 고르시오.

> While other competitors were in awe of this incredible volume, Henry Ford dared to ask, "Can we do even better?"

▼ Oldsmobile사의 자동차

▲ Ford사의 자동차 Model-T

(2) 밑줄 친 ⓐ~ⓓ가 각각 누구를 가리키는지 알맞게 분류하시오.

Ransom Olds	-----	
Henry Ford	-----	

창의·융합·코딩 전략 ②

3 주어진 문장의 뒷받침 문장 ①~⑤를 읽고, 필요 없는 것을 고르시오. 학평 응용

> Companies would like to enhance employee contentment on the job.

① Job satisfaction increases productivity because happy employees work harder, allowing them to produce more at a lower cost.

② In many service organizations, client satisfaction often depends directly on the attitudes of employees, who are the company's face for customers.

③ Because people's purchasing patterns are affected by how they feel during the buying experience, happy employees matter.

④ When workers are dissatisfied, their unhappiness makes the customer's experience worse; as a result, consumers buy less, and company performance suffers.

⑤ When a product costs more, but is worth it, its value becomes acceptable to the consumer.

© nikiteev-konstantic / shutterstock

4 다음 글과 아래의 요약문을 읽고, 요약문의 밑줄 친 부분이 의미하는 것을 글에서 찾아 기호를 쓰시오.　**학평** 응용

Rhonda was living near ⓐ campus with several other people — none of whom knew one another. When the cleaning people came each weekend, they left ⓑ several rolls of toilet paper in each of the two bathrooms. However, by Monday all the toilet paper would be gone. It was a classic tragedy-of-the-commons situation: because some people took more toilet paper than their fair share, the public resource was destroyed for everyone else. After reading ⓒ a research paper about behavior change, Rhonda put ⓓ a note in one of the bathrooms asking people not to remove the toilet paper, as it was a shared item. To her great satisfaction, one roll reappeared in a few hours, and another the next day. In ⓔ the other note-free bathroom, however, there was no toilet paper until the following weekend, when the cleaning people returned.

↓

A small reminder brought about a change in the behavior of the people who had taken more of the shared goods than they needed.

(1) A small reminder → _____　(2) the shared goods → _____

이 글에 언급된 tragedy of the commons, 즉 '공유지의 비극'이란 모두가 함께 사용하도록 개방되어 있는 자원이 개인들에 의해 과도하게 사용되어 고갈되는 상황을 말합니다. 이때 자원을 과도하게 사용한 개인은 이득을 얻을 수 있지만, 공동체는 결과적으로 피해를 입게 됩니다. 이 개념은 1833년 영국의 경제학자 William Forster Lloyd가 처음 설명했고, 1968년 생태학자 Garrett Hardin이 Lloyd의 글에서 'The Tragedy of the Commons'라는 표현을 자신이 발표한 글의 제목으로 인용하면서 널리 알려졌습니다.

BOOK 2 마무리 전략

핵심 한눈에 보기

지난 2주간 학습한 독해 전략을 한눈에 살펴보세요.

1주 추론하기

1 문맥에 맞는/맞지 않는 어휘

2 밑줄 친 부분의 의미 파악하기

3, 4 빈칸 추론하기

2주 글 완성하기

1 글의 순서 배열하기

2 흐름과 관계없는 문장 찾기

3 주어진 문장의 위치 찾기

4 요약문 완성하기

신유형·신경향 전략

1 밑줄 친 <u>We picked a bad year to have a good year</u>와 바꿔 쓸 수 있는 말로 가장 적절한 것은? 모평 기출

On August 12, 1994, major league baseball players went on strike, bringing baseball to a halt for the rest of the season. The strike, which lasted 235 days, ended in April of the next year when a federal judge issued an injunction against the club owners. Just before the strike, baseball was enjoying one of the most exciting seasons in many years. The lowly Montreal Expos were leading their league by six games, Tony Gwynn was enjoying a .400 batting average, and a number of ballplayers were having banner years. Just before the strike, the famed hitter Ken Griffey, Jr., was asked what he thought about the upcoming strike, especially since he and so many other ballplayers were doing so well. He replied: <u>We picked a bad year to have a good year.</u>　*injunction (법원의) 명령

① We are disappointed with our personal records.
② For the strike, we are sacrificing a great season.
③ Rather than going on strike, we want to negotiate.
④ We consider the strike as an act of poor sportsmanship.
⑤ We admit there are different attitudes toward the strike.

© Eugene Onischenko / shutterstock

Words
- go on strike 파업하다
- bring ~ to a halt ~을 중단시키다, 정지시키다
- issue an injunction (법) 명령을 내리다
- lowly 하찮은
- batting average 타율
- banner year 아주 성공적인 해
- famed 아주 유명한, 저명한
- upcoming 다가오는
- negotiate 협상하다

How to Solve

1 밑줄 친 부분이 있는 문장을 먼저 읽고, 겉으로 드러난 의미를 파악합니다.
2 글을 읽으며 주제를 파악합니다.
3 밑줄 친 부분이 글의 **❶**　　　와 관련하여 어떤 의미를 나타내는지 파악하고, 선택지에서 가장 가까운 것을 고릅니다.
4 선택한 표현을 밑줄 친 부분 대신 넣어 보고, 글의 **❷**　　　이 자연스러운지 확인합니다.

답 **❶** 주제 **❷** 흐름

2 다음 글의 내용을 한 문장으로 요약할 때 (A), (B), (C)에서 적절한 것은? [학평] 기출

Major long-term threats to deep-sea fishes, as with all life on the planet, derive from trends of global climate change. Although deep-sea fishes are generally cold-water species, warming of the oceans itself may not be a direct threat. Many of the deep-sea fishes originated during the early Cretaceous when the deep sea was warm, and the Mediterranean Sea, which is warm down to a depth of over 5,000 m, is populated by deep-sea fishes. On the other hand, substantial changes may be expected in ocean ecosystems over the next 100 years driven by an increase in dissolved carbon dioxide (CO_2) and consequent ocean acidification resulting from burning of fossil fuels. Although the effects on deep-sea fishes are likely to be indirect through loss of coral habitats and changes in prey availability, larval stages of deep-sea fishes in the surface layers of the ocean may be directly affected by acidity.

*Cretaceous 백악기(白堊紀) **larval 유생의

> Changes in sea (A) level / temperature may not pose an immediate threat to deep-sea fishes, and yet changes in seawater (B) chemistry / pressure may directly affect them in their (C) adult / larval stages.

	(A)	(B)	(C)
①	level	chemistry	adult
②	temperature	chemistry	larval
③	level	pressure	larval
④	temperature	chemistry	adult
⑤	temperature	pressure	larval

Words
- derive from ~에서 나오다, 파생되다
- originate 나타나다, 기원하다
- populate 살다, 서식하다
- substantial 상당한
- dissolved carbon dioxide 용존 이산화탄소
- consequent 결과로 발생하는
- acidification 산성화
- coral 산호초
- availability 가용성
- acidity 산도, 신맛

How to Solve

1 요약문을 읽고, 글의 전체적인 내용을 짐작하며 어떤 정보를 찾아야 할지 파악합니다.
2 글을 읽으며 핵심 어구와 ❶ 를 파악합니다.
3 파악한 정보를 바탕으로 요약문에서 적절한 어휘를 고릅니다. 주로 ❷ 어구의 다른 표현이 빈칸에 어울린다는 점에 유의합니다.

답 ❶ 주제 ❷ 핵심

3 밑줄 친 whether to make ready for the morning commute or not이 다음 글에서 의미하는 바로 가장 적절한 것은? 수능 기출

Scientists have no special purchase on moral or ethical decisions; a climate scientist is no more qualified to comment on health care reform than a physicist is to judge the causes of bee colony collapse. The very features that create expertise in a specialized domain lead to ignorance in many others. In some cases lay people — farmers, fishermen, patients, native peoples — may have relevant experiences that scientists can learn from. Indeed, in recent years, scientists have begun to recognize this: the Arctic Climate Impact Assessment includes observations gathered from local native groups. So our trust needs to be limited, and focused. It needs to be very particular. Blind trust will get us into at least as much trouble as no trust at all. But without some degree of trust in our designated experts — the men and women who have devoted their lives to sorting out tough questions about the natural world we live in — we are paralyzed, in effect not knowing <u>whether to make ready for the morning commute or not</u>. *lay 전문가가 아닌 **paralyze 마비시키다 ***commute 통근

① questionable facts that have been popularized by non-experts
② readily applicable information offered by specialized experts
③ common knowledge that hardly influences crucial decisions
④ practical information produced by both specialists and lay people
⑤ biased knowledge that is widespread in the local community

Words
- have no purchase on ~에 영향을 주지 못하다
- ethical 윤리적인
- qualified 자격이 있는, 제한적인
- health care 의료, 보건
- reform 개혁
- expertise 전문성
- domain 영역, 범위
- ignorance 무지
- relevant 관련 있는
- designated 지정된
- sort out 해결하다
- in effect 사실상
- readily 손쉽게
- applicable 적용 가능한
- crucial 중대한

How to Solve

1 밑줄 친 부분이 있는 문장을 ❶ 〔 〕 읽고, 겉으로 드러난 의미를 파악합니다.
2 글을 읽으며 중심 내용을 파악하되, 특히 밑줄 친 부분이 있는 문장의 앞뒤를 잘 살핍니다.
3 만약 밑줄 친 부분이 빈칸이라면 어떤 내용이 들어가야 자연스러울지 생각하고 선택지에서 그와 가장 가까운 것을 고릅니다. 밑줄 친 부분 앞에 not과 같은 ❷ 〔 〕가 있을 경우 주의해야 합니다.

답 ❶ 먼저 ❷ 부정어

4 글의 흐름으로 보아, 주어진 문장이 들어가기에 가장 적절한 곳은? 수능 기출

> Retraining current employees for new positions within the company will also greatly reduce their fear of being laid off.

Introduction of robots into factories, while employment of human workers is being reduced, creates worry and fear. (①) It is the responsibility of management to prevent or, at least, to ease these fears. (②) For example, robots could be introduced only in new plants rather than replacing humans in existing assembly lines. (③) Workers should be included in the planning for new factories or the introduction of robots into existing plants, so they can participate in the process. (④) It may be that robots are needed to reduce manufacturing costs so that the company remains competitive, but planning for such cost reductions should be done jointly by labor and management. (⑤) Since robots are particularly good at highly repetitive simple motions, the replaced human workers should be moved to positions where judgment and decisions beyond the abilities of robots are required.

© Macrovector / shutterstock

Words

- retrain 재교육하다
- current 현재의
- lay off 해고하다
- introduction 도입
- management 경영진
- ease 완화하다
- assembly line 조립 라인
- it may be that ~일지 도 모른다

신경향 소재 알기 Future Society

4차 산업 혁명 시대가 도래하면서 우리가 살고 있는 세계는 급속도로 변하고 있습니다. 최근 수능에서도 이와 같은 변화 속에서 우리가 추구해야 할 방향과 가치 등을 다루는 지문이 많아졌습니다. 특히 급격한 변화에 따라오는 ❶[   ]을 비판하기보다는, 변화하는 사회에서 어떻게 적응하고 문제를 ❷[   ]하여 앞으로 나아갈 것인가와 같이 긍정적이고 진취적인 시각을 나타내는 지문이 주로 출제됩니다.

답 ❶ 부작용 ❷ 극복[해결]

01 (A), (B), (C)의 각 네모 안에서 문맥에 맞는 낱말로 가장 적절한 것은? [학평] 기출

The conscious preference for apparent simplicity in the early-twentieth-century modernist movement in prose and poetry was echoed in what is known as the International Style of architecture. The new literature (A) avoided / embraced old-fashioned words, elaborate images, grammatical inversions, and sometimes even meter and rhyme. In the same way, one of the basic principles of early modernist architecture was that every part of a building must be (B) decorative / functional, without any unnecessary or fancy additions. Most International Style architecture aggressively banned moldings and sometimes even window and door frames. Like the prose of Hemingway or Samuel Beckett, it proclaimed, and sometimes proved, that less was more. But some modern architects, unfortunately, designed buildings that looked simple and elegant but didn't in fact function very well: their flat roofs leaked in wet climates and their metal railings and window frames rusted. Absolute (C) complexity / simplicity, in most cases, remained an ideal rather than a reality, and in the early twentieth century complex architectural decorations continued to be used in many private and public buildings.

*inversion 도치

	(A)	(B)	(C)
①	avoided	decorative	complexity
②	avoided	functional	complexity
③	avoided	functional	simplicity
④	embraced	functional	simplicity
⑤	embraced	decorative	simplicity

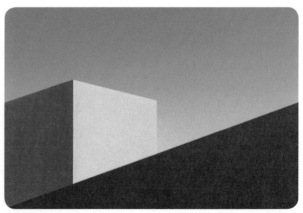

© fran-kie / shutterstock

02 다음 글의 빈칸에 들어갈 말로 가장 적절한 것은? 수능 기출

The role of science can sometimes be overstated, with its advocates slipping into scientism. Scientism is the view that the scientific description of reality is the only truth there is. With the advance of science, there has been a tendency to slip into scientism, and assume that any factual claim can be authenticated if and only if the term 'scientific' can correctly be ascribed to it. The consequence is that non-scientific approaches to reality — and that can include all the arts, religion, and personal, emotional and value-laden ways of encountering the world — may become labelled as merely subjective, and therefore of little _____ in terms of describing the way the world is. The philosophy of science seeks to avoid crude scientism and get a balanced view on what the scientific method can and cannot achieve.

*ascribe 속하는 것으로 생각하다 **crude 투박한

① question   ② account   ③ controversy
④ variation   ⑤ bias

© Getty Images Korea

03 밑줄 친 refining ignorance가 다음 글에서 의미하는 바로 가장 적절한 것은? [수능] 기출

Although not the explicit goal, the best science can really be seen as <u>refining ignorance</u>. Scientists, especially young ones, can get too obsessed with results. Society helps them along in this mad chase. Big discoveries are covered in the press, show up on the university's home page, help get grants, and make the case for promotions. But it's wrong. Great scientists, the pioneers that we admire, are not concerned with results but with the next questions. The highly respected physicist Enrico Fermi told his students that an experiment that successfully proves a hypothesis is a measurement; one that doesn't is a discovery. A discovery, an uncovering — of new ignorance. The Nobel Prize, the pinnacle of scientific accomplishment, is awarded, not for a lifetime of scientific achievement, but for a single discovery, a result. Even the Nobel committee realizes in some way that this is not really in the scientific spirit, and their award citations commonly honor the discovery for having "opened a field up," "transformed a field," or "taken a field in new and unexpected directions."

*pinnacle 정점

① looking beyond what is known towards what is left unknown
② offering an ultimate account of what has been discovered
③ analyzing existing knowledge with an objective mindset
④ inspiring scientists to publicize significant discoveries
⑤ informing students of a new field of science

© Jeppe Gustafsson / shutterstock

04 주어진 글 다음에 이어질 글의 순서로 가장 적절한 것은?

> A sovereign state is usually defined as one whose citizens are free to determine their own affairs without interference from any agency beyond its territorial borders.

(A) No citizen could be a full member of the community so long as she was tied to ancestral traditions with which the community might wish to break — the problem of Antigone in Sophocles' tragedy. Sovereignty and citizenship thus require not only borders in space, but also borders in time.

(B) Sovereignty and citizenship require freedom from the past at least as much as freedom from contemporary powers. No state could be sovereign if its inhabitants lacked the ability to change a course of action adopted by their forefathers in the past, or even one to which they once committed themselves.

(C) But freedom in space (and limits on its territorial extent) is merely one characteristic of sovereignty. Freedom in time (and limits on its temporal extent) is equally important and probably more fundamental.

*sovereign 주권의 **territorial 영토의

① (A) − (C) − (B) ② (B) − (A) − (C)
③ (B) − (C) − (A) ④ (C) − (A) − (B)
⑤ (C) − (B) − (A)

> 소포클레스의 비극 <안티고네>에서 주인공 안티고네는 삼촌인 테베 왕 크레온의 명령을 어기고 오빠 폴리네이케스의 시신을 매장했다는 이유로 사형선고와 함께 석굴에 갇힙니다. 크레온은 폴리네이케스가 국가에 반역을 했으므로 그 시신을 매장하지 못하게 했지만, 안티고네는 혈족의 장례를 치르는 것이 천륜이라는 자신의 신념에 따라 오빠의 장례를 치른 것입니다. 이 작품은 실정법(왕의 명령, 국가 권력)과 자연법(양심)이 대립하는 상황에서의 인간의 고뇌를 보여 준다고 평가받습니다.

[01~02] 다음 글을 읽고, 물음에 답하시오. **모평** 응용

Three composers attended a show at the Café Concert des Ambassadeurs. There they heard performances of a song written by one of them and a sketch written by the other two. After the performance, the three refused to pay their bill, telling the owner of the café: 'You use the products of our labour without paying us for it. So there's no reason why we should pay for your service.' The case went to court, and the composers won on appeal. The decision extended an existing law on theatrical performances to all musical works and all public performance of those works. This decision created a new category of legal right — the performing right — and with it a new economic relationship between music user and copyright owner.

As a result of the decision, these composers and others including music publishers founded a society to enforce and administer their performing rights. In doing so, they established the principle and practice of the collective administration of rights, based on the fact that — with the possible exception of opera performances — it was impossible for a single composer or publisher to monitor every use of his or her work by singers, bands, promoters or, in the twentieth century, broadcasters. _____, the new society was entrusted with the task of monitoring music use, issuing licences to music users, negotiating fees, collecting fees and finally distributing the money raised to the composers and songwriters whose works were adding value to other people's businesses.

01 윗글의 주제로 가장 적절한 것은?

① the cultural significance of musical performance
② strategies for creating public interest through music
③ the rise of performing rights in music and its effects
④ performing arts for the public and their artistic value
⑤ the influence of the new society on increasing licence fees

02 윗글의 빈칸에 들어갈 말로 가장 적절한 것은?

① Accordingly   ② Nevertheless   ③ Otherwise

④ Conversely   ⑤ Similarly

[03~04] 다음 글을 읽고, 물음에 답하시오.　　　모평 기출

Much of our knowledge of the biology of the oceans is derived from "blind" sampling. We use instruments to measure bulk properties of the environment, such as salinity and temperature, and we use bottle or net samples to (a) extract knowledge about the organisms living in the ocean. This kind of approach has contributed important knowledge but has also influenced the way we view marine life. It leads us to focus on abundances, production rates, and distribution patterns. Such a perspective is very (b) relevant in the context of the ocean as a resource for fisheries. It is also helpful in developing an understanding of biogeochemical issues such as ocean carbon fluxes. But on its own, this approach is (c) insufficient, even for those purposes. The kind of intuition that we develop about marine life is, of course, influenced by the way we (d) observe it. Because the ocean is inaccessible to us and most planktonic organisms are microscopic, our intuition is elementary compared, for example, to the intuitive understanding we have about (macroscopic) terrestrial life. Our understanding of the biology of planktonic organisms is still based mainly on examinations of (dead) individuals, field samples, and incubation experiments, and even our sampling may be severely biased toward those organisms that are not destroyed by our harsh sampling methods. Similarly, experimental observations are (e) extended to those organisms that we can collect live and keep and cultivate in the laboratory.

*salinity 염도　**flux 흐름　***terrestrial 육지의

03 윗글의 제목으로 가장 적절한 것은?

① The Blind Spot in the Research of Ocean Biology
② The Ocean under the Microscope: A Breakthrough
③ What Ocean Research Needs: Pattern Recognition
④ Intuition vs. Experiment: Issues in Ocean Biology
⑤ Plankton Destroyed, Oceans Endangered

04 밑줄 친 (a)~(e) 중에서 문맥상 낱말의 쓰임이 적절하지 <u>않은</u> 것은?

① (a)   ② (b)   ③ (c)   ④ (d)   ⑤ (e)

© Oleksandr Chub / shutterstock

[05~07] 다음 글을 읽고, 물음에 답하시오. 모평 응용

(A)

An important lesson to remember is that we should try to see the positives in life even while we are stuck in the middle of trouble. Riccardo, who was named after his father, an immigrant from Mexico, learned this lesson at a young age. Although the family called him Ricky, his father had his own nickname for him: Good-for-Nothing. Why did the elder Riccardo call (a) him that? Because Ricky hated fishing.

(B)

The nation came to know Ricky as the most complete player of his generation, and he was voted into the Hall of Fame. And his father, the elder Riccardo, what did he think about it? Though he had wanted all of his sons to join the family business, he was finally proud of Ricky and respected his accomplishments. Ricky held onto hope in one of the most difficult moments of (b) his life and achieved greatness.

(C)

Since these jobs were not fishing, his father saw no value in them. Young Ricky hated fishing. *Everything would be fine if it were not fishing*, he thought to himself. Soon, Ricky began to follow his older brother who used to play sandlot ball. For Ricky, playing baseball with (c) him was a way to forget his hardship. Fortunately, Ricky was very good at it, and was treated like a hero among his playmates. When Ricky was sixteen, he decided to drop out of school to become a baseball player. And by the time he was through with baseball, (d) he had become a legend.

* sandlot ball 동네야구

(D)

His father saw this very negatively, because he was a fisherman. He loved the fishing business. So did all of his sons, except for Good-for-Nothing Ricky. The boy did not like being on the boat, and the smell of fish made him sick. Instead, Ricky — who was not afraid of hard work — delivered newspapers, shined shoes, worked in the office, and even repaired nets. (e) His income went to the family. Even so, his father was strongly dissatisfied with him and still always said that he was good for nothing.

05 주어진 글 (A)에 이어질 내용을 순서에 맞게 배열한 것으로 가장 적절한 것은?

① (B) − (D) − (C) 　　　　② (C) − (B) − (D)

③ (C) − (D) − (B) 　　　　④ (D) − (B) − (C)

⑤ (D) − (C) − (B)

06 밑줄 친 (a)~(e) 중에서 가리키는 대상이 나머지 넷과 <u>다른</u> 것은?

① (a) 　　② (b) 　　③ (c) 　　④ (d) 　　⑤ (e)

07 윗글의 Ricky에 관한 내용으로 적절하지 <u>않은</u> 것은?

① 아버지의 이름을 따서 Riccardo라고 이름 지어졌다.

② 야구 선수로 성공했지만 아버지가 자랑스러워하지 않았다.

③ 야구 선수가 되기 위해 학교를 그만두기로 결심했다.

④ 아버지의 직업이 어부였다.

⑤ 힘든 일을 두려워하지 않았다.

[08~10] 다음 글을 읽고, 물음에 답하시오.   모평 응용

(A)

"Congratulations!" That was the first word that Steven saw when he opened the envelope that his dad handed to him. He knew that he would win the essay contest. Overly excited, he shouted, "Hooray!" At that moment, two tickets to Ace Amusement Park, the prize, slipped out of the envelope. He picked them up and read the letter thoroughly while sitting on the stairs in front of his house. "Wait a minute! That's not my name!" (a) he said, puzzled. The letter was addressed to his classmate Stephanie, who had also participated in the contest.

(B)

Once Steven had heard his dad's words, tears started to fill up in his eyes. "I was foolish," Steven said regretfully. He took the letter and the prize to school and handed them to Stephanie. He congratulated her wholeheartedly and she was thrilled. On the way home after school, his steps were light and full of joy. That night, his dad was very pleased to hear what he had done at school. "(b) I am so proud of you, Steven," he said. Then, without a word, he handed Steven two Ace Amusement Park tickets and winked.

(C)

"If I don't tell Stephanie, perhaps she will never know," Steven thought for a moment. He remembered that the winner would only be notified by mail. As long as he kept quiet, nobody would know. So he decided to sleep on it. The next morning, he felt miserable and his dad recognized it right away. "What's wrong, (c) Son?" asked his dad. Steven was hesitant at first but soon disclosed his secret. After listening attentively to the end, his dad advised him to do the right thing.

(D)

Reading on, Steven realized the letter had been delivered mistakenly. "Unfortunately," it should have gone to Stephanie, who was the real winner. (d) He looked at the tickets and then the letter. He had really wanted those tickets. He had planned to go there with his younger sister. Steven was his sister's hero, and he had bragged to her that he would win the contest. However, if she found out that her hero hadn't won, she would be terribly disappointed, and (e) he would feel ashamed.

*brag 허풍 떨다

08 주어진 글 (A)에 이어질 내용을 순서에 맞게 배열한 것으로 가장 적절한 것은?

① (B) − (D) − (C)　　　　　② (C) − (B) − (D)

③ (C) − (D) − (B)　　　　　④ (D) − (B) − (C)

⑤ (D) − (C) − (B)

09 밑줄 친 (a)~(e) 중에서 가리키는 대상이 나머지 넷과 다른 것은?

① (a)　　　② (b)　　　③ (c)　　　④ (d)　　　⑤ (e)

10 윗글에 관한 내용으로 적절하지 않은 것은?

① Steven은 집 앞 계단에 앉아 편지를 자세히 읽었다.

② 방과 후에 집으로 돌아오는 Steven의 발걸음은 무거웠다.

③ 아버지는 Steven에게 옳은 일을 하라고 조언했다.

④ 에세이 대회에서 우승한 사람은 Stephanie였다.

⑤ Steven은 여동생과 놀이공원에 갈 계획이었다.

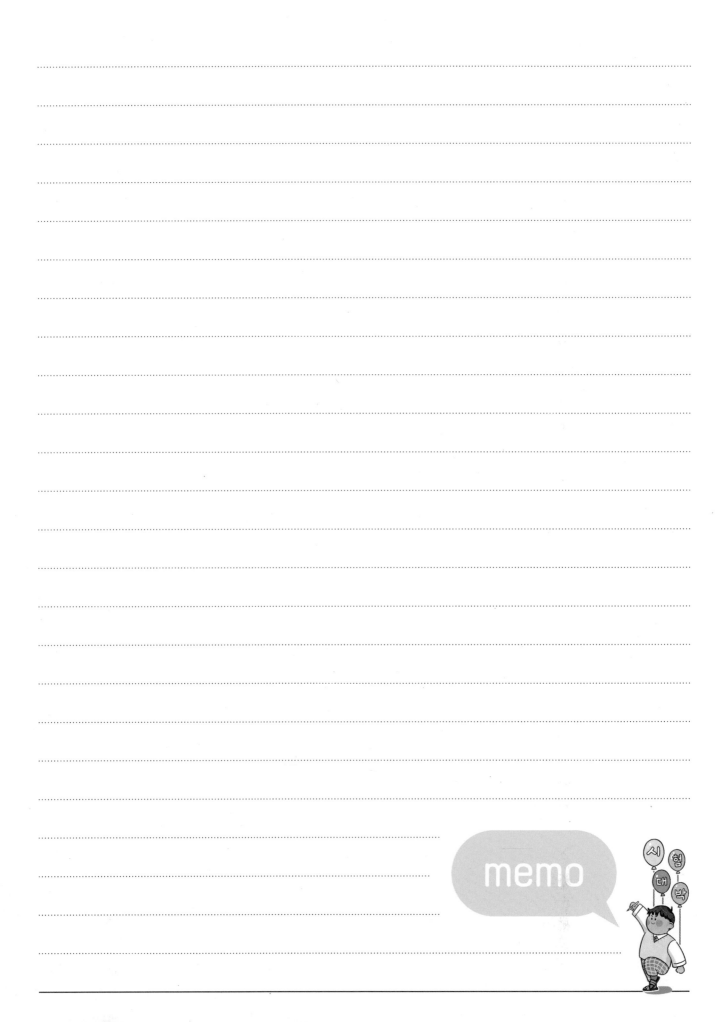

memo

굽은 허리를 꼿꼿하게!
허리 스트레칭

바르지 못한 자세로 오래 앉아 있게 되면, 허리 근육에 무리가 오고 통증으로 이어지게 됩니다. 내 몸의 중심인 허리 건강을 위해 꾸준한 스트레칭과 바른 자세가 무엇보다 중요하다는 것! 잊지 마세요.

❶ 의자에 앉아 무릎과 발 사이를 어깨너비 정도로 벌리고, 발은 11자 모양으로 반듯하게 놓습니다.

❷ 숨을 뱉으며 상체를 서서히 숙입니다. 허리를 편 상태에서, 가능한 만큼 숙여 주세요. 고개를 숙인 채로 30초간 2번의 자세를 유지합니다.

❸ 천천히 일어나 어깨를 펴고 두 손에 깍지를 낀 다음, 팔을 올려 오른쪽으로 당겨줍니다. 왼쪽도 똑같이 반복합니다.

※ 스트레칭도 좋지만, 자세가 바르지 못하면 허리에 지속해서 무리가 가니, 의식적으로 바른 자세로 앉는 것이 제일 중요합니다.

book.chunjae.co.kr

교재 내용 문의 ··················	교재 홈페이지 ▶ 고등 ▶ 교재상담	
교재 내용 외 문의 ················	교재 홈페이지 ▶ 고객센터 ▶ 1:1문의	
발간 후 발견되는 오류 ···········	교재 홈페이지 ▶ 고등 ▶ 학습지원 ▶ 학습자료실	

수능공략 필승학습!
단기간에 끝장내자!

실전에 강한
수능전략

BOOK 3

정답과 해설

영어
영역 독해 150

천재교육

수능전략
영·어·영·역
독해 150

BOOK 3

정답과 해설

1 개념 돌파 전략 ① CHECK | 8~9쪽

1 ③ **2** ① **3** ② **4** ②

해석 **1** 9월 17일에 열리는 제 딸의 결혼식에서 음악을 연주하는 것에 동의해 주셔서 감사합니다. 안타깝게도, 결혼식 날짜를 2주 앞당긴 9월 3일로 바꾸려 합니다. 대신 이 날짜에 연주해 주시는 게 가능할까요? 만약 할 수 없으시다면, 가능한 한 빨리 알려 주시기 바랍니다. **2** 집으로 가는 길에, Shirley는 길 건너편 집 앞에 주차되어 있는 트럭을 보았다. 새로운 이웃들! Shirley는 그들에 대해 알고 싶어 죽을 지경이었다. "새로운 이웃들에 대해 아는 것이 있나요?" 그녀는 저녁 식사 때 아빠에게 물었다. 그는 즐겁게 말했다. "그래, 그리고 네 나이 또래의 여자 아이가 있어. 아마도 그녀는 너의 친구가 되고 싶어 할 거야." Shirley는 포크를 바닥에 떨어뜨릴 뻔했다. ① 신이 난 ② 질투하는 ③ 짜증이 난 **3** 이메일을 쓰고 있다고 가정해 보자. 전송 버튼을 누르지만 않았다면, 어떤 나쁜 일도 일어날 수 없다. 여러분이 쓴 것에는 다양한 종류의 오류가 있을 수 있지만, 그것은 문제가 되지 않는다. 그것을 전송하지 않았다면, 어떤 실수라도 수정할 수 있다. 전송 버튼을 누르기 전에, 반드시 이메일을 마지막으로 한 번 주의 깊게 읽어 보라. **4** 삶에서, 어떤 것이든 과도하면 이롭지 않다고 한다. 그러나, 교육은 이 규칙에서 예외다. 교육이나 지식은 아무리 많이 있어도 지나치지 않다. 나는 교육을 너무 많이 받아서 삶에서 피해를 본 사람을 아직 본 적이 없다. 하지만 교육의 부족으로 인해 생긴 수많은 피해자들은 있다. ① 놀기만 하고 일하지 않으면 똑똑해진다. ② 지나친 교육이 해를 끼치지는 않는다. ③ 과거가 아닌, 미래에서 배워라.

1 개념 돌파 전략 ② | 10~13쪽

1 ③ **2** ① **3** ① **4** ②

1 해석 Larson 씨께,

귀하의 박물관 멤버십에 대한 새로운 정보를 글로 알려드립니다. 올해 저희는 저희의 50주년을 기념하게 되어 기쁩니다. 그래서 저희는 귀하께 더 많은 혜택을 드리고 싶습니다. 여기에는 귀하의 다음 방문 시 최대 10명까지의 무료 입장과 박물관 상품 20% 할인 혜택이 포함됩니다. 귀하께서는 또한 할인된 가격으로 올해 모든 새로운 전시회 개막식에 초대될 것입니다. 저희는 귀하께서 이 제공된 것들을 누리시기를 바랍니다. 문의 사항이 있으시면, 저희에게 언제든지 문의해 주십시오.

Stella Harrison 드림

정답 전략 박물관에서 개관 50주년을 기념하여 멤버십 회원들에게 추가로 제공하는 혜택을 안내하는 편지글이다. 따라서 이 글의 목적은 ③이 가장 적절하다.

끊어 읽기로 보는 구문

올해 　　　　 저희는 기쁩니다 　　　 저희의 50주년을 기념하게 되어
This year / we are happy / to be celebrating our 50th anniversary.
　　　　　　　　　　　　　　감정의 원인을 나타내는 부사적 용법의 to부정사

2 해석 만면에 웃음을 지으며, 귀여운 세 살 소년 Breaden은 스낵과 초코바와 사탕 진열대를 따라 걷고 있었다. "왜!"라고 그가 소리쳤다. 그의 눈 바로 앞에 줄지은 초콜릿 바가 손대어지기를 기다리고 있었다. 그의 엄마가 그의 손을 잡고 있었다. Breaden은 특히나 붐비는 시장에서는 언제나 엄마의 주의 대상이었다. 갑자기, 엄마는 멈춰 서서 친구들에게 인사를 했다. Breaden도 멈춰 섰다. 그는 팔을 뻗었다. 막대바를 하나 잡으려다가, 그는 그의 손이 꽉 쥐어지는 걸 느꼈다. "Breaden, 오늘은 안 돼!" "알았어요, 엄마."라고 그는 한숨을 쉬었다. 그의 어깨가 처졌다.

[정답 전략] 간식이 즐비한 진열대를 보며 신이 났던 Breaden이 엄마가 제지하자 초콜릿 바를 집지 못하고 한숨을 쉬었으므로, ① 들떴다가 (excited) 실망한(disappointed) 것을 알 수 있다. ① 들뜬 → 실망한 ② 당황한 → 만족스러운 ③ 외로운 → 즐거운 ④ 짜증이 난 → 안도한 ⑤ 기쁜 → 질투하는

[끊어 읽기로 보는 구문]

만면에 웃음을 지으며 / 귀여운 세 살 소년 Breaden은 / 스낵과 초코바와 사탕 진열대를 따라 걷고 있었다
All smiling, / Breaden, a cute three-year- old boy, / was walking along the aisle of snacks, bars, and sweets.
분사구문(= As Breaden was all smiling) Breaden = a cute three-year-old boy(동격)

그의 눈 바로 앞에 / 줄지은 초콜릿 바가 손대어지기를 기다리고 있었다
Right in front of his eyes / were rows of chocolate bars waiting to be touched.
장소의 부사구가 문장 앞에 쓰여 주어와 동사가 도치되었다. 「be동사(were)+주어(rows of chocolate bars)+현재분사(waiting) ~」의 순서로 도치된다.

---

3 [해석] 우리가 적절한 영양, 운동, 그리고 휴식을 통해 우리 몸을 돌보는 것에 실패할 때, 우리는 인생 전부를 잃는 것이다. 사업에서 최상의 건강 상태에 있는 사람이 자주 협상에서 승리하는데, 그가 계약을 끝까지 성사시킬 수 있는 체력을 지녔기 때문이다. 세계 수준의 골프 선수들은 다른 골프 선수들보다 훨씬 더 몸 상태가 좋다. 그들은 골프 연습장에서뿐만 아니라 체력 단련실에서도 운동을 한다. 그것은 그들이 주요 토너먼트에서 자신의 상대를 물리치기 위해 육체적인 경기에서뿐만 아니라 정신적인 경기에서도 이길 힘을 지니고 있음을 의미한다.

[정답 전략] 우리 몸을 돌보지 못하면 인생 전부를 잃는 것과 마찬가지이며, 체력이 있을 때 사업이나 운동 경기에서도 성공할 수 있다고 주장하는 글이므로 ①이 이 글의 주제라고 할 수 있다. ① 체력을 길러야 할 필요성 ② 구체적인 목표 설정의 중요성 ③ 장애를 극복하는 다양한 방법들 ④ 사업과 스포츠의 차이점 ⑤ 성공적인 협상을 위해 고려해야 할 것들

[끊어 읽기로 보는 구문]

사업에서 / 개인이 / 최상의 건강 상태에 있는 / 자주 협상에서 승리하는데 / 그가 체력을 지녔기 때문이다
In a business / the individual / who is in the best physical shape / often wins in negotiations, / because he has the
주어 the individual을 수식하는 주격 관계대명사절

계약을 끝까지 성사시킬 수 있는
physical stamina / to see the deal through.
앞에 쓰인 명사구(the physical stamina)를 수식하는 형용사적 용법의 to부정사

그것은 의미한다 / 그들이 힘을 지니고 있음을 / 육체적인 경기에서뿐만 아니라 정신적인 경기에서도 이길
That means / they have the energy / to win not just the physical game but the mental game
That means와 they 사이에 접속사 that이 생략되어 있다.   not just(only) A but (also) B는 'A뿐만 아니라 B도'의 의미이다.

자신의 상대를 물리치기 위해 / 주요 토너먼트에서
/ in order to close out their opponents / in major tournaments.
in order to+동사원형: ~하기 위해

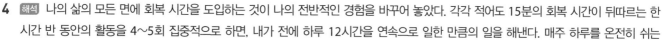

---

4 [해석] 나의 삶의 모든 면에 회복 시간을 도입하는 것이 나의 전반적인 경험을 바꾸어 놓았다. 각각 적어도 15분의 회복 시간이 뒤따르는 한 시간 반 동안의 활동을 4~5회 집중적으로 하면, 내가 전에 하루 12시간을 연속으로 일한 만큼의 일을 해낸다. 매주 하루를 온전히 쉬는 것이 나를 덜 생산적이기보다는 오히려 전체적으로 더 생산적이게 만든다. 그리고 마침내, 나는 휴가를 좋은 투자로 보게 되었다. 이제 나는 더 많은 에너지와 긍정적인 감정을 가지고 더 적은 시간을 일한다. 여기에는 마법은 전혀 없다. 나는 그저 나의 인간적인 욕구에 더 주의를 기울이고 있을 뿐이다.

[정답 전략] 휴식을 취하는 것이 생산성에 도움이 된다는 말이 반복되므로 글의 제목으로는 ②가 적절하다. ① 생산성은 인내에서 온다 ② 몸과 마음에 휴식을 취할 시간을 주어라 ③ 운동에 중독되는 것은 위험하다 ④ 긍정적인 사고로 긍정적인 감정을 활성화하라 ⑤ 일할 시간은 더 많게 그리고 휴가를 위한 시간은 더 적게 가져라

[끊어 읽기로 보는 구문]

매주 하루를 온전히 쉬는 것이 / 나를 전체적으로 더 생산적이게 만든다 / 덜 생산적이기보다는 오히려
Taking one full day off every week / makes me more productive overall / rather than less so.
동명사 주어로 단수 취급한다   make+목적어+형용사(목적격보어): ~가 …하게 만들다   productive를 대신한다.

[대표 유형] **1** ③　　[대표 유형] **2** ①　　　**1** ④　　**2** ①　　**3** ①　　**4** ③ **Plus** ④

[대표 유형] **1**　　　　　　　　　　　　　　　　　　　　　　　　　지 문 한 눈 에 보 기

❶ Want / to improve your Korean writing? ❷ Writing is an essential tool / that will help you adjust to Korean
　　　　　　　　　　　　　　　　　　　　　　　　　　　주격 관계대명사절로, an essential tool을 수식
university life. ❸ The Ha-Rang Writing Center / offers a free tutoring program / open to all international students
/ at our university. ❹ We encourage you / to take advantage of this. ❺ The program has always been very
　　　　　　　　　　encourage+목적어+to부정사: ~가 …하도록 권장하다　　　= the free tutoring program
popular / among international students. ❻ Registration opens / from November 28 / for three days only. ❼ Once
　　　일단 ~하면(접속사)
you are registered, / we will match you with a perfect tutor / and contact you / to arrange your schedule. ❽
We are sure / that you will be satisfied / with our well-experienced tutors. ❾ Don't miss this great opportunity
　　　　　　　　명사절을 이끄는 접속사　　　　　　　　　　　　　　　　　　　　　　　부정명령문
/ to improve your Korean writing. ❿ For more information, / feel free to email Jiyung Yoon, HRWC Director, / at
　　this great opportunity를 수식하는 형용사적 용법의 to부정사　　　　　　　　Jiyung Yoon = HRWC Director(동격)
jyoon@hrwc.org.

해석 ❶ 한국어 쓰기 실력을 향상시키고 싶으세요? ❷ 쓰기는 여러
분이 한국의 대학 생활에 적응하도록 도울 필수적인 도구입니다.
❸ 하랑 쓰기 센터는 우리 대학교에 있는 모든 외국인 학생들에게
개방되어 있는 무료 개인 교습 프로그램을 제공합니다. ❹ 우리는
여러분이 이것을 활용하시기를 권장합니다. ❺ 이 프로그램은 외국
인 학생들 사이에서 항상 큰 인기를 끌어 왔습니다. ❻ 등록은 11월
28일부터 3일간만 할 수 있습니다. ❼ 여러분이 일단 등록하면, 우
리는 여러분을 완벽한 교습자와 연결시키고, 일정을 정하도록 여러

분에게 연락을 드립니다. ❽ 우리의 경험 많은 교습자들에게 만족
하실 것을 확신합니다. ❾ 여러분의 한국어 쓰기 실력을 향상시킬
수 있는 이 좋은 기회를 놓치지 마세요. ❿ 더 많은 정보를 원하시
면, 언제든지 HRWC 담당자 윤지영에게 jyoon@hrwc.org로 이
메일을 보내 주세요.

정답 전략 안내문으로, 앞부분에서 한국어 글쓰기 센터가 하는 일을
설명하고 있고, 중간 부분부터 강습을 원하는 학생을 모집한다는 내
용이 이어지고 있다. 글의 목적으로 가장 적절한 것은 ③이다.

[대표 유형] **2**　　　　　　　　　　　　　　　　　　　　　　　　　지 문 한 눈 에 보 기

❶ Looking out the bus window, / Jonas could not stay calm. ❷ He had been looking forward / to this field trip. ❸
　분사구문(= As he looked ~)　　　　　　　　　　　　　　　　　　　과거완료진행형 / look forward to: ~을 고대하다
It was the first field trip / for his history course. ❹ His history professor had recommended it / to the class, / and
　　　　　　　　　　　　　　　　　　　　　　　　　　　　　　　　　　　　　　　= the field trip
Jonas had signed up / enthusiastically. ❺ He was the first / to board the bus / in the morning. ❻ The landscape
　　　　　　　　　　　　　　　　　　　　　　the first를 to부정사가 수식하고 있다.
looked fascinating / as the bus headed to Alsace. ❼ Finally arriving in Alsace / after three hours / on the road, /
감각동사는 형용사를 보어로 취한다. ~하는 동안에(접속사)　　　　　분사구문으로, 부사절로 바꾸면 When he finally arrived ~이다.
however, / Jonas saw nothing but endless agricultural fields. ❽ The fields were vast, / but hardly appealed to
　　　　　　　　　　　= only　　　　　　　　　　　　　　　　　　　　　　　　　　　　거의 ~ 않는
him. ❾ He had expected / to see some old castles and historical monuments, / but now he saw nothing / like
that / awaiting him. ❿ "What can I learn / from these boring fields?" ⓫ Jonas said to himself / with a sigh.
　　　　　　　　　　　　　　　　　　　　　　　　　　　　　say to oneself: 혼잣말하다 한숨을 쉬며

해석 ❶ 버스 창밖을 내다보면서, Jonas는 차분히 있을 수가 없었
다. ❷ 그는 이번 현장 학습을 학수고대하고 있었다. ❸ 그것은 그의
역사 과목을 위한 첫 번째 현장 학습이었다. ❹ 그의 역사 교수는
학생들에게 그것을 추천하였고, Jonas는 열성적으로 신청했었다.
❺ 그는 아침에 버스를 가장 먼저 탄 사람이었다. ❻ 버스가
Alsace로 향하는 동안 경치는 굉장히 아름다워 보였다. ❼ 하지만

길을 세 시간 달려 마침내 Alsace에 도착했을 때, Jonas는 오직 끝
없이 펼쳐진 농지만 보았다. ❽ 들판은 광대했지만, 그에게는 거의
매력적이지 않았다. ❾ 그는 몇몇 오래된 성들과 역사적인 기념물
들을 보기를 기대했었지만, 이제 그를 기다리고 있는 그러한 것은
어떤 것도 보이지 않았다. ❿ "난 이 지루한 들판에서 무엇을 배울
수 있단 말인가?" ⓫ Jonas는 한숨을 쉬며 혼잣말을 했다.

초반에는 기대했던 현장 학습을 떠나는 Jonas의 설레는 감정이 묘사되어 있지만, however가 쓰인 문장에서 분위기가 전환된다. Jonas는 Alsace에 도착해 끝없이 펼쳐진 들판을 보고 실망한 상태이다. 따라서 Jonas의 심경 변화로는 ①이 가장 적절하다. ① 신이 난 → 실망한 ② 무관심한 → 아주 신이 난 ③ 매우 놀란 → 겁에 질린 ④ 놀란 → 안도하는 ⑤ 걱정하는 → 자신감 있는

---

❶ Dear City Council Members,

❷ My name is Celina Evans / and I am a lifelong Woodridge resident. ❸ The Woodridge Children's Theater / has been the pride of our community / since 1975.
현재완료(계속)
❹ My daughter Katie / has been participating / in the theater's activities / for six years.
have(has) been -ing: 현재완료진행형
❺ The theater has meant so much / to so many / in our community. ❻ However, / I have been made aware
make A aware: A를 일깨우다　　　　　　　　　　　　　　　　　　have(has) been+과거분사: 현재완료수동태
/ that you are considering / cutting the budget of the theater.
명사절을 이끄는 접속사　　consider는 동명사를 목적어로 취한다.
❼ The experiences and life lessons / children gain / at the theater / are invaluable.
The experiences and life lessons를 수식하는 목적격 관계대명사절
❽ Not only do kids learn / about the arts there, / but they also learn skills / that will last for a lifetime.
not only A but (also) B: A뿐만 아니라 B도　　　　　　　　　　　주격 관계대명사로 that 이하가 skills를 수식
❾ To reduce funding / would be a huge loss / to future generations / and thus I strongly object to it.
명사적 용법의 to부정사(주어)　　　　　　　　　　　　　　　　　　　　　= to reduce funding
❿ Thank you / for your consideration / in this matter.

⓫ Sincerely,

Celina Evans

❶ 시의회 의원님들께,
❷ 제 이름은 Celina Evans이며 저는 평생 Woodridge에 거주한 사람입니다. ❸ Woodridge 어린이 극장은 1975년 이래로 우리 지역 사회의 자랑거리였습니다. ❹ 제 딸 Katie가 6년간 극장 활동에 참여해 오고 있습니다. ❺ 그 극장은 우리 지역 사회의 아주 많은 사람들에게 매우 큰 의미였습니다. ❻ 그러나 저는 의원님들께서 극장 예산 삭감을 고려 중이라는 것을 알게 되었습니다. ❼ 극장에서 아이들이 얻는 경험과 인생 교훈은 귀중합니다. ❽ 아이들은 그곳에서 예술에 대해 배울 뿐만 아니라 평생에 걸쳐 지속될 기량들도 배웁니다. ❾ 예산을 삭감하는 것은 미래 세대에게 큰 손실일 것이며 따라서 저는 그것에 강경히 반대합니다. ❿ 이 문제에 대해 의원님들께서 고려해 주시면 감사하겠습니다.
⓫ Celina Evans 드림

시의회 의원들에게 주민이 보내는 편지글이다. 어린이 극장과 극장 예산 삭감이라는 소재가 반복해서 제시되며, 글쓴이는 예산 삭감에 반대하는 입장이다. 따라서 글쓴이의 목적은 ④임을 알 수 있다.

---

❶ As Natalie was logging in / to her first online counseling session, / she wondered, / "How can I open my heart
~하면서(접속사)
to the counselor / through a computer screen?"
❷ Since the counseling center was / a long drive away, / she knew / that this would save her a lot of time.
~ 때문에(이유의 접속사) = Because, As　　　a ~ drive away: 차로 ~의 거리에 있는　　　명사절을 이끄는 접속사　　save+간접목적어+직접목적어: 4형식
❸ Natalie just wasn't sure / if it would be as helpful / as meeting her counselor in person.
~인지 아닌지(접속사)　　as+원급+as: …만큼 ~한
❹ Once the session began, / however, / her concerns went away.
일단 ~하자(접속사)
❺ She actually started thinking / that it was much more convenient / than expected.
명사절을 이끄는 접속사　　비교급 강조 부사
❻ She felt / as if the counselor were / in the room / with her.
as if+주어+were/동사의 과거형: 주절과 같은 시점의 사실에 반대되는 상황을 가정
❼ As the session closed, / she told him / with a smile, / "I'll definitely see you / online / again!"
~할 때(접속사)

❶ Natalie는 자신의 첫 온라인 상담 시간에 접속하면서, "내가 상담사에게 컴퓨터 화면을 통해 어떻게 마음을 열 수 있을까?"라고 궁금해 했다. ❷ 상담 센터가 차로 오래 가야 하는 곳에 있었기 때문에, 그녀는 이것이 많은 시간을 절약해 줄 것을 알고 있었다. ❸ Natalie는 그저 그것이 상담사를 직접 만나는 것만큼 도움이 될지 확신할 수 없었다. ❹ 하지만 일단 상담이 시작되자, 그녀의 걱정은 사라졌다. ❺ 그녀는 실제로 그것이 예상했던 것보다 훨씬 더 편리하다고 생각하기 시작했다. ❻ 그녀는 마치 상담사가 자기와 함께 방 안에 있는 것처럼 느꼈다. ❼ 시간이 끝났을 때, 그녀는 미소를 지으며 그에게 말했다. "온라인에서 꼭 다시 만나요!"

정답 전략 Natalie는 처음으로 온라인으로 상담을 해 보기 전에 그 효과에 대해 의문을 가졌으나, 실제로 해본 뒤에 온라인 상담이 편리하고 효과적이라고 생각했다. 따라서 Natalie의 심경 변화로 가장 적절한 것은 ①이다. 글 중반에 however로 흐름이 달라지는 것에 유의한다. ① 의심하는 → 만족한 ② 유감스러운 → 혼란스러운 ③ 자신만만한 → 부끄러운 ④ 따분한 → 신이 난 ⑤ 흥분한 → 실망한

---

3 지문 한눈에 보기

❶ The waves were perfect / for surfing. ❷ Dave, / however, / just could not stay / on his board. ❸ He **had tried** / 과거완료
more than **ten times** / to stand up / but never managed **it**. ❹ He felt / **that** he would never succeed. ❺ He **was**
숫자+time(s): ~ 번   일어서는 것   명사절을 이끄는 접속사   be about to: 막 ~하려고 하다
about to give up / when he looked at the sea / one last time. ❻ The swelling waves / **seemed to say**, / "Come on,
seem+to부정사: ~하는 것처럼 보이다
Dave. One more try!" ❼ **Taking a deep breath**, / he picked up his board / and ran into the water. ❽ He waited / for
분사구문(= As he took ~)
the right wave. ❾ Finally, / **it** came. ❿ He jumped up onto the board / just like he **had practiced**. ⓫ And this time,
= the right wave   과거완료
/ **standing upright**, / he battled the wave / all the way back to shore. ⓬ **Walking out of the water joyfully**, / he
분사구문(동시 동작)   분사구문(동시 동작)
cheered, / "Wow, / I did it!"

해석 ❶ 파도는 서핑하기에 완벽했다. ❷ 그러나 Dave는 보드 위에 서 있는 것조차 할 수 없었다. ❸ 그는 일어서려고 열 번 넘게 시도해 보았지만 결코 해낼 수 없었다. ❹ 그는 자신이 절대 성공할 수 없을 것 같았다. ❺ 막 포기하려고 할 때 그는 바다를 마지막으로 한 번 바라보았다. ❻ 넘실거리는 파도가 "해 봐, Dave. 한 번 더 시도해 봐!"라고 말하는 것 같았다. ❼ 그는 심호흡을 하면서, 보드를 집어 들고 바다로 달려 들어갔다. ❽ 그는 적당한 파도를 기다렸다. ❾ 마침내, 그것이 왔다. ❿ 그는 자신이 연습했던 그대로 보드 위로 점프해 올랐다. ⓫ 그리고 이번에는, 똑바로 서서, 그는 해안으로 되돌아오는 내내 파도와 싸웠다. ⓬ 기쁨에 차서 물 밖으로 걸어 나오며, 그는 "와, 내가 해냈어!"라고 환호했다.

정답 전략 서핑보드를 타려고 열 번 넘게 시도했지만 계속해서 실패를 해 실망했다가, 포기하려는 찰나 한 번 더 시도해 성공한 후에 기쁨의 환호성을 질렀다. Dave의 상황이 '실패의 연속'에서 '성공'으로 바뀌었으므로 심경도 그에 맞게 부정적인 감정에서 긍정적인 감정으로 변화했을 것이다. 따라서 Dave의 심경 변화로 가장 적절한 것은 ①이다. ① 좌절한 → 기쁜 ② 따분한 → 위안이 되는 ③ 차분한 → 짜증이 난 ④ 안도하는 → 겁먹은 ⑤ 즐거운 → 화가 난

---

4 지문 한눈에 보기

❶ Dear Mr. Kayne,

❷ I am a resident / of Cansinghill Apartments, / located / right next to the newly opened Vuenna Dog Park. ❸ **As**
~ 때문에(접속사)
I live with three dogs, / I am very happy / **to let my dogs run** around / and safely **play** with other dogs / from the
감정의 원인을 나타내는 부사적 용법의 to부정사 / let(사역동사)+목적어+동사원형: ~가 …하게 하다
neighborhood. ❹ However, / the noise of barking and yelling / from the park at night / is **so loud and disturbing**
so+형용사+that+주어+can't+동사원형: 너무 ~해서 …할 수 없다
/ **that I cannot relax** / in my apartment. ❺ Many of my apartment neighbors / also seriously complain / about this

noise. ❻ They have recognized / the need for another park / in the neighborhood. ❼ I want immediate action /
→ 형용사적 용법의 to부정사로, 앞에 쓰인 immediate action을 수식
to solve this urgent problem. ❽ **Since** you are the manager of Vuenna Dog Park, / I **ask you** / **to take measures** /
~ 때문에(접속사) .   ask+목적어+to부정사: ~에게 …을 요청하다
to prevent the noise at night. ❾ I hope / to hear from you soon.
형용사적 용법의 to부정사로, 앞에 쓰인 measures를 수식
❿ Sincerely,

Monty Kim

해석 ❶ Kayne 씨께,

❷ 저는 새로 문을 연 Vuenna 애견 공원 바로 옆에 위치한 Cansinghill 아파트의 주민입니다. ❸ 개 세 마리와 함께 살고 있기 때문에, 저는 제 개들이 뛰어다니게 하고 이웃의 다른 개들과 함께 안전하게 놀 수 있게 해줄 수 있어 매우 기쁩니다. ❹ 하지만, 밤에 그 공원에서 들려오는 짖고 소리치는 소음이 너무 시끄럽고 방해가 되어 저는 아파트에서 쉴 수가 없습니다. ❺ 제 아파트의 많은 이웃들 역시 이 소음에 대해 심각하게 불평하고 있습니다. ❻ (그들은 근처에 다른 공원이 필요하다는 것을 인식해 왔습니다.) ❼ 저는 이 긴급한 문제를 해결할 수 있는 즉각적인 조치를 원합니다. ❽ 귀하께서 Vuenna 애견 공원의 관리자이기에, 저는 귀하께서 밤에 나는 그

소음을 막을 조치를 취해 주실 것을 요청합니다. ❾ 곧 소식을 듣기를 기대합니다.

❿ Monty Kim 드림

정답 전략 Dear ~, Sincerely 등의 표현을 통해 편지글임을 알 수 있다. 글쓴이는 초반에 자신을 애견 공원 옆 아파트 주민이라고 소개했고, 상대방을 Vuenna 애견 공원의 관리자로 지칭하며 야간에 공원에서 들려오는 소음에 대한 항의를 하고 조치를 취해 줄 것을 요청하고 있다. 따라서 이 글을 쓴 목적은 ③이다.

Plus **정답 전략** ⓓ 애견 공원의 야간 소음에 대해 항의하는 내용이므로, 또 다른 공원의 필요성을 인식하고 있었다는 의미의 문장은 글의 흐름상 어울리지 않는다.

DAY 3 필수 체크 전략 ①, ② | 20~25쪽 |

[대표 유형] **3** ③   [대표 유형] **4** ①   **1** ①   **2** ⑤   **3** ①   **4** ⑤ **Plus** ⑤

[대표 유형 **3**]   지 문 한 눈 에 보 기

❶ No Stone Age ten-year-old / would have been living / on tender foods / **like** modern potato chips,
~와 같은 / tender foods의 예시
hamburgers, and pasta. ❷ Their meals / would have required / **far** more chewing / than **is** ever **demanded**
비교급 강조 부사   be demanded of: ~에게 요구되다
of a modern child. ❸ Insufficient use of jaw muscles / in the early years of modern life / may **result** / **in** their
원인+result in+결과
underdevelopment / and **in** weaker and smaller bone structure. ❹ The growth of human teeth / requires /
may result에 이어진다.
a jaw structure of a certain size and shape, / one / that might not be produced / **if** usage during development is
a jaw structure of a certain size and shape = one   주격 관계대명사로, that 이하가 one을 수식   만약 ~라면(조건의 접속사)
inadequate. ❺ Crowded and misplaced incisors and imperfect wisdom teeth / may be diseases of civilization. ❻

Perhaps / many dental problems / **would be prevented** / **if** more biting **were encouraged** / for children.
가정법 과거   주어의 수에 상관없이 were

❶ 석기 시대의 열 살짜리 누구도 현대의 감자칩, 햄버거, 파스타와 같은 부드러운 음식을 먹고 살지는 않았을 것이다. ❷ 그들의 식사는 현대의 어린이에게 그 어느 때 요구되는 것보다 훨씬 더 많이 씹기를 요구했을 것이다. ❸ 현대의 인생 초기에 턱 근육의 불충분한 사용은 그것들이 덜 발달하고, 골격은 더 약해지고 더 작아지는 결과를 가져왔을 것이다. ❹ 인간 치아의 성장은 특정한 크기와 형태의 턱 구조, 즉 발달 기간에 사용이 적절치 않으면 만들어지지 않는 구조를 필요로 한다. ❺ 앞니가 좁게 잘못 배열되고 사랑니가 불완전한 것은 문명 사회의 질병일 수 있다. ❻ 아이들에게 더 많은 씹기가 권장된다면 아마 많은 치아 문제가 방지될 것이다.

글의 초반에 음식의 부드러움과 씹기의 관계가 언급되어 있다. 그리고 글쓴이는 may, might 등 조동사를 사용하여 자신의 추측과 주장을 드러내고 있다. 이 글에서 글쓴이는 현대적인 삶에서는 음식을 많이 씹을 필요가 없으므로 턱 골격이 덜 발달하고 이에 따라 치아 문제가 생긴다고 주장한다. 따라서 글의 주제로 적절한 것은 ③이다. ① 사랑니 통증을 위한 가정 치료법 ② 씹는 것이 뇌 발달에 미치는 영향 ③ 충분히 씹지 않는 것에서 비롯된 현대의 치아 문제 ④ 학교에서의 치아 관리 교육의 중요성 ⑤ 치아 치료의 기술적 발전

글쓴이의 주장이나 의견을 나타낼 때 may, might, would, should 등의 조동사가 흔히 쓰이며, 이러한 문장들이 주제와 관련 있을 경우가 많습니다.

---

❶ A defining element of catastrophes / is the magnitude of their harmful consequences. ❷ To help societies
~하기 위해: to부정사의 부사적 용법(목적) / help+목적어+(to)+동사원형: ~가 …하는 것을 돕다
prevent or reduce damage / from catastrophes, / a huge amount of effort and technological sophistication /

are often employed / to assess and communicate / the size and scope of potential or actual losses. ❸ This effort
of ~ actual losses가 수식

assumes / that people can understand the resulting numbers / and act on them appropriately. ❹ However, /
　　　　　　명사절을 이끄는 접속사　　　　　　　　　　　　　　　　　= the resulting numbers
recent behavioral research / casts doubt on this fundamental assumption. ❺ Many people / do not understand
　　　　　　　　　　~을 의심하다
/ large numbers. ❻ Indeed, / large numbers / have been found / to lack meaning / and to be underestimated in

decisions / unless they convey affect (feeling). ❼ This creates a paradox / that rational models of decision making
　　　　　만약 ~가 아니라면 (= if ~ not)
fail / to represent. ❽ On the one hand, / we respond strongly / to aid a single individual in need. ❾ On the other
　　　　　　　한편으로　　　　　　　　　　　　　　　　　　　　　　어려움에 처한　　다른 한편으로
hand, / we often fail / to prevent mass tragedies / or take appropriate measures / to reduce potential losses

/ from natural disasters.

---

❶ 큰 재해를 정의하는 한 요소는 그 해로운 결과의 거대한 규모이다. ❷ 사회가 큰 재해로부터 오는 손실을 방지하거나 줄이는 것을 돕기 위해, 잠재적 혹은 실제적 손실의 규모와 범위를 산정하고 전달하려고 대단히 큰 노력과 기술적인 정교한 지식이 자주 사용된다. ❸ 이 노력은 사람들이 그 결과로 생기는 수를 이해할 수 있고 그에 따라 적절하게 행동할 수 있음을 가정한다. ❹ 그러나, 최근의 행동 연구는 이러한 근본적인 가정에 의혹을 던진다. ❺ 많은 사람들이 큰 수를 이해하지 못한다. ❻ 사실상, 큰 수는 정서(감정)를 전달하지 않는다면 의미가 없으며 결정을 할 때 과소평가된다는 것이 밝혀졌다. ❼ 이것은 의사 결정의 이성적인 모델이 표현하지 못하는 역설을 만들어 낸다. ❽ 한편으로, 우리는 곤란에 빠진 한 사람을 돕기 위하여 강하게 반응한다. ❾ 다른 한편으로, 우리는 종종 대규모 비극을 방지하거나 자연재해로부터 잠재적인 손실을 줄이기 위한 적절한 조치를 취하는 것을 하지 못한다.

큰 재해가 있을 때 그 규모를 파악하고 전달하는 데 많은 노력이 들지만, 실상 사람들은 감정을 전달하지 않는 큰 수를 이해하지 못하고, 따라서 대규모 비극이나 자연재해로부터 오는 손실에 대해 적절한 조치를 하지 못할 수 있다는 내용의 글이다. 따라서 제목으로 가장 적절한 것은 ①이다. ① 대규모 비극에 대한 무감각: 우리는 큰 숫자들 속에서 방황한다 ② 수의 힘: 자연재해를 분류하는 방법 ③ 필사적인 곤궁 상태에 있는 사람들에게 손을 내미는 방법 ④ 기술을 통해 잠재적 손실을 방지하기 ⑤ 주의하라, 수는 감정을 과장한다!

❶ Probably / the biggest roadblock to play for adults / is the worry / that they will look silly, improper, or dumb
주어가 the biggest roadblock으로 단수 취급   the worry = that절
/ if they allow themselves to truly play. ❷ Or they think / that it is irresponsible, immature, and childish to give
allow+목적어+to부정사: ~가 …하게 하다   가주어   진주어
themselves regularly over to play. ❸ Nonsense and silliness / come naturally to kids, / but they get pounded

out / by norms / that look down on "frivolity." ❹ This is particularly true for people / who have been valued for
주격 관계대명사로, that 이하가 norms를 수식   주격 관계대명사로, who 이하가 people을 수식
performance standards / set by parents or the educational system, / or measured by other cultural norms /
set ~, measured ~는 performance standards를 수식하는 과거분사구   앞에 쓰인 set과 병렬 구조로 연결되어 있다.
that are internalized and no longer questioned. ❺ If someone has spent his adult life / worried about always
주격 관계대명사로, that 이하가 other cultural norms를 수식   worried 앞에 being이 생략된 분사구문으로 볼 수 있다.
appearing respectable, competent, and knowledgeable, / it can be hard / to let go sometimes and become
가주어   진주어
physically and emotionally free. ❻ The thing / is this: ❼ You have to give yourself permission / to improvise, to

mimic, to take on a long-hidden identity.

해석 ❶ 아마도 어른에게 있어서 노는 것에 가장 큰 장애물은 그들 스스로가 진정으로 놀 수 있도록 하면, 그들이 어리석거나, 부적절하거나, 혹은 바보같이 보이리라는 걱정일 것이다. ❷ 아니면 그들이 노는 것에 자주 몰두하는 것은 무책임하고, 미숙하며, 유치하다고 그들은 생각한다. ❸ 허튼소리와 어리석음이 아이들에게는 자연스럽게 다가오지만, '경박함'을 경시하는 규범이 그들을 두들겨 댄다. ❹ 이것은 부모나 교육제도에 의해 정해졌거나, 내면화되어 더 이상 의문시되지 않는 다른 문화 규범에 의해 측정되어 온 성과 기준으로 평가되어 온 사람들에게 있어 특히 그러하다. ❺ 만약 누군가가 항상 존경할 만하고, 유능하며, 박식해 보일 것에 대해 걱정하며 성년기를 보냈다면, 때때로 (그런 걱정을) 버리고 육체적이고 감정적으로 자유로워지는 것은 어려울 수 있다. ❻ 중요한 것은 이것

이다. ❼ 즉흥적으로 하고, 흉내 내고, 오랫동안 숨겨져 있던 정체성을 나타낼 수 있도록 스스로 허락해야 한다는 것이다.

정답 전략 글 마지막에 글쓴이의 주장이 명확히 드러나 있다. 어른 역시 즉흥적으로 하고, 흉내 내고, 오랫동안 숨겨져 있던 정체성을 나타낼 수 있도록 스스로에게 허락해야 한다는 것이 글쓴이의 주장이다. 즉 규범에 얽매이지 않고 자유롭게 놀 수 있어야 한다는 것이므로, 글쓴이의 주장으로 ①이 가장 적절하다.

❶ Early astronomers / saw and learned more / from eclipses and other forms of shadow / than from direct
비교급+than: ~보다 더 …한
observation. ❷ In Galileo's time, / the empiricist's insistence / on direct observation / as the only legitimate
주어   ~로서(전치사)
way of knowing / limited / what could be learned / about the cosmos, / and the medievalist allowance / for
동사   선행사를 포함하는 관계대명사
extraperceptual insights / had nothing / to contribute to / what we would consider scientific inquiry. ❸ Galileo's
선행사를 포함하는 관계대명사
breakthroughs / came in part from his understanding / of how to use shadows / to extend his powers of
= how he should use   ~하기 위해: to부정사의 부사적 용법(목적)
observation. ❹ At the time / he trained his telescope on Venus, / it was believed / the planet shone with its own
he 앞에 관계부사 when이 생략   it: 가주어 / believed와 the planet 사이에 진주어를 이끄는 접속사 that 생략
light / and moved in an orbit / independent of the sun. ❺ Galileo saw / that the planet was in partial shadow /
앞에 쓰인 shone과 병렬 구조로 연결되어 있다.   명사절을 이끄는 접속사
as it went through its phases, / and thus had to be a dark body. ❻ He also realized / from the logic of the shadow
~하면서(접속사)   주어는 the planet
/ that Venus orbited the sun, / since all phases from new to full / could be observed / from earth. ❼ The end of
명사절을 이끄는 접속사   ~ 때문에(접속사)
the Ptolemaic system / came quickly thereafter, / a shadow thus shedding light on the ordering of the cosmos.
분사구문 / 주절과 다른 주어(a shadow)를 남김

❶ 초창기의 천문학자들은 직접적인 관찰보다 식(蝕)과 다른 형태의 그림자로부터 더 많이 보고 배웠다. ❷ Galileo의 시대에는, 유일하게 진정한 앎의 방식으로서 직접적인 관찰에 대한 경험주의자의 고집이 우주에 대해 알게 될 수 있었던 것을 제한했고, 지각을 넘어선 통찰에 대한 중세 연구가의 허용이 우리가 과학적 탐구라고 여길 만한 것에 기여한 바가 전혀 없었다. ❸ Galileo의 획기적 발견은 부분적으로는 그의 관찰력을 확장하기 위해 그림자를 사용하는 방법에 대한 그의 이해로부터 나왔다. ❹ 그가 금성에 자신의 망원경을 조준했던 시대에는, 행성이 스스로의 빛으로 빛났고 태양과는 무관한 궤도로 움직였다고 믿었다. ❺ Galileo는 그 행성이 그 주기를 지나면서 부분적인 그림자 속에 들어간 것을 보았고, 따라서 어두운 천체여야만 한다는 것을 알았다. ❻ 그는 또한 삭(朔)부터 만(滿)까지 모든 주기가 지구상에서 관찰될 수 있었기 때문에, 금성이

태양 주위를 돈다는 것을 그림자의 논리를 통해 깨달았다. ❼ 천동설의 종말은 그 후 빠르게 다가왔고, 따라서 그림자는 우주의 질서에 빛을 비춰 주었다.

정답 전략 초창기 천문학자들, 특히 Galileo가 그림자를 통해 어떤 발견을 했는지 설명하는 글이다. 따라서 ⑤가 이 글의 주제이다. ① 그림자를 관찰하고 추적하는 것의 어려움 ② 우주를 관찰하는 데 사용되는 다양한 도구의 부족 ③ 우주 탐험을 향한 인간 열망의 일관성 ④ 초기 기술로 행성의 움직임을 기록한 방법 ⑤ 천문학에서 새로운 발견을 하는 데 있어 그림자의 중요성

---

❶ The discovery / that man's knowledge is not, / and never has been, / perfectly accurate / has had a humbling
　　　　　　　 The discovery = that절　　　　　　　　　　　　　　　　　　　　　　　　　　　 The discovery가 주어이므로 단수 동사

and perhaps a calming effect / upon the soul of modern man. ❷ The nineteenth century, / as we have observed,
　　 ~듯이, ~와 같이(접속사)

/ was the last / to believe / that the world, / as a whole as well as in its parts, / could ever be perfectly known.
　　　　　　　　　　　　 명사절을 이끄는 접속사　　 ~로서(전치사)　 B as well as A: A뿐만 아니라 B도 (= not only A but also B)

❸ We realize now / that this is, / and always was, / impossible. ❹ We know within limits, / not absolutely, / even
　　　　　　　　　 명사절을 이끄는 접속사　　　　　　　　　　　　　　　　　　　　　　　　　　　　　　　 비록 ~일지라도(양보의 접속사)

if the limits can usually be adjusted / to satisfy our needs. ❺ Curiously, / from this new level of uncertainty /
　　　　　　　　　　　　　　　　　 ~하기 위해: to부정사의 부사적 용법(목적)

even greater goals / emerge / and appear to be attainable. ❻ Even if we cannot know the world / with absolute
비교급 강조 부사　　　　　　 appear+to부정사: ~처럼 보이다, ~인 것 같다　　　　 → seem+to부정사: ~처럼 보이다, ~인 것 같다

precision, / we can still control it. ❼ Even our inherently incomplete knowledge / seems to work as powerfully /
　　 as+원급+as: ~만큼 …하게

as ever. ❽ In short, / we may never know precisely / how high is the highest mountain, / but we continue to be
　　　　　 간단히 말해　　　　　　　　　　　 간접의문문(의문사+주어+동사)에서 주어의 길이가 긴 경우, 주어와 동사가 도치되기도 한다.

certain / that we can get to the top nevertheless.
　　　　 명사절을 이끄는 접속사

해석 ❶ 인간의 지식이 완벽하게 정확하지 않다는, 그리고 결코 완벽하게 정확했던 적이 없었다는 발견은 현대 인간의 영혼에 겸손의, 그리고 아마도 진정의 효과를 가져다 주었다. ❷ 우리가 목격했듯이, 19세기는 세계가 그것의 부분들에서뿐만 아니라 전체로서, 완벽하게 알려질 수 있다고 믿은 마지막 시기였다. ❸ 우리는 이제 이것이 불가능하며, 언제나 불가능했다는 것을 깨닫는다. ❹ 우리는 한계 내에서 알며, 비록 그 한계가 보통 우리의 필요를 충족시키기 위해 조정될 수 있을지라도, 완전히 아는 것은 아니다. ❺ 기묘하게도, 이 새로운 수준의 불확실성으로부터 훨씬 더 위대한 목표가 나타나고 달성 가능해 보인다. ❻ 비록 우리가 세계를 절대적인 정확성을 가지고 알 수 없다 해도, 우리는 여전히 그것을 제어할 수 있다. ❼ 심지어 우리의 본질적으로 불완전한 지식조차도 여전히 강력하게 작동하는 것처럼 보인다. ❽ 간단히 말해, 우리는 가장 높은 산이 얼마나 높은지 결코 정확하게 알 수 없을 테지만, 그럼에도

불구하고 우리는 우리가 정상에 도달할 수 있다는 것을 계속 확신한다.

정답 전략 세계에 대한 인간의 지식이 완벽하지 않다는 표현이 반복적으로 제시된다. 인간의 지식은 완벽할 수 없지만, 그런 불완전성에서 위대한 목표가 새로 나타난다는 내용이다. 따라서 이 글의 제목으로 가장 적절한 것은 ①이다. ① 아직 닿지 못한 정상: 지식을 향해 나아가는 여정 ② 산을 넘어: 성공으로 가는 하나뿐이지만 거대한 발걸음 ③ 부분들을 하나의 전체로 통합하기: 완벽으로 가는 길 ④ 불확실성의 시대에 함께 사는 방법 ⑤ 지식 기반 사회의 두 얼굴

❶ One exercise in teamwork / I do at a company retreat / is / to put the group in a circle. ❷ At one particular
_{I 앞에 목적격 관계대명사 which(that)가 생략되어 있고, One exercise를 수식하는 관계대명사절   to부정사의 명사적 용법(보어)}

retreat, / there were eight people in the circle, / and I slowly handed tennis balls to one person / to start
_{start+동명사(to부정사): ~을 시작하다}

ⓐ throwing around the circle. ❸ If N equals / the number of people in the circle, / then the maximum number of
_{→ 주어는 the maximum number}

balls / you can have in motion / ⓑ is N minus 1. ❹ Why? ❺ Because it's almost impossible / to throw and ⓒ catch
_{you 앞에 목적격 관계대명사 which(that)가 생략되어 있고, balls를 수식   가주어   진주어}

/ at the same time. ❻ The purpose of the exercise / is / to demonstrate the importance of an individual's action.
_{to부정사의 명사적 용법(보어)   → 선행사를 포함하는 관계대명사}

❼ People are much more concerned / about catching the ball / than throwing it. ❽ What this demonstrates /
_{비교급 강조 부사   → that ~ catches the ball은 진주어}

is / that it's ⓓ equally important / to the success of the exercise / that the person / you're throwing to / catches
_{가주어   you 앞에 목적격 관계대명사 who(m)가 생략되어 있고 the person을 수식   the person이 주어}

the ball / as ⓔ what (→ that) you are able to catch the ball. ❾ If you're less concerned / about how you deliver
_{~와 같이, ~처럼}

information / than with how you receive it, / you'll ultimately fail / at delegation. ❿ You have to be equally skilled
_{= information}

/ at both.

[해석] ❶ 회사 수련회에서 내가 실시하는 협업 분야의 훈련 한 가지는 그 집단을 원형으로 둘러 세우는 일이다. ❷ 어느 특정 수련회에서는, 여덟 명이 원형으로 섰고, 나는 천천히 한 사람에게 테니스공을 건네주어 원을 따라 던지기 시작하도록 했다. ❸ N이 원형으로 선 사람들의 수와 같다고 하면, 여러분이 움직이게 할 수 있는 공의 최대 수는 N−1이다. ❹ 왜 그럴까? ❺ 던져 주면서 동시에 받는 것은 거의 불가능하기 때문이다. ❻ 그 훈련의 목적은 개인의 행동의 중요성을 보여 주는 것이다. ❼ 사람들은 공을 던져 주는 것보다 잡는 데 훨씬 더 많은 관심이 있다. ❽ 이것이 보여 주는 것은, 여러분이 공을 던져 주는 대상인 사람이 공을 잡는 것이, 여러분이 공을 잡을 수 있는 것만큼 그 훈련의 성공에 똑같이 중요하다는 것이다. ❾ 만약 여러분이 자신이 정보를 어떻게 받는가보다 자신이 정보를 어떻게 전달하는가에 관심을 더 적게 가진다면, 여러분은 결국 위임에 실패할 것이다. ❿ 두 가지 모두에 똑같이 능숙해야 한다.

[정답 전략] 공을 연속으로 던지고 받는 협업 훈련에서 자신이 공을 받는 것만큼이나, 자신이 던져준 공을 상대방이 받는 것도 중요하다는 예를 들면서, 협업할 때 정보를 주고 받는 데 있어서도 두 가지에 모두 능숙해야 한다고 주장하는 글이다. 따라서 글의 요지로 가장 적절한 것은 ⑤이다.

Plus **[정답 전략]** ⓔ 뒤에 완전한 절의 형태가 나오므로 명사절을 이끄는 접속사 that을 쓰는 것이 적절하다. 이 명사절은 앞에 나오는 진주어 that절(that the person you're throwing to catches the ball)과 의미상 비교 대상이 된다.

누구나 합격 / 전략

26~29쪽

1 ②　2 ③　3 ② Plus ②　4 ③ Plus ④

---

❶ On December 6th, / I arrived / at University Hospital in Cleveland / at 10:00 a.m. ❷ I went through / the
_{부사구는 「장소+시간」의 순서로 온다.}

process of admissions. ❸ I grew anxious / because the time for surgery was drawing closer. ❹ I was directed to
_{~ 때문에(이유의 접속사)}

the waiting area, / where I remained / until my name was called. ❺ I had a few hours / of waiting time. ❻ I just
_{장소를 나타내는 관계부사 (= and there)}

kept praying. ❼ At some point / in my ongoing prayer process, / before my name was called, / in the midst of the
_{keep -ing: 계속 ~하다}

chaos, / an unbelievable peace / embraced me. ❽ All my fear / disappeared! ❾ An unbelievable peace / overrode

my emotions. ❿ My physical body relaxed / in the comfort / provided, / and I looked forward / to getting the
_{the comfort를 수식하는 과거분사   look forward to -ing: ~을 고대하다}

surgery over with / and working hard at recovery.
_{앞에 쓰인 getting과 병렬 구조로 연결되어 있다.}

해석 ❶ 12월 6일, 오전 10시에 나는 Cleveland에 있는 University 병원에 도착했다. ❷ 나는 입원 허가 절차를 밟았다. ❸ 나는 수술 시간이 다가오고 있어서 점점 불안감을 느꼈다. ❹ 나는 대기실로 안내되었고, 내 이름이 불릴 때까지 거기에 머물렀다. ❺ 나는 대기 시간이 몇 시간 있었다. ❻ 나는 계속 기도만 했다. ❼ 계속 기도하는 어느 시점에선가, 내 이름이 불리기 전, 혼돈 속에서, 믿을 수 없는 평화가 나를 감쌌다. ❽ 나의 모든 두려움이 사라졌다! ❾ 믿을 수 없는 평화가 내 감정을 압도했다. ❿ 제공된 편안함 속에 몸의

긴장이 풀렸고, 나는 수술을 끝마치고 회복을 위해 열심히 노력하기를 고대하였다.

정답 전략 At some point(어느 시점에)를 경계로 주인공이 느끼는 감정이 달라진다는 것을 파악한다. 불안감을 느끼다가 기도를 계속하면서 어느 순간 평화에 휩싸이고 긴장이 풀렸다고 했으므로 심경 변화로 가장 적절한 것은 ②이다. ① 기운찬 → 슬픈 ② 걱정하는 → 안도하는 ③ 화난 → 부끄러운 ④ 질투하는 → 고마워하는 ⑤ 희망찬 → 실망하는

---

❶ Emotions usually get / a bad reputation. ❷ They are often seen / as something / to be regulated or managed.
<small>see A as B: A를 B로 여기다   형용사적 용법의 to부정사로 something을 수식</small>

❸ People even think / emotions are harmful / if they get out of control. ❹ However, / all emotions have a point.
<small>emotions 앞에 명사절을 이끄는 접속사 that 생략   만약 ~라면(조건의 접속사)   help+목적어+(to)+동사원형: ~가 …하는 것을 돕다</small>

❺ They played an important part / in our evolutionary history / and helped us survive. ❻ For example, / by

seeing disgust on someone's face / when presented with moldy food, / we were able to avoid eating / something
<small>by -ing: ~함으로써   = when he or she was presented   avoid는 동명사를 목적어로 취한다.</small>

dangerous. ❼ By communicating happiness, / we were able to develop / beneficial social interactions. ❽ Even

anger was an important emotion / to our ancestors, / motivating us / to seek food / when we were hungry, / to
<small>motivating 이하는 분사구문</small>

fight off predators / and to compete for scarce resources.
<small>앞에 쓰인 to seek, to fight off와 병렬 구조로 연결되어 있다.</small>

해석 ❶ 감정은 보통 평판이 나쁘다. ❷ 그것들은 종종 조절되거나 관리되어야 할 것으로 여겨진다. ❸ 심지어 사람들은 감정이 통제되지 않으면 해롭다고 생각한다. ❹ 하지만, 모든 감정은 나름의 의미가 있다. ❺ 감정은 우리의 진화의 역사에서 중요한 역할을 수행했으며 우리가 생존하는 데 도움을 주었다. ❻ 예를 들면, 곰팡이 낀 음식을 제공받았을 때 그 사람의 얼굴에 드러난 혐오감을 봄으로써, 우리는 위험한 것을 먹지 않고 피할 수 있었다. ❼ 우리는 행복을 전달함으로써, 유익한 사회적 상호작용을 발전시킬 수 있었다. ❽ 심지어 분노도 조상들에게 중요한 감정이었는데, 배고플 때 음식을

찾고 포식자를 물리치고 부족한 자원을 위해 경쟁하도록 자극했다.

정답 전략 However와 같이 내용을 전환하는 접속부사 뒤에 글쓴이가 중요하게 생각하는 개념이 제시될 때가 많다는 점에 유의한다. However 뒤에서 '모든 감정에는 나름의 의미가 있다'고 했고, 감정이 인간의 진화와 생존에 도움을 주었다는 내용이 이어진다. 따라서 이 글의 주제로 적절한 것은 ③이다. ① 우리가 감정을 숨겨야 하는 이유 ② 다른 사람의 감정을 파악하는 것의 어려움 ③ 인간의 생존에 대한 감정의 기여 ④ 다양한 문화에서 감정을 표현하는 방법 ⑤ 감정적 반응과 신체적 반응의 차이

---

❶ Animals as well as humans / engage / in play activities. ❷ In animals, / play has long been seen / as a way of
<small>B as well as A: A뿐만 아니라 B도 (= not only A but also B)   현재완료수동태 / see A as B: A를 B로 여기다</small>

learning and practicing skills and behaviors / that are necessary for future survival. ❸ In children, / too, / play
<small>주격 관계대명사로, that 이하가 skills and behaviors를 수식</small>

has important functions / during development. ❹ From its earliest beginnings / in infancy, / play is a way / in
<small>= where</small>

which children learn / about the world / and their place in it. ❺ Children's play / serves / as a training ground /
<small>~로서(자격의 전치사)</small>

for developing physical abilities — skills / like walking, running, and jumping / that are necessary for everyday
<small>~와 같은(전치사)   주격 관계대명사로, that 이하가 skills를 수식</small>

living. ❻ Play also allows children / to try out and learn social behaviors / and to acquire values and personality
<small>allow+목적어+to부정사: ~가 …하게 하다   앞에 쓰인 to try와 병렬 구조로 연결되어 있다.</small>

traits / that will be important in adulthood. ❼ For example, / they l earn / how to compete and cooperate with
<small>주격 관계대명사로, that 이하가 values and personality traits를 수식   how+to부정사: ~하는 방법</small>

others, / how to lead and follow, / how to make decisions, / and so on.
<small>how to compete ~, how to lead ~, how to make ~가 병렬 구조로 연결되어 있다.</small>

❶ 인간뿐만 아니라 동물도 놀이 활동에 참여한다. ❷ 동물에게 있어서, 놀이는 오랫동안 미래 생존에 필요한 기술과 행동을 학습하고 연마하는 방식으로 여겨져 왔다. ❸ 아이들에게 있어서도, 놀이는 발달하는 동안 중요한 기능을 한다. ❹ 유아기의 가장 초기부터, 놀이는 아이들이 세상과 그 안에서의 그들의 위치에 대해 배우는 방식이다. ❺ 아이들의 놀이는 신체적 능력 발달을 위한 훈련의 토대 – 매일의 삶에 필요한 걷기, 달리기, 그리고 점프하기와 같은 기술 – 로서 역할을 한다. ❻ 놀이는 또한 아이들이 사회적 행동을 시도하고 배우며, 성인기에 중요할 가치와 성격적 특성을 습득하도록 한다. ❼ 예를 들어, 그들은 다른 사람들과 경쟁하고 협력하는 방식, 이끌고 따르는 방식, 결정하는 방식 등을 배운다.

아이들의 놀이가 신체적, 사회적 발달에 어떤 역할을 하는지 설명하는 글이다. 따라서 ②가 이 글의 주제이다. ① 창의적인 아이디어를 시도하는 것의 필요성 ② 아이들의 발달에서 놀이의 역할 ③ 인간과 동물의 놀이의 대조 ④ 아이들의 신체적 능력이 놀이에 미치는 영향 ⑤ 다양한 발달 단계에서의 아이들의 욕구

Plus 빈칸 뒤에 나오는 예시를 통해 빈칸에 들어갈 말을 알 수 있다. 매일의 생활에 필요한 걷기, 달리기, 점프하기와 같은 활동을 아우를 수 있는 표현은 ②이다. ① 자신들이 얼마나 약한지 인정하기 ② 신체적 능력을 발달시키기 ③ 언어 기술 배우기 ④ 또래 집단과 어울리기 ⑤ 황무지에서 홀로 살아남기

❶ Think of a buffet table / at a party, / or perhaps at a hotel / you've visited. ❷ You see / platter after platter /
_{you've 앞에 주격 관계대명사 that이 생략되어 있고, a hotel을 수식}
of ⓐ different foods. ❸ You don't eat / many of these foods / at home, / and you want / to try them all. ❹ But

trying them all / might mean eating more / than your ⓑ usual meal size. ❺ The availability of different types
_{mean의 목적어인 동명사}
of food / is one factor / in ⓒ gaining weight. ❻ Scientists have seen / this behavior / in studies with rats: ❼

Rats / that normally maintain / a steady body weight / when eating one type of food / eat huge amounts and
_{주격 관계대명사로, that ~ of food가 Rats를 수식}   _{접속사가 쓰인 분사구문으로, when they eat ~의 의미이다.}   _{주어가 Rats}
become ⓓ underweight (→ overweight) / when they are presented / with a variety of high-calorie foods, / such
_{~와 같은 (high-calorie foods의 예시)}
as chocolate bars, crackers, and potato chips. ❽ The same / is true of humans. ❾ We eat much more / when a
_{비교급 강조 부사}
variety of ⓔ good-tasting foods are available / than when only one or two types of food are available.

❶ 파티나, 아마도 여러분이 방문해 보았던 호텔의 뷔페 테이블을 생각해 보라. ❷ 여러분은 다양한 음식이 담긴 여러 커다란 접시들을 본다. ❸ 여러분은 이 음식 중 많은 것을 집에서는 먹지 않고, 그래서 그것들을 모두 먹어 보고 싶어 한다. ❹ 그러나 그것들을 모두 먹어 보는 것은 여러분의 평상시 식사량보다 더 많이 먹는다는 의미일 수 있다. ❺ 다양한 종류의 음식이 섭취 가능하다는 것은 체중이 느는 한 가지 요인이다. ❻ 과학자들은 쥐를 이용한 연구에서 이러한 행동을 보아 왔는데, ❼ 한 종류의 음식을 먹을 때 보통 일정한 체중을 유지하는 쥐들이 초콜릿 바, 크래커, 감자 칩과 같은 다양한 고열량 음식이 주어졌을 때 엄청난 양을 먹고 저체중(→ 과체중)이 된다. ❽ 인간도 마찬가지이다. ❾ 우리는 한 가지 또는 두 가지 음식만 먹을 수 있을 때보다 다양한 맛있는 음식을 먹을 수 있

을 때 훨씬 더 많이 먹는다.

뷔페 테이블을 예로 들고, 쥐를 이용한 연구 결과를 근거로 하여 먹을 수 있는 음식의 종류가 많을 때 더 많이 먹게 된다는 사실을 설명하는 글이다. 따라서 이 글의 요지는 ③이다.

Plus ⓓ 글 전체의 요지는 '먹을 수 있는 음식의 종류가 많을 때 과식을 하게 된다'는 것이며, 이를 뒷받침하기 위해 쥐를 이용한 실험 내용을 제시하고 있다. 따라서 한 가지 음식을 먹을 때 일정한 체중을 유지하던 쥐에게 다양한 고열량 음식을 주었을 때의 결과로는 '체중이 늘어나는' 것이 자연스럽다. '저체중의'라는 의미의 underweight 대신 '과체중의'라는 의미의 overweight를 쓰는 것이 적절하다.

1 Olivia **2** froze, struggled to start speaking, couldn't **3** (1) 교사[선생님], 부탁[요청] (2) 도서[책], 안내 **4** Ms. Black
5 (오른쪽에서 왼쪽으로) doubtful, amazed, harsh, energetic

1 정답 전략 '당신의 면역력을 증진시키는 힘을 주는 음식'이라는 제목의 기사는 Olivia의 말처럼 '면역력을 키우는 데 도움이 되는 식품의 효능'에 대해 다룰 것이다.

2 해석 내가 직장에서 발표를 하기로 한 날이었다. 그것은 내가 자주 하곤 했던 것이 아니었다. 시작하려고 일어섰을 때, 나는 얼어붙었다. '핀과 바늘로 찌르는 듯한' 차가운 느낌이 손에서 시작해서 나를 엄습했다. 내가 말하기 시작하려고 애쓸 때 시간이 정지해 있는 것 같았고, 나는 목 부근에서 압박감을 느꼈는데, 마치 내 목소리가 갇혀서 빠져나올 수 없는 것 같았다. 흐릿한 형체의 얼굴들을 둘러보며, 나는 그들이 모두 내가 시작하기를 기다리고 있다는 것을 깨달았지만, 그때쯤 나는 내가 계속할 수 없다는 것을 알았다.
정답 전략 발표를 해야 하는 상황에서 몹시 긴장하여 말을 할 수 없었던 경험을 이야기하고 있다. 따라서 이 상황에 어울리는 표현을 고르면 '얼어붙었고', '말을 시작하려고 애를 썼지만', '계속할 수 없었을' 것이다.

끊어 읽기로 보는 구문

날이었다　　　내가 하기로 되어 있는 / 직장에서 발표를 하다
It was a day / I was due / to give a presentation at work.
비인칭 주어(시간)　　I 앞에 관계부사 when이 생략되어 있는 관계부사절

'핀과 바늘로 찌르는 듯한' 차가운 느낌이　　　나를 엄습했다　　손에서 시작해서
A chilly 'pins-and-needles' feeling / crept over me, / starting in my hands.
　　　　　　　　　　　　　　　　　　　　　　　분사구문(동시 동작)

3

(1) 해석 John Owen 씨께, 제 이름은 George Smith로, Riverside 사범대 조교수입니다. 저는 15명의 교육 실습생들에게 세미나 과정을 가르칩니다. 그들의 학업에서 현시점에, 제 학생들은 자신들의 미래 교직 경력에 대한 지도를 바라고 있습니다. 이 분야에서 귀하의 권위가 학생들이 수업 포트폴리오를 준비할 때 그들에게 도움이 될 것입니다. 저는 제 학생들에게 강의하실 수 있도록 귀하를 초대하고 싶습니다. ……
정답 전략 교육 실습생들에게 세미나 과정을 가르치는 조교수가 자신의 학생들을 위해 John Owen이라는 사람에게 강의를 해 달라고 부탁하고 있다.

끊어 읽기로 보는 구문

제 이름은　　　입니다 Riverside 사범대 조교수인 George Smith
My name / is / George Smith, an assistant professor at Riverside Teacher's College.
　　　　　　　George Smith = an assistant professor at Riverside Teacher's College (동격)

(2) 해석 Burke 씨께, 저희의 책 기부 운동을 위해 아동용 도서를 기부하는 방법을 문의해 주셔서 감사합니다. 행사는 9월 10일부터 16일까지 일주일간 열릴 것입니다. 책은 이 기간 동안 하루 24시간 놓고 가실 수 있습니다. 기부를 위해 마련된 두 곳의 장소가 있습니다. Adams Children's Library와 Aileen Community Center입니다. ……
정답 전략 책 기부 행사 기간을 알려주고 언제 어디에 가져다 주어야 하는지를 설명하고 있다.

끊어 읽기로 보는 구문

감사합니다　　　문의해 주셔서　　　아동용 도서를 기부하는 방법에 관해　　　　저희의 책 기부 운동을 위해
Thank you / for your question / about how to donate children's books / for our book drive.
　　　　　　　　　　　　　　how to+동사원형: ~하는 방법

4 해석 다른 사람들이 마음을 바꾸도록 설득하는 방법

Ms.Green: 그들에게 스스로의 시각을 다른 각도에서 보게 하도록 잘 선정된 질문을 던져라. 그러면 이것이 새로운 통찰을 하게 할 수도 있다.

Mr.Brown: 그들이 자신의 가정을 의심할 수 있게 하도록 잘 선정된, 다양한 대답이 가능한 질문을 던진다면 더 운이 좋을 것이다.

Ms. Black 논리적 주장을 펼치거나, 왜 여러분의 관점이 옳고 그들의 의견이 틀린지에 관해 열정적으로 항변하라.

Mr. White 그들이 자신의 세계관에 의문을 갖도록 격려하는 것은 여러분의 의견을 사실로 받아들이도록 그들에게 강요하려고 하는 것보다 종종 더 나은 결과를 가져올 것이다.

Words and Phrases convince 설득하다 angle 각도 trigger 유발하다 insight 통찰 challenge ~의 진실·정당성 등을 의심하다, ~에 이의를 제기하다 assumption 가정 lay out ~을 펼치다 logical 논리적인 argument 주장 passionate 열정적인 plea 항변, 주장 as to ~에 관해서 yield (결과 등을) 가져오다, 내다

정답 전략 다른 사람들이 마음을 바꾸도록 설득하는 방법에 대해 이야기하면서 Ms. Black을 제외한 나머지 세 사람은 설득하려는 사람 스스로가 자신의 생각이나 관점에 대해 재고할 수 있도록 질문을 던지거나 의문을 갖게 하라고 하고 있다.

끊어 읽기로 보는 구문

더 운이 좋을 것이다 | 잘 선정된, 다양한 대답이 가능한 질문을 던진다면 | 그들이 자신의 가정을 의심할 수 있게 하는
You'll have better luck / if you ask well-chosen, open-ended questions / that let them challenge their own assumptions.
that은 주격 관계대명사로, that 이하가 questions를 수식 · let(사역동사)+목적어+동사원형: ~가 …하게 하다

그들이 자신의 세계관에 의문을 갖도록 격려하는 것은 | 종종 더 나은 결과를 가져올 것이다 | 여러분의 의견을 사실로 받아들이도록 그들에게
Encouraging them to question their own worldview / will often yield better results / than trying to force them into
encourage+목적어+to부정사: ~가 …하도록 격려하다 | force A into -ing: A를 강제로 ~하게 하다

강요하려고 하는 것보다
accepting your opinion as fact.

5 **해석** Sharon은 자신의 친구로부터 다가오는 탱고 콘서트의 표를 받았다. 인터넷을 검색하던 중 그녀는 그 콘서트에 관한 리뷰를 우연히 발견했다. 리뷰를 쓴 사람은 혹평을 했는데, 그것을 "끔찍한 공연"이라고 칭했다. 그것은 Sharon의 마음속에 과연 그것이 갈 만한 가치가 있을까 하는 의문을 일게 했지만, 결국 그녀는 마지못해 콘서트에 가기로 결정했다. 구시가지에 위치한 공연장은 아주 오래되고 황폐했다. 주위를 둘러보며 Sharon은 그녀가 어떤 공연을 기대할 수 있을지 또다시 의문을 가졌다. 그러나 탱고가 시작되자마자 모든 것이 바뀌었다. 피아노, 기타, 플루트, 바이올린 소리가 마법처럼 조화를 이루며 떠다녔다. 청중은 환호했다. "오 세상에! 정말 환상적인 음악이야!" Sharon은 소리쳤다. 리듬과 박자가 너무 활기차고 훌륭해서 그녀의 몸과 마음을 뒤흔들었다. 콘서트는 그녀의 예상을 훨씬 뛰어넘었다.

Sharon을 의심하게 만든 것		Sharon을 놀라게 한 것
그 콘서트에 관한 혹독한 리뷰	그러나 탱고가 시작되자마자…	환상적인 음악
구시가지에 있는 아주 오래되고 황폐한 공연장		활기차고 훌륭한 리듬과 박자

Words and Phrases upcoming 다가오는 come across 우연히 마주치다 awful 끔찍한 worthwhile ~할 가치가 있는 reluctantly 마지못해 run-down 황폐한 magically 마술에 걸린 듯이 in harmony 조화되어 energetic 활기에 찬 sensational 매우 훌륭한, 환상적인 expectation 기대

정답 전략 탱고가 시작되기 전후, 즉 공연이 시작되기 전후의 단서들을 완성하면 Sharon이 탱고가 시작되기 전후로 어떤 기분이었을지 추론할 수 있다. Sharon은 콘서트를 보기 전에 혹독한 리뷰를 보고 공연에 대한 의문을 가졌으므로 의심했을(doubtful) 것이고, 탱고가 시작된 후로는 악기의 조화를 훌륭하다 느끼고 음악을 즐겼으므로 놀랐을(amazed) 것이다.

끊어 읽기로 보는 구문

주위를 둘러보며 | Sharon은 또다시 의문을 가졌다 | 그녀가 어떤 공연을 기대할 수 있을지
Looking around, / Sharon again wondered / what kind of show she could expect.
분사구문(동시 동작) | 의문사+주어+동사: 간접의문문

리듬과 박자가 | 너무 활기차고 훌륭해서 | 그녀의 몸과 마음을 뒤흔들었다
The rhythm and tempo / were so energetic and sensational / that they shook her body and soul.
so+형용사+that+주어+동사: 너무 ~해서 …하다

Book 1

WEEK 2

DAY 1 개념 돌파 전략 ① CHECK
| 36~37쪽

1 ③ **2** more **3** ② **4** ③

해석 **1** 티크는 열대 경목재 중 가장 중요한 목재에 속한다. 그것은 인도, 태국, 그리고 베트남이 원산지이다. 티크 목재는 특별히 매력적이며, 황금빛 도는 갈색이다. 티크는 단단해서, 그 때문에 고급 가구를 만드는 가치 있는 목재가 된다. **2** 2014년 지역별 자연재해 / 아시아의 자연재해 횟수는 유럽보다 두 배 넘게 **많았다**. **3** 봄 농장 캠프 / 우리의 당일치기 봄 농장 캠프는 여러분의 아이들에게 진정한 농장 경험을 선사할 것입니다. 언제: 4월 19일~5월 14일 / 시간: 오전 9시~오후 4시 / 연령: 6~10세 / 참가비: 1인당 70달러 (점심과 간식 포함) / 비가 오건 오지 않건 진행합니다! **4** 우주의 미스테리에 대한 답을 찾는 데에는 많은 방법들이 있으며, 과학은 이것들 중 하나일 뿐이다. 그러나, 과학은 독특하다. 추측을 하는 대신, 과학자들은 그들의 생각이 맞는지 틀리는지 검증하기 위해 고안된 시스템을 따른다. 그들은 자신들의 이론과 결론을 끊임없이 재검토하고 시험한다. 오래된 생각은 과학자들이 그들도 설명할 수 없는 새로운 정보를 발견했을 때 대체된다.

해설 **4** ③ 앞에 선행사가 있고 뒤의 절이 불완전하므로 관계대명사 what을 that이나 which로 고쳐야 한다.

DAY 1 개념 돌파 전략 ②
| 38~41쪽

1 ② **2** ⑤ **3** ③ **4** ③

1 해석 Georg Dionysius Ehret은 흔히 18세기의 가장 위대한 식물 화가로 칭송된다. 독일의 Heidelberg에서 태어난 그는 미술과 자연에 대해서 그에게 많은 것을 가르쳐 준 정원사의 아들이었다. 젊은 시절, Ehret은 유럽을 여행하며 식물들을 관찰하고 자신의 미술 기법을 발전시켰다. 네덜란드에서, 그는 스웨덴의 박물학자인 Carl Linnaeus를 알게 되었다. Linnaeus를 비롯한 다른 이들과의 공동 작업을 통해서, Ehret은 여러 원예 출판물에 삽화를 제공했다. 과학적 정확성에 대한 Ehret의 명성은 그가 부유한 후원자들, 특히 영국의 후원자들로부터 많은 의뢰를 받게 했고, 결국 그는 그곳에 정착했다.

정답 전략 ② 정원사의 아들이며, 정원사로 일한 경험에 대한 언급은 없다.

끊어 읽기로 보는 구문

독일의 Heidelberg에서 태어난   그는 정원사의 아들이었다   미술과 자연에 대해서 그에게 많은 것을 가르쳐 준
Born in Heidelberg, Germany, / he was the son of a gardener / who taught him much about art and nature.
분사구문   a gardener를 수식하는 주격 관계대명사절

과학적 정확성에 대한 Ehret의 명성은   그가 많은 의뢰를 받게 했고   부유한 후원자들, 특히 영국의 후원자들로부터
Ehret's reputation for scientific accuracy / gained him many commissions / from wealthy patrons, particularly in
gain+간접목적어(사람)+직접목적어(사물)

결국 그는 그곳에 정착했다
England, / where he eventually settled.
England를 선행사로 하는 장소의 관계부사

2 해석 위 표는 2000년과 2017년에 미국에서 도시 쓰레기로 매립된 물질을 보여 준다. 2017년에 매립된 물질의 총량은 2000년보다 더 적었다. 2000년에는 종이가 도시 쓰레기로 가장 많이 매립된 물질이었지만, 2017년에는 플라스틱이 가장 많이 매립된 물질이었다. 2000년에, 금속과 나무는 세 번째와 네 번째로 각각 가장 많이 매립된 물질이었는데, 이는 2017년에도 그대로 유지되었다. 2000년에는 유리가 직물보다 더 많이 매립되었으나, 2017년에는 직물이 유리보다 더 많이 매립되었다. 2017년에 매립된 직물의 양은 2000년에 매립된 양의 두 배가 넘었다(→ 두 배에 못 미친다).

도표의 제목과 범례, 글의 첫 문장으로 보아 이 도표와 지문은 2000년과 2017년에 미국에서 도시 쓰레기로 매립된 물질의 양을 비교하고 있다. 2017년에 매립된 직물은 1천 115만 톤으로, 2000년의 628만 톤의 두 배에는 못 미친다. 따라서 ⑤가 일치하지 않는다.

끊어 읽기로 보는 구문

물질의 총량은   2017년에 매립된   2000년보다 더 적었다
The total amount of materials / landfilled in 2017 / was smaller than in 2000.
                    materials를 수식하는 과거분사구   주어가 The total amount이므로 단수 취급

3 **해석** Fremont Art College의 제7회 연례 미술 전시회 / 11월 21일~27일 / 학생회관 3층 갤러리

시간: 오전 10시~오후 5시 (월요일~금요일) / 오전 11시~오후 3시 (토요일 및 일요일)

• Fremont Art College가 제7회 연례 미술 전시회를 일주일간 개최합니다.

• 학생들이 제출한 회화, 도예품, 그리고 사진이 전시될 것입니다. 모든 전시품은 판매됩니다.

• 전시회는 모두에게 무료입니다.

• 카페테리아에서 간식이 무료로 제공될 것입니다.

더 많은 정보를 원하시면, 우리의 웹사이트 www.fremontart.edu를 방문해 주십시오.

정답 전략 선택지를 먼저 읽고, 개장 시간(①)과 전시품 종류와 출품자(②), 전시품 판매 여부(③), 관람료 정보(④), 간식 제공 여부(⑤)를 확인해야 한다는 것을 파악해야 한다. 모든 전시품은 판매된다(All exhibits are for sale.)고 했으므로 ③은 안내문의 내용과 일치하지 않는다.

끊어 읽기로 보는 구문

회화, 도예품, 그리고 사진이   학생들이 제출한   전시될 것입니다
Paintings, ceramic works, and photographs / submitted by students / will be exhibited.
           Paintings, ceramic works, and photographs를 수식하는 과거분사구   조동사가 쓰인 수동태: will be+과거분사

4 **해석** 많은 기업들은 우편으로 공짜 선물이나 샘플을 보내거나 미래의 고객들이 새로운 제품을 사도록 설득하기 위해서 고객들이 그 제품을 사용해 보고 테스트해 볼 수 있게 한다. 자선단체 역시 아마도 목표로 한 사람들에게 크리스마스 카드나 달력 꾸러미를 보냄으로써 주고받기 접근법을 사용한다. 그 꾸러미를 받은 사람은 보답으로 무언가를 보내야만 한다는 의무감을 느낀다. 호의를 갚아야 한다는 이 의무감은 매우 강력하여 우리의 일상생활에 아주 많은 영향을 끼친다. 저녁 식사에 초대받으면, 우리는 주최자를 우리의 저녁 식사에 한 번 초대해야 한다는 압박감을 느낀다. 만약 누군가가 우리에게 선물을 주면, 우리는 동일한 것으로 답례해야 한다.

정답 전략 ③ 주어가 복수 대명사인 Those이므로, feels를 복수형 feel로 고쳐 써야 한다. ① test는 바로 앞의 to try와 병렬 구조로 연결되어 있다. 앞에 to가 생략된 형태로 볼 수 있으며 allow의 목적격 보어로 쓰였다. ② persuade는 목적격 보어로 to부정사가 온다. ④ 「so+형용사」가 강조되어 문장 앞에 쓰이고 동사와 주어가 도치된 문장이다. be동사의 주어는 this sense of obligation이므로 단수형 is가 적절하다. ⑤ 문맥상 분사구문의 생략된 주어 we가 저녁 식사에 '초대받으면' 그 주최자를 다시 식사에 초대해야 한다는 압박을 느끼는 것이므로, 수동의 과거분사 invited가 적절하다.

끊어 읽기로 보는 구문

많은 기업들은   우편으로 공짜 선물이나 샘플을 보내거나   고객들이 할 수 있게 한다   새로운 제품을 사용해 보고 테스트해 보도록
Many businesses / send free gifts or samples through the mail, / or allow customers / to try and test new products
                                        allow+목적어+to부정사(목적격보어): ~가 …하게 하다

미래의 고객들을 설득하기 위해서   그것들을 사도록
/ in order to persuade future customers / to purchase them.
  in order to+동사원형: ~하기 위해 / persuade+목적어+to부정사(목적격보어): ~가 …하도록 설득하다

매우 강력하여   호의를 갚아야 한다는 이 의무감은   우리의 일상생활에 아주 많은 영향을 끼친다
So powerful is / this sense of obligation to return the favor / that it affects our daily lives very much.
「so+형용사+that+주어+동사」(매우 ~해서 …하다)의 「so+형용사」가 강조되어 문장 앞에 쓰여 주어와 동사가 도치되었다.

[대표 유형] 1 ⑤   [대표 유형] 2 ④   1 ④   2 ④   3 ② Plus ④   4 ②

[대표 유형 1]   지 문 한 눈 에 보 기

❶ Frank Hyneman Knight was / one of the most influential economists / of the twentieth century. ❷ After
　　　　　　　　　　　　　　　one of the+최상급+복수명사: 가장 ~한 것들 중 하나　　　　　　　　　　　접속사가 쓰인 분사구문(= After he obtained ~)

obtaining his Ph.D. / in 1916 at Cornell University, / Knight taught / at Cornell, the University of Iowa, and the

University of Chicago. ❸ Knight spent / most of his career / at the University of Chicago. ❹ Some of his students

at Chicago / later received / the Nobel Prize. ❺ Knight is known / as the author of the book *Risk, Uncertainty*
　　　　　　　　　　　　　　　　　　　　　　　　　　　　　　　　　　~로서(자격의 전치사)

and Profit, a study of the role of the entrepreneur in economic life. ❻ He also wrote / a brief introduction to
the book *Risk, Uncertainty and Profit* = a study of the role of the entrepreneur in economic life(동격)

economics / entitled *The Economic Organization*, / which became / a classic of microeconomic theory. ❼ But
　　　　　a brief introduction to economics를 수식하는 과거분사구　　계속 용법의 관계대명사절 (= and it became ~)

Knight was much more / than an economist; / he was also / a social philosopher. ❽ Later in his career, / Knight
　　　　　　비교급 강조 부사

developed / his theories of freedom, democracy, and ethics. ❾ After retiring in 1952, / Knight remained active /
　　　　　　　　　　　　　　　　　　　　　　　　　　　　접속사가 쓰인 분사구문 (= After he retired ~)

in teaching and writing.
전치사의 목적어로 쓰인 동명사

해석 ❶ Frank Hyneman Knight는 20세기의 가장 영향력 있는
경제학자들 중 한 명이었다. ❷ 1916년에 Cornell 대학교에서 박
사 학위를 받은 뒤, Knight는 Cornell, Iowa 대학교, Chicago 대
학교에서 가르쳤다. ❸ Knight는 경력의 대부분을 Chicago 대학
교에서 보냈다. ❹ Chicago 대학교에서의 그의 학생들 중 몇 명은
나중에 노벨상을 받았다. ❺ Knight는 경제 생활에서 기업가의 역
할에 대한 연구인 'Risk, Uncertainty and Profit'이라는 책의 저
자로 알려져 있다. ❻ 그는 또한 'The Economic Organization'

이라는 제목의 짧은 경제학 개론서를 썼는데, 그것은 미시 경제학
이론의 고전이 되었다. ❼ 하지만 Knight는 경제학자를 훨씬 넘어
서서, 사회 철학자이기도 했다. ❽ 경력 후반에, Knight는 자유, 민
주주의, 그리고 윤리학에 대한 자신의 이론을 발전시켰다. ❾ 1952년
에 은퇴한 후에도, Knight는 여전히 활발하게 가르치고 글을 썼다.

정답 전략 마지막 문장에서 Knight가 은퇴한 후에도 활발히 가르
치고 글을 썼다고 했으므로 ⑤는 글의 내용과 어긋난다.

[대표 유형 2]   지 문 한 눈 에 보 기

❶ The above graph shows / the world population access to electricity / in 1997 and in 2017. ❷ The percentage
　　　　　　　　　　　　　　　　　　　　　　　　　　　　　　　　　┌→주어는 The percentage

of the total world population / with electricity access / in 2017 / was 11 percentage points higher / than that in
　　　　　　　　　　　　　　　　　　　　　　　　　　　= the percentage of the total world population with electricity access

1997. ❸ Both in 1997 and in 2017, / less than 80% of the rural population / had access to electricity / while / over
　　~인 데 반하여 (대조의 접속사)

90% of the urban population / had access to electricity. ❹ In 1997, / 36% of the rural population / did not have

electricity access / while 5% of the urban population did not have access to electricity. ❺ The percentage of the

rural population without electricity access in 2017 / was 20 percentage points lower / than that in 1997. ❻ The
　　　　　　　　　　　　　　　　　　　　　　　　　　　　　　　　　　　　= the percentage of the rural population without electricity access

percentage of the urban population without electricity access / decreased / from 5% in 1997 to 3% in 2017.
　　　　　　　　　　　　　　　　　　　　　　　　　　　　　　　　from A to B: A부터 B까지

해석 ❶ 위 도표는 1997년과 2017년 세계 인구의 전기 접근권을
보여 준다. ❷ 2017년에 전기를 이용할 수 있었던 총 세계 인구 비
율은 1997년의 비율보다 11퍼센트 포인트 높았다. ❸ 1997년과
2017년 두 해 모두, 시골 인구의 80퍼센트 미만이 전기를 이용할
수 있었던 반면, 90퍼센트가 넘는 도시 인구가 전기를 이용할 수 있

었다. ❹ 1997년에, 시골 인구의 36퍼센트가 전기를 이용할 수 없
었던 반면, 도시 인구의 5퍼센트가 전기를 이용할 수 없었다. ❺
2017년에 전기를 이용할 수 없는 시골 인구의 비율은 1997년의
비율보다 20(→ 15)퍼센트 포인트 더 낮았다. ❻ 전기를 이용할 수
없었던 도시 인구의 비율은 1997년의 5퍼센트에서 2017년의 3퍼

센트로 감소했다.

[정답 전략] 전기를 이용할 수 없었던 시골 지역 인구 비율은 1997년에 36퍼센트였고, 2017년에는 21퍼센트였다. 2017년에 1997년보다 15퍼센트 포인트 낮아졌으므로, 2017년의 비율이 1997년의 비율보다 20퍼센트 포인트 낮아졌다고 한 ④가 도표의 내용과 일치하지 않는다.

1

❶ Waldemar Haffkine / was born / on the 16th of March 1860 / at Odessa in Russia. ❷ He graduated / in the Science Faculty of Odessa University / in 1884. ❸ In 1889, / Haffkine went to Paris / to work at the Pasteur Institute, / and did research / to prepare a vaccine against cholera.
~하기 위해: to부정사의 부사적 용법(목적)
❹ His initial work / on developing a cholera vaccine / was successful.
전치사의 목적어인 동명사
❺ After a series of animal trials, / in 1892 / he tested / the cholera vaccine on himself, / risking his own life.
분사구문(동시 동작)
❻ During the Indian cholera epidemic of 1893, / at the invitation of the Government of India / he went to Calcutta / and introduced his vaccine. ❼ After initial criticism / by the local medical bodies, / it was widely accepted.
= his vaccine
❽ Haffkine was appointed / as the director of the Plague Laboratory / in Bombay (now
~로서(자격의 전치사)
called the Haffkine Institute). ❾ After his retirement in 1914, / he returned to France / and occasionally wrote for medical journals. ❿ He revisited Odessa in 1927, / but could not adapt / to the tremendous changes / after the revolution in the country of his birth. ⓫ He moved / to Switzerland in 1928 / and remained there / for the last two years of his life.

[해석] ❶ Waldemar Haffkine은 1860년 3월 16일에 러시아 Odessa에서 태어났다. ❷ 그는 1884년에 Odessa 대학교의 과학 학부를 졸업했다. ❸ 1889년에, Haffkine은 Pasteur Institute에서 일하기 위해 파리로 갔고, 콜레라 백신을 준비하는 연구를 했다. ❹ 콜레라 백신 개발에 관한 그의 초기 연구는 성공적이었다. ❺ 일련의 동물 실험 후, 1892년에 그는 목숨을 걸고 콜레라 백신을 자기 자신에게 시험했다. ❻ 1893년에 인도 콜레라가 유행하는 동안, 그는 인도 정부의 초청으로 Calcutta에 가서 자신의 백신을 소개했다. ❼ 지역 의료 기관들이 초기에 비난한 이후, 그것은 널리 받아들여졌다. ❽ Haffkine은 (지금은 Haffkine Institute라고 불리는) Bombay의 Plague Laboratory(전염병 연구소)의 소장으로 임명되었다. ❾ 1914년에 은퇴한 후, 그는 프랑스로 돌아갔고 때때로 의학 저널에 글을 기고했다. ❿ 그는 1927년에 Odessa를 다시 방문했지만, 고국에서 일어난 혁명 이후의 엄청난 변화에 적응하지 못했다. ⓫ 그는 1928년에 스위스로 이주했고 생애 마지막 2년 동안 그곳에 머물렀다.

[정답 전략] 은퇴 후 때때로 의학 저널에 글을 기고했다 (occasionally wrote for medical journals)고 했으므로 ④는 글의 내용과 일치하지 않는다.

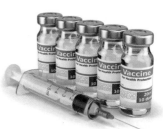

2

❶ The above table shows / global plastic waste generation by industry / in 2015. ❷ The sector / that generated
주격 관계대명사로, that ~ most가 The sector를 수식
plastic waste most / was packaging, / accounting for 46.69% of all plastic waste / generated.
분사구문(= and it accounted for ~)   all plastic waste를 수식하는 과거분사
❸ The textiles sector generated / 38 million tons of plastic waste, / or 12.58% of the total plastic waste / generated.
즉 (동격 어구 연결)
❹ The consumer and institutional products sector / generated 37 million tons of plastic waste, / and the amount was more / than twice that of plastic waste / the transportation sector generated.
= the amount   the 앞에 목적격 관계대명사 which(that)이 생략되어 있고, plastic waste를 수식
❺ The electrical and electronic sector / generated just as much plastic waste / as the building and construction sector did, / each sector accounting for
분사구문(= and each sector accounted for ~)

8.60% of the total plastic waste generation. ❻ Only one million tons of plastic waste / were generated / in the industrial machinery sector, / representing less than 0.50% of the total plastic waste / generated.

<small>분사구문</small>   <small>the total plastic waste를 수식하는 과거분사</small>

해석 ❶ 위 표는 2015년의 전 세계 산업별 플라스틱 폐기물 발생을 보여 준다. ❷ 플라스틱 폐기물을 가장 많이 발생시킨 부문은 포장 부문으로, 발생된 전체 플라스틱 폐기물의 46.69%를 차지했다. ❸ 섬유 부문은 3,800만 톤의 플라스틱 폐기물, 즉 발생된 전체 플라스틱 폐기물의 12.58%를 발생시켰다. ❹ 소비자·기관 제품 부문은 3,700만 톤의 플라스틱 폐기물을 발생시켰는데, 이 양은 운송 부문이 발생시킨 플라스틱 폐기물량의 2배가 넘는 것이었다. ❺ 전기·전자 부문은 건축·건설 부문이 발생시킨 플라스틱 폐기물과 같은 양을 발생시켰는데, 각 부문은 전체 플라스틱 폐기물 발생량의 8.60%(→ 4.30%)를 차지했다. ❻ 단 100만 톤의 플라스틱 폐기물이 산업용 기계 부문에서 발생되었으며, 발생된 전체 플라스틱 폐기물의 0.50%에 못 미친다는 것을 보여 준다.

정답 전략 이 도표는 전 세계 산업별 플라스틱 폐기물 발생량을 양과 비율 순서대로 보여 주고 있다. 전기·전자 부문과 건축·건설 부문은 각각 4.30%를 차지해서 두 부문의 합이 8.60%이다. ④에서는 두 부문이 각각 8.60%라고 했으므로 표의 내용과 일치하지 않는다.

❶ Along the coast of British Columbia / ⓐlies / a land of forest green and sparkling blue. ❷ This land is / the
<small>장소의 부사구가 문장 앞에 쓰이면 주어와 동사가 도치된다.</small>   <small>주어는 a land</small>
Great Bear Rainforest, / ⓑwhich measures 6.4 million hectares / about the size of Ireland or Nova Scotia. ❸ It is
<small>계속 용법의 주격 관계대명사</small>
/ home to a wide variety of wildlife. ❹ One of the unique animals / ⓒliving in the area / is the Kermode bear. ❺
<small>the unique animals를 꾸미는 현재분사</small>
It is / a rare kind of bear / known to be the official mammal of British Columbia. ❻ Salmon / are also found here.
<small>a rare kind of bear를 꾸미는 과거분사</small>
❼ They play a vital role / in this area's ecosystem / as a wide range of animals, as well as humans, / ⓓconsuming
<small>~ 때문에 (이유의 접속사)</small>   <small>B as well as A: A뿐만 아니라 B도</small>
(→ consume) them. ❽ The Great Bear Rainforest is also / home to the Western Red Cedar, a tree / that can live
<small>the Western Red Cedar = a tree ~ hundred years (동격)</small>   <small>주격 관계대명사로, that 이하가 a tree 수식</small>
/ for several hundred years. ❾ The tree's wood / is lightweight and rot-resistant, / so it is ⓔused / for making buildings and furniture.

해석 ❶ British Columbia의 해안가를 따라서 짙은 황록색과 반짝이는 파란색의 지대가 위치하고 있다. ❷ 이 지대는 Great Bear Rainforest인데, 면적이 640만 헥타르로 Ireland나 Nova Scotia 정도의 크기이다. ❸ 그것은 매우 다양한 야생 동물의 서식지이다. ❹ 그 지역에 서식하는 독특한 동물 중 하나는 Kermode 곰이다. ❺ 그것은 British Columbia의 공식 포유류로 알려져 있는 희귀종 곰이다. ❻ 연어 또한 이곳에서 발견된다. ❼ 인간뿐만 아니라 매우 다양한 동물들이 그것들을 먹기 때문에 연어는 이 지역의 생태계에서 매우 중요한 역할을 한다. ❽ Great Bear Rainforest는 또한 수백 년 동안 살 수 있는 나무인 Western Red Cedar의 서식지이기도 하다. ❾ 그 나무의 목재는 가볍고 부패에 강해서 건축물을 짓고 가구를 만드는 데 사용된다.

정답 전략 글을 읽으며 선택지를 글의 내용과 차례로 비교한다. Great Bear Rainforest의 면적은 Ireland 또는 Nova Scotia 정도의 크기라고 했으며, 둘을 합친 넓이라고 하지는 않았다. 따라서 ②가 글의 내용과 일치하지 않는다.

Plus 정답 전략 ⓓ 문맥상 a wide range of animals 앞의 as는 이유를 나타내는 부사절을 이끄는 접속사로 쓰였으며, a wide range of animals를 주어로 하는 동사가 필요하므로 consuming을 consume으로 고쳐 부사절의 본동사 역할을 하게 해야 한다.

❶ The above graph, / which was based on a survey / conducted in 2019, / shows the percentages of U.S. adults /
<small>계속 용법의 주격 관계대명사 a survey를 수식하는 과거분사</small>

by age group / who said / they had read (or listened to) a book / in one or more of the formats — print books,
<small>주격 관계대명사로, who 이하가 U.S. adults를 수식 they 앞에 명사절을 이끄는 접속사 that이 생략되어 있다.</small>

e-books, and audiobooks — / in the previous 12 months. ❷ The percentage of people / in the 18-29 group / who

said / they had read a print book / was 74%, / which was the highest / among the four groups. ❸ The percentage
<small>The percentage가 주어이므로 단수 취급 계속 용법의 관계대명사(= and it ~)</small>

of people / who said / they had read a print book / in the 50-64 group / was higher / than that in the 65 and up
<small>= the percentage of people who said they had read a print book</small>

group. ❹ While 34% of people in the 18-29 group said / they had read an e-book, / the percentage of people /
<small>~인 데 반하여(대조의 접속사)</small>

who said so / was below 20% / in the 65 and up group. ❺ In all age groups, / the percentage of people / who

said / they had read an e-book / was higher / than that of people / who said / they had listened to an audiobook.
<small>= the percentage</small>

❻ Among the four age groups, / the 30-49 group / had the highest percentage of people / who said / they had

listened to an audiobook.

해석 ❶ 2019년에 실시된 조사에 근거한 위 도표는, 지난 12개월 동안 활자본, 전자책, 오디오북 중 한 가지 이상의 형식으로 책을 읽었다고 (혹은 들었다고) 말한 미국 성인의 비율을 연령대별로 보여 준다. ❷ 활자본을 읽었다고 말한 18~29세 연령대 사람들의 비율은 74%였는데, 이는 네 개 연령대 중에서 가장 높았다. ❸ 50~64세 연령대에서 활자본을 읽었다고 말한 사람들의 비율은 65세 이상 연령대의 비율보다 더 높았다(→ 낮았다). ❹ 18~29세 연령대의 34%의 사람들이 전자책을 읽었다고 말한 반면, 65세 이상 연령대에서는 그렇게 말한 사람들의 비율이 20% 미만이었다. ❺ 모든

연령대에서, 전자책을 읽었다고 말한 사람들의 비율은 오디오북을 들었다고 말한 사람들의 비율보다 더 높았다. ❻ 네 개 연령대 중, 30~49세 연령대에서, 오디오북을 들었다고 말한 사람들의 비율이 가장 높았다.

정답 전략 50~64세 연령대에서 활자본을 읽었다고 말한 사람들의 비율은 59%이고, 65세 이상 연령대에서 그렇게 말한 사람들의 비율은 63%이므로, 50~64세 연령대에서 활자본을 읽었다고 말한 사람들의 비율이 65세 이상 연령대에서의 비율보다 높았다고 한 ②가 일치하지 않는다.

DAY 3 필수 체크 전략 ①, ② 48~53쪽

[대표 유형 3] 지문 한눈에 보기

❶ **Poetry Writing Basics Workshop**

❷ Join our Poetry Writing Basics Workshop / and meet the poet, Ms. Grace Larson!
<small>the poet = Ms. Grace Larson(동격)</small>

❸ All students of George Clarkson University / are invited.
<small>of George Clarkson University가 수식 주어가 All students이므로 복수 취급</small>

❹ **When:** Thursday, September 24, 2020 (1:00 p.m.– 4:00 p.m.)

❺ **Where:** Main Seminar Room, 1st Floor, Student Union

❻ After an introduction / to the basic techniques of poetry writing, / you will: ❼ 1. Write / your own poem.

❽ 2. Read it aloud / to the other participants. ❾ 3. Receive expert feedback / from Ms. Larson.

❿ **Registration Fee:** $10 ⓫ ※ Register / on or before September 18 / and pay only $7.

⓬ Any related inquiries / should be sent / via email to studentun@georgeclarkson.edu.
<small>조동사+be+과거분사: 조동사가 쓰인 수동태</small>

해석 ❶ 시 창작 기초 워크숍

❷ 시 창작 기초 워크숍에 참여하여 시인 Grace Larson 씨를 만나 보십시오!

❸ George Clarkson 대학교의 모든 학생들을 초대합니다.

❹ 때: 2020년 9월 24일 목요일(오후 1시~오후 4시)

❺ 장소: 학생회관 1층 메인 세미나실

❻ 시 창작의 기초 작법에 대한 소개 후에, 여러분은 ❼ 1. 여러분 자신의 시를 창작할 것입니다. ❽ 2. 그 시를 다른 참가자들에게 큰 소리로 읽어 줄 것입니다. ❾ 3. Larson 씨로부터 전문가의 피드백을 받을 것입니다.

❿ 등록비: 10달러

⓫ ※ 9월 18일이나 그 전에 등록하시고 7달러만 내십시오.

⓬ 관련된 모든 문의는 studentun@georgeclarkson.edu로 이메일을 통해 보내주셔야 합니다.

정답 전략 안내문의 내용과 일치하는 것을 찾아야 한다. 참가자가 하게 될 일은 시를 쓰고 다른 참가자들에게 자신이 쓴 시를 소리 내어 읽어 준 뒤 Larson 씨에게 피드백을 받는 것이다. 따라서 안내문의 내용과 일치하는 것은 ③이다. ① 목요일 오후에 진행된다. ② 학생회관 1층의 메인 세미나실에서 열린다. ④ 9월 18일까지는 7달러이다. ⑤ 관련 문의는 이메일로 해야 한다.

[대표 유형 **4**]

❶ To begin with a psychological reason, / the knowledge of another's personal affairs / can tempt / the possessor of this information / ① to repeat it as gossip / because as unrevealed information / it remains socially inactive. ❷ Only when the information is repeated / can its possessor ② turn the fact / that he knows something / into something socially valuable / like social recognition, prestige, and notoriety. ❸ As long as he keeps his information to ③ himself, / he may feel superior to those / who do not know it. ❹ But knowing and not telling / does not give him / that feeling of "superiority" that, / so to say, / latently contained in the secret, / fully ④ actualizing (→ actualizes) itself / only at the moment of disclosure." ❺ This is the main motive / for gossiping / about well-known figures and superiors. ❻ The gossip producer assumes / that some of the "fame" of the subject of gossip, / as ⑤ whose "friend" he presents himself, / will rub off on him.

해석 ❶ 심리적인 이유에서 시작하자면, 다른 사람의 개인사를 아는 것은 이 정보의 소유자가 그것을 험담으로 전하도록 부추길 수 있는데, 왜냐하면 숨겨진 정보로서는 그것이 사회적으로 비활성화된 상태로 남기 때문이다. ❷ 그 정보의 소유자는 그 정보가 전해질 때에만 자신이 무언가를 알고 있다는 사실을 사회적 인지, 명성, 그리고 악명과 같이 사회적으로 가치 있는 무언가로 바꿀 수 있다. ❸ 정보를 혼자 간직하고 있는 한, 그는 그것을 알지 못하는 사람들보다 자신이 우월하다고 느낄 수도 있다. ❹ 그러나 알면서 말하지 않는 것은 '말하자면 그 비밀 속에 잠재적으로 포함되어 있다가 폭로의 순간에만 완전히 실현되는 우월감'이라는 그 기분을 그에게 주지 못한다. ❺ 이것이 잘 알려진 인물과 우월한 사람에 대해 험담을 하는 주요한 동기이다. ❻ 험담을 만들어 내는 사람은 자신을 그의 '친구'라고 소개하는 그 뒷공론 대상의 '명성' 일부가 자신에게 옮겨질 것이라고 생각한다.

정답 전략 ④ that feeling of superiority를 선행사로 하는 주격 관계대명사절의 동사가 없으므로, actualizing을 actualizes로 고쳐 써야 한다. so to say(말하자면)와 latently contained in the secret(그 비밀 속에 잠재적으로 포함된)은 삽입구이다. ① 「tempt +목적어+to부정사」는 '~가 …하도록 부추기다'라는 뜻이다. ② only가 포함된 부사절 Only when ~ repeated가 문장 앞에 쓰여 조동사 can과 주어 its possessor가 도치된 구조이다. 따라서 can에 이어지는 동사원형 turn은 알맞게 쓰였다. ③ keep ~ to oneself는 '~를 비밀로 간직하다'라는 뜻으로 주어와 행위의 대상이 동일하다. 따라서 재귀대명사 himself의 쓰임이 자연스럽다. ⑤ the subject of gossip이 선행사이며 관계사절 내의 "friend"를 꾸미는 형태로 관계사절을 이끌고 있으므로, 소유격 관계대명사 whose가 적절하다. as는 관계사절의 전치사가 관계사 앞에 온 것이다(he presents himself as ~).

❶ Sometimes perfectionists find / **that** they are troubled / because (A) what / whatever they do / it never
_{명사절을 이끄는 접속사}
seems good enough. ❷ If I ask, / "For whom / is it not good enough?" / they do not always know the answer.

❸ After giving it some thought / they usually conclude / **that** it is not good enough for them / and not good
_{명사절을 이끄는 접속사} _{enough는 형용사를 뒤에서 수식한다}
enough for other important people / in their lives. ❹ This is a key point, / because it suggests / that the standard

/ you may be struggling to (B) meet / be met / may not actually be your own. ❺ Instead, / the standard / you
_{you 앞에 목적격 관계대명사 which(that)가 생략되어 있고 you may ~ meet가 the standard를 수식}
have set for yourself / may be the standard of some important person / in your life, / **such as** a parent or a boss
_{주어는 Living ~ ·┐} _{~와 같은(some important person의 예시)}
or a spouse. ❻ (C) Live / Living your life / in pursuit of someone else's expectations / is a difficult way / **to live**. ❼
_{형용사적 용법의 to부정사로, a difficult way를 수식}
If the standards you set were not yours, / it may be time / to define your personal expectations for yourself / and
_{목적격 관계대명사절로, the standards를 수식} _{time을 수식하는 형용사적 용법의 to부정사}
make self-fulfillment your goal.
_{(to) make가 to define과 병렬 구조를 이룸}

해석 ❶ 때때로 완벽주의자들은 무엇을 하든지 결코 충분히 좋아 보이지 않기 때문에 자신들이 괴롭다는 것을 알게 된다. ❷ 만약 내가 "그것이 누구에게 충분히 좋아 보이지 않은가?"라고 물으면, 그들이 항상 답을 아는 것은 아니다. ❸ 그것에 대해 어느 정도 생각한 뒤에 그들은 대개 그것이 자신들에게 만족스럽지 못하고, 자신들 삶의 다른 중요한 사람들에게 만족스럽지 못하다는 결론을 내린다. ❹ 이것이 중요한 점인데, 왜냐하면 그것은 여러분이 충족시키려고 애쓰고 있을 기준이 실은 여러분 자신의 것이 아닐 수도 있다는 점을 시사하기 때문이다. ❺ 대신, 여러분이 자신을 위해 세운 기준이 부모, 상사, 혹은 배우자와 같은 여러분의 삶에서 어떤 중요한 사람의 기준일 수 있다. ❻ 다른 누군가의 기대를 추구하며 여러분의 삶을 사는 것은 힘든 삶의 방식이다. ❼ 만약 여러분이 세운 기준이

여러분의 것이 아니라면, 여러분의 개인적인 기대를 스스로 정하고 자기실현을 여러분의 목표로 삼아야 할 때일지도 모른다.

정답 전략 (A) because가 이끄는 부사절 안에서 it never seems good enough가 주절이고, 그 앞은 부사절이어야 한다. 그러므로 부사절을 이끄는 접속사 whatever가 적절하다. (B) 선행사인 the standard가 의미상 meet의 목적어가 되어야 하므로 능동형인 meet로 쓰는 것이 자연스럽다. (C) 동사 is의 주어가 있어야 하므로 주어 역할을 할 수 있는 동명사 Living을 써야 한다.

---

❶ **Double Swan Hot Springs** ❷ Soak your way to health / and have your cares float away!
_{have(사역동사)+목적어+동사원형: ~가 …하게 하다}

❸ **Water Temperatures:**

❹ - Hot springs: 40°C year round ❺ - Swimming pools: 30-31°C in summer / 32-33°C in winter

❻ **Hours:** ❼ - Monday: Closed ❽ - Tuesday through Friday: 11 a.m. – 7 p.m. ❾ - Saturday & Sunday: 9 a.m. – 8 p.m.
_{개장 시간}

❿ **Fees:**
_{요금}

	One-Day Pass	10-Swim Pass
Adults	$12	$85
Children (3-12)	$7	$50
2 & Under	Free	
Double Swan residents: 50% off		

⓫ **Notes:** ⓬ • Visitors can bring / their own Coast Guard approved life jackets. ⓭ • Swimming equipment rental /
is not available.

⓮ Reservations / can be made / at www.dshotsprings.com / or by calling us at 719-980-3456.
_{전치사의 목적어인 동명사}

해석 ❶ Double Swan 온천 ❷ 건강을 위해 몸을 담그고 걱정거리를 흘려 보내세요! ❸ 수온: ❹ – 온천: 연중 40℃ ❺ – 수영장: 여름 30~31℃ / 겨울 32~33℃ ❻ 시간: ❼ – 월요일: 휴무 ❽ – 화요일~금요일: 오전 11시~오후 7시 ❾ – 토요일 및 일요일: 오전 9시~오후 8시 ❿ 요금:

	1일 이용권	10회 수영 이용권
성인	12달러	85달러
어린이 (3-12세)	7달러	50달러
2세 이하	무료	
Double Swan 주민들: 50% 할인		

⓫ 주의: ⓬ • 방문자는 해안 경비대가 승인한 구명조끼를 가져갈 수 있습니다. ⓭ • 수영 장비 대여는 할 수 없습니다.

⓮ www.dshotsprings.com에서 또는 719-980-3456으로 전화하여 예약할 수 있습니다.

정답 전략 ③ 요금표 하단의 Double Swan residents: 50% off에 나타나 있다. ① 여름 수온은 30~31℃이고, 겨울 수온은 32~33℃이므로 수영장의 수온은 여름보다 겨울이 더 높다. ② 월요일에 개장하지 않는다. ④ Swimming equipment rental is not available.로 보아 수영 장비는 대여할 수 없다. ⑤ 웹 사이트 또는 전화로 예약할 수 있다.

3

❶ Organisms / living in the deep sea / have adapted to the high pressure / by storing water in their bodies, / some ① consisting almost entirely of water. ❷ Most deepsea organisms / lack gas bladders. ❸ They are cold-blooded organisms / that adjust their body temperature / to their environment, / allowing them / ② to survive / in the cold water / while maintaining a low metabolism. ❹ Many species / lower their metabolism / so much / that they are able to survive / without food / for long periods of time, / as finding the sparse food / ③ that is available / expends a lot of energy. ❺ Many predatory fish of the deep sea / are equipped / with enormous mouths and sharp teeth, / enabling them / to hold on to prey / and overpower ④ it. ❻ Some predators / hunting in the residual light zone of the ocean / ⑤ has (→ have) excellent visual capabilities, / while others are able to create their own light / to attract prey or a mating partner.

해석 ❶ 심해에 사는 유기체들은 체내에 물을 저장하여 높은 압력에 적응해 왔고, 일부는 거의 물만으로 구성되어 있다. ❷ 대부분의 심해 유기체들은 부레가 없다. ❸ 그들은 주변 환경에 체온을 맞추는 냉혈 유기체들로, 낮은 신진대사를 유지하고 있는 동안 차가운 물에서 생존할 수 있다. ❹ 많은 종들은 먹을 수 있는 드문 음식을 찾는 것이 많은 에너지를 소비하기 때문에, 그들의 신진대사를 매우 많이 낮춰서 오랜 기간 동안 먹이 없이 생존할 수 있다. ❺ 심해의 많은 포식성 물고기는 거대한 입과 날카로운 이빨을 가지고 있는데, 그것들이 먹이를 붙잡고 제압할 수 있게 해 준다. ❻ 해양의 잔광 구역에서 사냥을 하는 몇몇 포식자들은 뛰어난 시력을 가지고 있는 반면, 다른 포식자들은 먹잇감이나 짝을 끌어들이기 위해 스스로 빛을 만들어 낼 수 있다.

정답 전략 ⑤ 주어가 Some predators로 복수이므로 has를 복수형 have로 고쳐야 한다. ① 분사구문의 현재분사로, some은 주절과 다른 주어여서 생략되지 않은 형태이다. ② allow의 목적격보어로 to부정사가 쓰였다. ③ that은 the sparse food를 선행사로 하는 주격 관계대명사이다. ④ it이 가리키는 것은 문맥상 앞의 prey이므로 단수형 it이 바르게 쓰였다.

❶ KSFF International Exchange Program

❷ Are you interested / in participating in an international exchange program? **❸** The Korea-Singapore Friendship
전치사의 목적어인 동명사
Foundation (KSFF) / will send high school students / to 6 schools in Singapore. **❹** This opportunity / will be great

/ for developing a global perspective and lifelong memories.

❺ OPPORTUNITY and DATES

❻ · Each school / will host / 7 to 10 high school students.

❼ · Two weeks: from September 3, 2018, / to September 16, 2018
from A to B: A부터 B까지

❽ ACTIVITIES

❾ · Classroom participation and extra-curricular activities

❿ · Visiting tourist sites

⓫ ACCOMMODATIONS

⓬ · KSFF will arrange for participants / to stay with local families.
to부정사의 의미상의 주어

⓭ More information / is available at www.ksffexchange.net.

⓮ Please note: / The application / must be completed / on our website / by June 9, 2018.
조동사가 쓰인 수동태

해석 **❶** KSFF 국제 교환 프로그램
❷ 국제 교환 프로그램에 참여하는 데 관심이 있나요? **❸** Korea-Singapore Friendship Foundation(KSFF)이 고등학교 학생들을 싱가포르 내의 6개 학교에 보내 줄 것입니다. **❹** 이 기회는 국제적 관점과 평생 동안의 기억을 만드는 데 훌륭할 것입니다.

❺ 기회와 날짜 **❻** · 각 학교는 7명에서 10명의 고등학교 학생을 받을 것입니다. **❼** · 2주: 2018년 9월 3일부터 2018년 9월 16일까지

❽ 활동 **❾** · 수업 참여와 과외 활동 **❿** · 관광지 방문

⓫ 숙소 **⓬** · KSFF가 참가자들이 현지 가정에 체류하도록 주선할 것입니다.
⓭ 더 많은 정보는 www.ksffexchange.net에서 얻을 수 있습니다.
⓮ 주의: 신청은 저희 웹 사이트에서 2018년 6월 9일까지 완료해야 합니다.

정답 전략 선택지를 먼저 읽고 어떤 정보를 확인해야 할지 파악한다. 이 프로그램은 9월 3일부터 9월 16일까지 2주간 운영되는 것이므로 9월 16일부터 운영된다고 한 ②가 일치하지 않는다.

교환 학생 프로그램은 보통
서로 다른 국가의 두 학교가 일정 수의 학생을
교환하여 상대 국가에서 공부하며 언어, 문화
등을 배우게 하는 프로그램을 말합니다.
위 지문에서와 같이 단기간 동안의 문화 체험,
교류 등에 초점을 맞추기도 하고, 6개월에서
1년의 기간 동안 학교를 다니며
학점을 이수하기도 합니다.

1

❶ Born in 1895, / Carol Ryrie Brink was orphaned / by age 8 / and raised by her grandmother. ❷ Her
분사구문

grandmother's life and storytelling abilities / inspired her writing. ❸ She married / Raymond Woodard Brink,
　　　　　　　　　　　　　　　　　　　　　　　　　　　　　　　　Raymond Woodard Brink = a young mathematics professor(동격)

a young mathematics professor / she had met / in Moscow, Idaho / many years before. ❹ After their son and
　　　　　　　　　　　　　　　she 앞에 목적격 관계대명사 who(m)가 생략되어 있고, a young mathematics professor를 수식

daughter were born, / early in her career, / she started / to write children's stories / and edited a yearly collection

of short stories. ❺ She and her husband / spent several years living in France, / and her first novel *Anything Can*
　　　　　　　　　　　　　　　　　　　　　　　　spend+목적어(시간·돈)+동명사: ~하는 데 시간·돈을 쓰다

Happen on the River / was published / in 1934. ❻ After that, / she wrote / more than thirty fiction and nonfiction

books / for children and adults. ❼ She received the Newbery Award / in 1936 / for *Caddie Woodlawn*.

해석 ❶ 1895년에 태어난 Carol Ryrie Brink는 8살 때 고아가 되었고 할머니에 의해 길러졌다. ❷ 할머니의 인생과 이야기구사 능력은 그녀의 글쓰기에 영감을 주었다. ❸ 그녀는 여러 해 전에 Idaho주 Moscow에서 만났던 젊은 수학 교수 Raymond Woodard Brink와 결혼했다. ❹ 그들의 아들과 딸이 태어난 후, 그녀의 경력 초기에, 그녀는 어린이 이야기를 쓰기 시작했고, 연간 단편 소설집을 편집했다. ❺ 그녀와 그녀의 남편은 프랑스에서 수년간 살았고, 그녀의 첫 번째 소설 'Anything Can Happen on the

River'가 1934년에 출판되었다. ❻ 그 후, 그녀는 어린이들과 어른들을 위해 30권이 넘는 소설과 논픽션 책을 썼다. ❼ 그녀는 'Caddie Woodlawn'으로 1936년에 Newbery 상을 받았다.

정답 전략 Carol Ryrie Brink의 삶을 시간 순으로 간략히 서술한 글임을 파악해야 한다. 글을 읽으며 선택지와 차례로 비교하면 ③이 일치하지 않음을 알 수 있다. 그녀는 자녀가 태어난 이후로 어린이 이야기를 쓰기 시작했다(After their son and daughter were born, ~ she started to write children's stories).

2

❶ The graph above / shows / how often Americans ate at fast food restaurants / in 2006 and 2013. ❷
　　　　　　　　　　　　　　　　간접의문문: 의문사+주어+동사 ~

Respondents / who ate at fast food restaurants every day / took up the smallest proportion with 3% / both in
　　　　　　주격 관계대명사로, who ~ every day가 Respondents를 수식

2006 and 2013. ❸ Compared to 2006, / the percentage of respondents / who ate at fast food restaurants several
　　　　　　　　　~와 비교하여

times a week / and the percentage of those / who did about once a week / decreased in 2013. ❹ In 2006, /
　　　　　　　　　　　　　　　　= respondents　　= ate at fast food restaurants

the percentage of respondents / reporting that they ate at fast food restaurants about once a week / was the
　　　　　　　　　　　　　　　　respondents를 수식하는 현재분사구　　　　　　　　　　　　　　　　　주어가 the percentage로, 단수 취급

largest, / accounting for 33%. ❺ In 2013, / the percentage of respondents / who ate at fast food restaurants once
분사구문(= and it accounted ~)

or twice a month / was less than twice that of respondents / who said / that they did a few times a year. ❻ The
　　　　　　　　　　　　　　　　　　= the percentage　　　　　　　　　명사절을 이끄는 접속사

percentages of respondents / who never ate at fast food restaurants / in 2006 and 2013 / were equal to each
　　　　　　　　　　　　　　　　　　　　　　　　　　　　　　　　　　주어가 The percentages로, 복수 취급

other.

해석 ❶ 위 도표는 2006년과 2013년에 미국인들이 얼마나 자주 패스트푸드 식당에서 식사를 했는지를 보여 준다. ❷ 매일 패스트푸드 식당에서 식사한 응답자들은 2006년과 2013년 두 해 모두 3%로 가장 적은 비율을 차지했다. ❸ 2006년에 비해, 일주일에 여

러 번 패스트푸드 식당에서 식사한 응답자 비율과 일주일에 약 한 번 그렇게 한 응답자 비율이 2013년에 감소했다. ❹ 2006년에, 일주일에 약 한 번 패스트푸드 식당에서 식사했다고 보고한 응답자 비율이 33%를 차지하며 가장 컸다.

⑤ 2013년에, 한 달에 한두 번 패스트푸드 식당에서 식사한 응답자 비율은 일 년에 몇 번 그랬다고 말한 응답자 비율의 두 배보다 작았다(→ 컸다). ⑥ 패스트푸드 식당에서 전혀 식사하지 않은 응답자 비율은 2006년과 2013년에 서로 동일했다.

정답 전략 선택지 문장의 내용을 도표와 하나씩 비교한다. 연도, 비교 표현에 특히 유의해야 한다. 2013년 패스트푸드 식당에서 한 달에 한두 번 식사를 한 사람은 33%이므로 일 년에 몇 번 식사를 한 사람의 비율인 15%의 두 배(30%)보다 크다. 따라서 ④가 도표의 내용과 일치하지 않는다.

3

❶ Springfield Photo Contest

❷ Show off your pictures / taken in this beautiful town. ❸ All the winning entries / will be included / in the
<small>your pictures를 수식하는 과거분사구</small>
official Springfield tour guide book!

❹ Prizes ❺ • 1st Place: $500　　• 2nd Place: $250　　• 3rd Place: $150

❻ Contest Rules ❼ • Limit of 5 photos / per entrant
<small>~ 당, ~마다(전치사)</small>

❽ • Photos / must be taken / in Springfield.

❾ • Photos / must be submitted digitally / as JPEG files.
<small>~로(전치사)</small>

❿ • Photos / should be in color / (black-and-white photos / are not accepted).

⓫ The submission / must be completed / on our website (www.visitspringfield.org) / by December 27, 2019.
<small>~까지(전치사)</small>

⓬ Please email us / at info@visitspringfield.org / for further information.

해석 ❶ Springfield 사진 공모전 ❷ 이 아름다운 마을에서 촬영한 여러분의 사진을 뽐내 보세요. ❸ 모든 수상작은 Springfield 공식 여행 안내 책자에 수록될 것입니다! ❹ 상금 ❺ • 1등: 500달러　• 2등: 250달러　• 3등: 150달러 ❻ 공모전 규칙 ❼ • 참가자 당 5개의 사진으로 제한 ❽ • 사진은 Springfield에서 촬영한 것이어야 합니다. ❾ • 사진은 JPEG 파일로, 디지털 방식으로 제출되어야 합니다. ❿ • 사진은 컬러여야 합니다 (흑백 사진은 허용되지 않습니다). ⓫ 2019년 12월 27일까지 우리 웹 사이트(www.

visitspringfield.org)에서 제출이 완료되어야 합니다. ⓬ 더 많은 정보를 원하시면 info@visitspringfield.org로 우리에게 이메일을 보내주세요.

정답 전략 선택지의 정보를 빠르게 훑어서 안내문에서 어떤 정보를 파악해야 하는지 확인한 뒤 읽는다. 흑백 사진이 허용되지 않는다(black-and-white photos are not accepted)고 했으므로 ④가 안내문의 내용과 일치하지 않는다.

4

❶ An economic theory of Say's Law / holds / that everything that's made will get sold. ❷ The money from
<small>명사절을 이끄는 접속사　　관계대명사절 that's made가 everything을 수식</small>
anything / that's produced / is used to ① buy something else. ❸ There can never be a situation / ② which (→ in
which) / a firm finds / that it can't sell its goods / and so has to dismiss workers and close its factories. ❹
<small>명사절을 이끄는 접속사</small>
Therefore, / recessions and unemployment / are impossible. ❺ Picture / the level of spending / like the level
of water in a bath. ❻ Say's Law applies / ③ because people use / all their earnings / to buy things. ❼ But what
<small>~하기 위해: to부정사의 부사적 용법(목적)</small>
happens / if people don't spend all their money, / saving some of ④ it / instead? ❽ Savings are / a 'leakage'
<small>= their money</small>
of spending / from the economy. ❾ You're probably imagining / the water level now falling, / so there's less
<small>the water level을 수식하는 현재분사</small>
spending / in the economy. ❿ That would mean / firms producing less / and ⑤ dismissing some of their workers.

❶ 경제이론인 Say의 법칙은 만들어진 모든 물품이 팔리기 마련이라고 주장한다. ❷ 생산된 어느 물품으로부터든지 나오는 돈은 다른 물품을 사는 데 사용된다. ❸ 한 회사가 물품을 팔 수 없게 되어서 직원들을 해고하고 공장의 문을 닫아야 하는 상황은 절대 있을 수 없다. ❹ 따라서, 경기 후퇴와 실업은 불가능하다. ❺ 지출의 정도를 욕조 안의 물 높이처럼 상상해 보라. ❻ Say의 법칙은 사람들이 그들의 모든 수입을 물품을 사는 데 사용하기 때문에 적용된다. ❼ 하지만 만약 사람들이 그들의 돈을 전부 사용하지 않고, 대신 돈의 일부를 모은다면 무슨 일이 일어날까? ❽ 경제에서 저축은 지출의 '누수'이다. ❾ 당신은 아마 물의 높이가 이제 낮아지고 있는 것, 그래서 경제에서 지출이 적어지는 것을 상상하고 있을 것이다. ❿ 그것은 회사들이 더 적게 생산하고 일부 직원들을 해고하는 것을 의미할 것이다.

정답 전략 ② 뒤에 완전한 형태의 절이 왔으므로 which 앞에 전치사 in을 써서 in which로 쓰거나 관계부사 where로 바꿔 써야 한다.

창의·융합·코딩　전략 ①, ②

| 58~61쪽

1 Brian, Olivia, Harper　**2** ① 2020 ② Florida ③ more ④ 24 ⑤ lowest　**3** ③　**4** ②

1

해석 2020 한국 문화 영상 공모전

▶ 참가 가능한 사람 이 대회는 미국 거주민들만 참가할 수 있습니다.

▶ 참가 방법 2020년 7월 31일까지 여러분만의 동영상을 만들어 저희 웹 사이트에 업로드하세요.

▶ 참가 부문 아래에서 하나 또는 두 개의 부문에 모두 참가할지를 결정하세요.

한국 대중음악	한국 대중음악에 맞춰 노래하고 춤추기
한국 드라마	한국 드라마의 한 장면을 연기하기

▶ 상품 ·1등: 서울행 왕복 항공권 2장 ·2등: 홈시어터 시스템 ·3등: 한국 대중음악 가수 사인 앨범

우승자는 8월 15일 www.k_culture.org.에서 발표될 것입니다.

끊어 읽기로 보는 구문

여러분만의 동영상을 만들어서　저희 웹 사이트에 그것을 업로드하세요　2020년 7월 31일까지
Create your own video clip / and upload it on our website / by July 31, 2020.
　　　　　　　　　　　　　　= your own video clip　　　　　　～까지

2

해석 위 표는 2015년에서 2020년 사이에 태양에너지 산업에 추가된 노동자의 수에 따라 순위를 매긴 미국의 일곱 개 주를 보여 주고, 그에 상응하는 각 주의 증가율에 관한 정보를 제공한다. 이 기간 동안, 추가된 노동자의 수에 있어서 1위였던 플로리다는 71%의 증가를 보였다. 유타에서 추가된 노동자의 수는 텍사스에서 추가된 노동자 수보다 약 1,200명 더 많았다. 버지니아와 미네소타에 관해서는, 각 주는 100% 이상의 증가를 보였다. 뉴욕은 24%의 증가를 보이면서, 1,900명이 넘는 노동자를 추가했다. 이 일곱 개 주 가운데 펜실베이니아는 이 기간 동안 가장 적은 수의 노동자를 추가했다.

끊어 읽기로 보는 구문

위 표는　보여 준다　미국의 일곱 개 주를　노동자의 수에 따라 순위를 매긴　태양에너지 산업에 추가된
The table above / shows / seven U.S. states / ranked by the number of workers / added in the solar industry /
　　　　　　　　　　　　　　　　　　　　ranked 이하는 seven U.S. states를 수식하는 과거분사구　added 이하는 workers를 수식하는 과거분사구

2015년에서 2020년 사이에　그리고 정보를 제공한다　그에 상응하는 각 주의 증가율에 관한
between 2015 and 2020, / and provides information / on the corresponding growth percentage in each state.

3

해석 Hide & Seek Sayley 상호 작용 인형

Sayley와 노는 방법

1. Sayley를 숨기고, Sayley가 똑바로 앉아 있는 자세로 있도록 하세요.

2. 찾는 사람(어린이)은 탐지기를 통해 Sayley에게서 메시지를 받을 것입니다.

3. 찾는 사람이 탐지기의 녹색 버튼을 누르면, 찾는 사람이 Sayley를 찾을 때 Sayley가 반응을 시작할 것입니다.

4. 탐지기의 앞면에 있는 LED 표시기는 찾는 사람이 Sayley로부터 멀리 있는지 아닌지를 나타낼 것입니다.

• 파란불 – 찾는 사람이 먼 거리에 있습니다.

• 노란불 – 찾는 사람이 가까워지고 있습니다.

• 빨간불 – 찾는 사람이 매우 가까이 있습니다.

참고 사항: 1. Sayley의 목소리는 인형 자체가 아닌, 탐지기에서 나옵니다.

2. Sayley에게서 발신되는 신호에 영향을 주므로, 어떠한 금속 용기든 그 안에 Sayley를 숨기지 마세요.

Words and Phrases hide and seek 숨바꼭질 놀이 interactive 상호 작용하는 upright 똑바른 seeker 찾는 사람 detector 탐지기 LED indicator LED 표시기 indicate 나타내다, 표시하다 transmit 전송하다, 송신(발신)하다

정답 전략 ③ LED 불빛은 찾는 사람이 Sayley로부터 멀리 있는지 아닌지를 나타내 줄 것이라고 했다. 즉, Sayley와 찾는 사람 사이의 거리에 따라 불빛의 색이 달라진다.

끊어 읽기로 보는 구문

LED 표시기는　　　　탐지기의 앞면에 있는　　　　나타내 줄 것입니다　찾는 사람이 Sayley로부터 멀리 있는지 아닌지를
The LED indicators / on the front of the Detector / will indicate / if the seeker is far away from Sayley or not:
　　　　　　　　　　　　　　　　　　　　　　　　　　　　~인지

4

해석 19세기와 20세기의 가장 위대한 상징주의 극작가인 Maurice Maeterlinck는 1862년 8월 29일 벨기에의 Ghent에서 태어났다. 그는 법을 공부했고 1889년까지 변호사로 일했는데, 이후로 글쓰기에 전념하기로 결심했다. 1897년에, Maeterlinck는 파리로 갔고, 그곳에서 당대의 주요 상징주의 작가들 중 다수를 만났다. 그의 첫 극본인 'La Princesse Maleine(The Princess Maleine)'은 주요 프랑스 상징주의 시인이자 비평가인 Mallarmé에게 보내졌고, 즉시 성공을 거두었다. 또 다른 그의 극본 'L'Oiseau bleu(The Blue Bird)'는 국제적인 성공을 거두었고, 여러 차례 아동 도서와 대형 영화로 각색되었다. '행복의 파랑새'라는 어구가 이 대단히 인기 있고 오래가는 이야기에서 나왔다. Maeterlinck는 1911년에 노벨 문학상을 수상했다. 그는 프랑스의 Nice에서 1949년 5월 6일 심장마비로 사망했다.

Words and Phrases symbolist 상징주의자 playwright 극작가 devote oneself 전념하다 leading 주요한 immediate 즉각적인 adapt 각색하다 derive from ~에서 유래하다, 비롯하다 enduring 오래가는 heart attack 심장마비

정답 전략 ② Maeterlinck는 1889년까지 변호사로 일했고, 그때 글쓰기에 전념하기로 결심했으므로 1889년에 변호사로 일을 시작했다는 것은 틀린 서술이다.

끊어 읽기로 보는 구문

19세기와 20세기의 가장 위대한 상징주의 극작가인 Maurice Maeterlinck는　　　　　　　　　　　　　　　　　　　태어났다
Maurice Maeterlinck, the greatest symbolist playwright of the nineteenth and twentieth centuries, / was born /
　　　　　　　└ 동격 관계 ┘

1862년 8월 29일에　　　벨기에의 Ghent에서
on August 29, 1862, / in Ghent, Belgium.

1897년에　　　Maeterlinck는 파리로 갔고　　　그곳에서 그는 만났다　당대의 주요 상징주의 작가들 중 다수를
In 1897, / Maeterlinck went to Paris, / where he met / many of the leading symbolist writers
　　　　　　　　　　　　　　　　　　　　계속 용법의 관계부사 (= and there ~)

of the day.

1 ④   2 ④   3 ④   4 ⑤

---

1   지문 한눈에 보기

❶ The graph above / shows / the online shares of retail sales / for each of six countries / in 2012 and in 2019. ❷
_{of retail sales가 수식}
The online share of retail sales / refers to the percentage of retail sales / conducted online in a given country.
_{= which are conducted}
❸ For each country, / its online share of retail sales in 2019 / was ① larger / than that in 2012. ❹ Among the six
_{= its online share of retail sales}
countries, / the UK owned / the ② largest online share of retail sales / with 19.7% / in 2019. ❺ In 2019, / the U.S.
had / the second ③ largest online share of retail sales / with 16.5%. ❻ In 2012, / the online share of retail sales /
_{→ ~에 반하여(접속사)}
in the Netherlands / was ④ smaller (→ larger) / than that in France, / whereas the reverse was true / in 2019. ❼ In
_{= the online share of retail sales}
the case of Italy, / the online share of retail sales / was ⑤ less / than 5.0% / both in 2012 and in 2019.

해석 ❶ 위 도표는 2012년과 2019년에 여섯 나라 각각의 소매 판매의 온라인 점유율을 보여 준다. ❷ 소매 판매의 온라인 점유율은 주어진 나라에서 온라인으로 이루어진 소매 판매의 비율을 말한다. ❸ 각 나라에서, 2019년의 소매 판매의 온라인 점유율은 2012년의 그것보다 더 컸다. ❹ 여섯 나라 중에서, 영국은 2019년에 19.7%로 가장 큰 소매 판매의 온라인 점유율을 가졌다. ❺ 2019년에, 미국은 16.5%로 소매 판매의 온라인 점유율이 두 번째로 컸다. ❻ 2012년에, 네덜란드의 소매 판매의 온라인 점유율은 프랑스의 그것보다 더 작았지만(→ 더 컸지만), 2019년에는 그 반대였다. ❼ 이탈리아의 경우에, 소매 판매의 온라인 점유율이 2012년과 2019년 둘 다에서 5.0%에 미치지 못했다.

정답 전략 문장을 읽으며 밑줄 친 부분에 해당하는 수치를 그래프와 하나씩 비교한다. ④ 2012년에 네덜란드의 소매 판매 온라인 점유율이 프랑스보다 0.3% 컸으므로 smaller를 larger로 고쳐야 한다.

---

2   지문 한눈에 보기

❶ **Wireless Charging Pad**

❷ – Instructions –

❸ **Wireless Smartphone Charging:**

❹ 1. Connect / the charging pad / to a power source.
_{connect A to B: A를 B에 연결하다}

❺ 2. Place your smartphone / on the charging pad / with the display facing up.
_{with+목적어+현재분사: ~가 …한 채로}

❻ 3. Place your smartphone / on the center of the charging pad / (or it will not charge).
_{명령문 or ~: …하라, 그렇지 않으면 ~}

❼ **Charge Status LED:**

❽ • Blue Light: / Your smartphone / is charging. ❾ If there's / a problem, / the blue light / will flash.

❿ • White Light: / Your smartphone / is fully charged.

⓫ **Caution:**
_{┌ Do not+동사원형: ~하지 마라(부정명령문)}
⓬ • Do not place anything / between your smartphone and the charging pad / while charging.
_{between A and B: A와 B 사이에}   _{= while it[your smartphone] is charging}
⓭ • The charging pad / is not water-resistant. ⓮ Keep it dry.
_{keep+목적어+형용사: ~을 …하게 유지하다}

해석 ❶ 무선 충전 패드

❷ – 사용 안내 –

❸ 무선 스마트폰 충전: ❹ 1. 충전 패드를 전원에 연결하세요. ❺ 2. 화면을 위로 향하게 해서 스마트폰을 충전 패드 위에 놓으세요. ❻ 3. 스마트폰을 충전 패드 중앙에 놓으세요 (그렇지 않으면 충전되지 않습니다).

❼ 충전 상태 LED: ❽ ·파란색 빛: 스마트폰이 충전되는 중입니다. ❾ 문제가 있으면, 파란색 빛이 깜박일 것입니다. ❿ ·흰색 빛: 스마트폰이 완전히 충전된 것입니다.

⓫ 주의사항: ⓬ ·충전 중에는 스마트폰과 충전 패드 사이에 어떤 것도 놓지 마세요. ⓭ ·충전 패드는 방수가 되지 않습니다. ⓮ 물에 젖지 않게 하세요.

정답 전략 선택지를 먼저 읽어 어떤 정보를 글에서 찾아야 할지 확인한 후, 차례대로 안내문에서 정보를 확인하며 읽는다. 주의사항(Caution) 항목에서 충전 중에는 스마트폰과 충전 패드 사이에 아무것도 놓지 말라고 했으므로, ④가 안내문의 내용과 일치한다. ① 스마트폰의 화면을 위로 향하게 두어야 한다. ② 스마트폰을 충전 패드 중앙에 놓아야 한다. ③ LED 빛이 흰색이면 스마트폰이 완전히 충전된 것이다. ⑤ 충전 패드는 방수가 되지 않는다.

3

❶ Jill is driving her two young sons / to the movies. ❷ After the third time / that the kids have quarreled, / she
<small>when을 대신하여 쓰인 that, that ~ quarreled가 the third time을 수식</small>
pulls over the car, / turns around, / and screams at them / at the top of her lungs: / "ENOUGH! / One more word
<small>pulls ~, turns ~, screams ~가 병렬 구조로 연결</small>
/ and nobody goes to the movies!" ❸ After seeing the frightened looks / on the children's faces / and feeling the
<small>분사구문(= After she sees ~ and feels ~)</small> <small>앞에 쓰인 seeing과 병렬 구조로 연결</small>
aftermath of the hurricane / that just overtook her, / she drives to the movies / in a state of shock and disbelief.
<small>주격 관계대명사로, that ~ her가 the hurricane을 수식</small>
❹ The kids / were just being kids, / she thinks. ❺ How / could I have lost it / and scared them so badly? ❻ Jill
finds herself / feeling overwhelmed, exhausted, and pretty guilty / for the rest of the trip.
<small>find+목적어+동명사(목적격보어): ~가 …하는 것을 알게 되다</small>

해석 ❶ Jill은 자신의 어린 두 아들을 영화관에 데려가려고 차를 운전하는 중이다. ❷ 아이들이 세 번째 다툰 후에, 그녀는 차를 세우고, 몸을 돌려, 아이들에게 있는 힘껏 소리친다. "이제 그만! 한마디만 더하면 아무것도 영화 보러 못 가!" ❸ 아이들의 얼굴에 겁먹은 표정이 떠오른 것을 보고 방금 그녀를 덮친 허리케인의 여파를 느끼고 난 뒤, 그녀는 충격을 받고 믿기지 않는 상태로 영화관으로 차를 몬다. ❹ 아이들은 그저 아이들처럼 굴었다고 그녀는 생각한다. ❺ 어떻게 내가 참지 못하고 아이들을 그렇게 심하게 겁줄 수 있었지? ❻ Jill은 남은 길을 가는 동안 스스로가 어쩔 줄을 모르고, 지치고, 상당히 죄책감을 느끼고 있음을 알게 된다.

정답 전략 선택지를 훑어 본 뒤 이야기를 읽으며 선택지 내용과 차례로 비교한다. 차를 세우고 아이들에게 화를 낸 다음에 다시 영화관을 향해 운전했으므로, ④는 글의 내용과 일치하지 않는다.

4

❶ In the "good old days," / you earned positive feedback slowly / through good deeds or other accomplishments.

❷ With the advent of social media, / ① our children / become impatient / for an immediate answer or "Like"
<small>become+형용사: ~하게 되다</small>
/ within minutes of ② sending that urgent piece of information out, / as a text to one person, a group,

the hundreds of "friends" / they've amassed, / or the entire world. ❸ "I just have to check again / to see /
<small>they've 앞에 목적격 관계대명사 who(m)이 생략되어 있고, "friends"를 수식</small> <small>~하기 위해: to부정사의 부사적 용법(목적)</small>

③ **if anyone has responded, yet." ④** Every positive response / gives a small drop of dopamine / right into the
<small>～인지(접속사)</small>

brain's reward center. ❺ **Even** more powerfully, / neuroimaging studies / reveal / **that** the anticipation of a
<small>비교급 강조 부사</small> <small>명사절을 이끄는 접속사</small>

reward is more stimulating / than ④ its actual receipt. ❻ Plus, / the reward from each response / is not enough to
<small>실제로 받는 것</small>

be totally satisfying, / leaving you still hungry for more — / another feature of addictive behavior. ❼ Thus, / the
<small>분사구문(연속 동작)</small>

dopamine reward of the instant feedback / contributes to ⑤ the time spending (→ spent) on social media.
<small>the time을 수식하는 과거분사</small>

해석 ❶ '좋았던 옛 시절'에 여러분은 선행이나 다른 성취를 통해 천천히 긍정적 반응을 받았다. ❷ 소셜 미디어의 도래와 더불어, 우리 아이들은 그렇게 다급한 정보를 한 사람, 한 집단, 자신들이 모은 수백 명의 '친구들,' 또는 전 세계에 글로 보낸 지 몇 분 안에 즉각적인 응답이나 '좋아요'를 초조하게 기다리게 된다. ❸ "나는 아직 누군가 응답했는지 알아보기 위해 다시 확인해야만 해." ❹ 모든 긍정적 응답은 두뇌의 보상중추 바로 그 안으로 소량의 도파민을 준다. ❺ 훨씬 더 강력하게, 두뇌 영상 연구는 보상에 대한 기대가 보상을 실제로 받는 것보다 더 자극적임을 보여 준다. ❻ 게다가, 각 응답으로부터의 보상은 완전히 만족하기에는 충분하지 못하여, 여전히 여러분이 더 많은 것을 갈망하게 하는데, 그것은 중독 행동의 또 다른 특징이다. ❼ 따라서 즉각적인 반응에 대한 도파민 보상은 소셜 미디어에서 시간을 보내게 하는 원인이 된다.

정답 전략 ⑤ 사람이 소셜 미디어에서 시간을 '보내는' 것이므로, the time과 동사 spend는 수동 관계이다. 따라서 과거분사 spent로 the time을 꾸미는 것이 적절하다.

1·2등급 확보 전략 1회 68~71쪽

| 1 ③ | 2 ② | 3 ⑤ | 4 ⑤ | 5 ⑤ | 6 ④ |

---

1 <small>지문 한눈에 보기</small>

<small>→ how much 이하는 「의문사(주어)+동사 ~」 형태의 간접의문문</small>

❶ The two pie charts above / show / how much of the information / found using search engines / is considered
<small>information을 수식하는 과거분사구</small>

to be accurate or trustworthy / by two groups of respondents (AP & NWP teachers and U.S. adult search users)

/ in 2012. ❷ **As for** AP & NWP teachers, / five percent say / **that** "All / Almost all" of the information / found
<small>～에 관해 말하면</small> <small>명사절을 이끄는 접속사</small> <small>information을 수식하는 과거분사구</small>

using search engines / is accurate or trustworthy, / **while** 28 percent of U.S. adult search users say the same.
<small>～에 반해서(대조의 접속사)</small>

❸ The largest percentage of both AP & NWP teachers and U.S. adult search users / answer / that "Most" of the

information is accurate or trustworthy. ❹ In addition, / 40 percent of AP & NWP teachers / say / that "Some" of

the information is accurate or trustworthy, / and more than 30 percent of U.S. adult search users / respond the

same. ❺ U.S. adult search users / **saying** / that "Very little / None" of the information / found using search engines
<small>saying ～ trustworthy는 U.S. adult search users를 수식하는 현재분사구</small>

/ is accurate or trustworthy / account for less than five percent. ❻ The percentage of U.S. adult search users /
<small>주어가 "Very little / None" of the information</small> <small>주어가 U.S. adult search users</small>

who answer "Don't know" / is only one percent.
<small>관계대명사절로, U.S. adult search users를 수식</small>

해석 ❶ 위 두 개의 파이 도표는 2012년에 검색 엔진을 사용해서 찾은 정보 중 얼마만큼이 두 집단의 응답자들(AP와 NWP 교사들 및 미국 성인 검색 사용자들)에 의해 정확하거나 신뢰할 만하다고 여겨지는지를 보여 준다. ❷ AP와 NWP 교사들의 경우, 5퍼센트가 검색 엔진을 사용해서 찾은 정보의 '모두/거의 모두'가 정확하거나 신뢰할 만하다고 말하는 반면, 미국 성인 검색 사용자들의 28퍼센트가 동일하게 말한다. ❸ AP와 NWP 교사들 및 미국 성인 검색 사용자들 양쪽의 가장 큰 비율은 정보의 '대부분'이 정확하거나 신뢰할 만하다고 응답한다. ❹ 게다가, AP와 NWP 교사들의 40퍼센트가 정보의 '일부'가 정확하거나 신뢰할 만하다고 말하고, 미국 성인 검색 사용자들 중 30(→ 20)퍼센트가 넘는 사람들이 동일하게 응답한다. ❺ 검색 엔진을 사용해서 찾은 정보 중 정확하거나 신뢰할 만한 정보가 '매우 적거나 없다'고 말하는 미국 성인 검색 사용자들은 5퍼센트 미만을 차지한다. ❻ '모른다'고 응답한 미국 성인 검색 사용자들의 비율은 단 1퍼센트이다. *AP: 대학 과목 선이수 제도 / NWP: 전국 글쓰기 프로젝트

Words and Phrases accuracy 정확성 trustworthiness 신뢰성 search engine 검색 엔진 accurate 정확한 trustworthy 신뢰할 만한 respondent 응답자 as for ~에 관해 말하면 respond 응답하다 account for ~을 차지하다

정답 전략 ③ 정보의 '일부'가 정확하거나 신뢰할 만하다고 응답하는 미국 성인 검색 사용자들의 비율은 22퍼센트로 30퍼센트를 넘지는 않는다.

2

❶ Donald Griffin was / an American biophysicist and animal behaviourist / known for his research / in animal
= who was known ~
navigation, acoustic orientation, and sensory biophysics. ❷ During his childhood, / he was influenced / by his
uncle, / who was a Harvard professor of biology. ❸ Griffin received / a Ph.D. in zoology / from Harvard University
계속 용법의 관계대명사
/ in 1942. ❹ He demonstrated / that bats emit / high-frequency sounds / with which they can locate objects
명사절을 이끄는 접속사 *목적격 관계대명사로, with which ~ insects가 high-frequency sounds를 수식*
as small / as flying insects. ❺ In 1965, / he became a professor / at Rockefeller University in New York / and a
research zoologist for the New York Zoological Society. ❻ After he retired from Rockefeller University / in 1986, /
he didn't stop his research: / he continued / to present papers / at national and international meetings. ❼ In the
비록 ~이지만, ~임에도 불구하고(양보의 접속사)
late 1970s / Griffin argued / that animals might possess / the ability / to think and reason. ❽ Although his claim
명사절을 이끄는 접속사 *to부정사의 형용사적 용법 (the ability 수식)*
sparked / much controversy / in the science community, / there is no question / that he radically opened up /
의심할 여지가 없다, 의문의 여지가 없다
the field of animal cognition.

해석 ❶ Donald Griffin은 동물의 비행, 청각적 방향감, 감각 생물 물리학에서의 연구로 알려진 미국의 생물 물리학자이자 동물 행동학자였다. ❷ 그는 어린 시절 자신의 삼촌에게 영향을 받았고, 그의 삼촌은 Harvard의 생물학 교수였다. ❸ Griffin은 1942년에 Harvard 대학교에서 동물학 박사 학위를 받았다. ❹ 그는 박쥐가 날아다니는 곤충만큼 작은 사물의 위치를 파악할 수 있게 하는 고주파음을 발사한다는 것을 증명했다. ❺ 1965년에, 그는 뉴욕의 Rockefeller 대학교에서 교수가 되었고 뉴욕 동물학회의 연구 동물학자가 되었다. ❻ 1986년에 Rockefeller 대학교에서 퇴직한 후, 그는 연구를 멈추지 않았고, 계속해서 국내와 국제 회의에 논문을 발표했다. ❼ 1970년대 후반에 Griffin은 동물이 생각하고 추론하는 능력을 갖고 있을 수 있다고 주장했다. ❽ 비록 그의 주장이 과학계에 많은 논란을 일으켰지만, 그가 급진적으로 동물 인지 분야를 열었다는 것에는 의문의 여지가 없다.

Words and Phrases biophysicist 생물 물리학자 animal behaviourist 동물 행동학자 navigation 항해, 항공 acoustic 청각의 orientation 방향 sensory 감각의 zoology 동물학 demonstrate 증명하다, 논증하다 emit (소리를) 내다 high-frequency sound 고주파음 locate ~의 정확한 위치를 찾아내다 argue 주장하다 possess 소유하다, 지니다 claim 주장 spark 야기하다, 유발하다 controversy 논쟁, 논란 radically 급진적으로 cognition 인식, 인지

정답 전략 선택지를 먼저 읽고, 어떤 정보를 확인해야 하는지 파악한 후 글을 읽는다. 순서대로 하나씩 선택지와 비교하여 답을 찾는다. 어린 시절 Donald Griffin이 영향을 받은 삼촌은 생물학 교수였으므로 ②는 글의 내용과 일치하지 않는다.

❶ Surf and Tutor Sessions

❷ We're offering / a personalized 3.5-hour curriculum / in which students are tutored / in
목적격 관계대명사로, in which ~ hours가 a personalized 3.5-hour curriculum을 수식

chosen subjects / for 1.5 hours. ❸ In addition to tutoring, / students / take part in a 2-hour
~ 외에도   ~에 참가하다

surf lesson / at Torrance Beach!

❹ What's included ❺ • Beach gear (surfboards) / and all necessary study gear

❻ • Lunch, drinks, snacks, photos and videos / of the students riding waves

❼ **Available subjects for tutoring** ❽ • Math and Science ❾ • Writing and Grammar ❿ • Chinese

⓫ **Schedule** ⓬ • July 16 – August 24 (Mon. – Fri.) ⓭ • Tutoring 9:00 a.m. – 10:30 a.m.

⓮ • Surfing 10:30 a.m. – 12:30 p.m.

⓯ • Only surf lessons OR tutoring / available / upon request ⓰ For inquiry, / call (310) 345–9876.

해석 ❶ 서핑 및 학과 교습 ❷ 저희는 개인별로 맞춘 3.5시간의 교육과정을 제공하고 있는데, 그 중 1.5시간은 학생들이 선택한 과목을 개인 교습 받습니다. ❸ 학과 교습 외에도, 학생들은 Torrance 해변에서 2시간 동안 진행되는 서핑 교습에 참여합니다! ❹ 포함된 내역 ❺ • 해변 장비(서핑보드)와 필요한 모든 학습 도구 ❻ • 점심, 음료, 간식, 파도타기를 하는 학생들의 사진과 동영상 ❼ 학과 교습이 가능한 과목 ❽ • 수학과 과학 ❾ • 작문과 문법 ❿ • 중국어 ⓫ 일정표 ⓬ • 7월 16일~8월 24일 (월요일~금요일) ⓭ • 학과 교습 오전 9시~오전 10시 30분 ⓮ • 서핑 교습 오전 10시 30분~오후 12시 30분 ⓯ • 요청 시 서핑 교습 또는 학과 교습만 이용 가능 ⓰ 문의는 (310) 345–9876으로 하십시오.

Words and Phrases tutor 개인 지도 교사; 개인 교습을 하다 personalize 개인화하다 curriculum 교육과정 in addition to ~ 이외에, ~에 더하여 take part in ~에 참가하다 gear 도구, 장비 request 요청, 요구 inquiry 문의, 질문

정답 전략 3 ⑤ Only surf lessons OR tutoring available upon request로 보아 안내문의 내용과 일치한다. ① 학과 교습 시간은 3.5시간 중에 1.5시간으로 서핑 시간보다 짧다. ② 학습 도구는 제공된다. ③ 학과 교습이 가능한 과목은 수학과 과학, 작문과 문법, 중국어이다. ④ 학과 교습 시간은 오전 9시부터 10시 30분이고, 서핑 교습 시간은 오전 10시 30분부터 오후 12시 30분이므로 학과 교습 후에 서핑 교습을 받는다. 4 ⑤ 모든 교습은 월요일부터 금요일까지 받는다.

---

❶ There was once a king / who was unhappy at being overweight, / so he called / the wisest man in the kingdom
주격 관계대명사로, who ~ overweight가 a king을 수식   명사절을 이끄는 접속사

/ to help him to get into shape. ❷ The wise man / told him / ⓐ that there was a magic mirror / in the king's
the wisest man을 수식하는 형용사적 용법의 to부정사 / help+목적어+to부정사(동사원형): ~가 …하는 것을 돕다

woods / and, if one looked into it, / one would become as thin / as one wanted. ❸ The only problem / was / that
만약 ~한다면   명사절을 이끄는 접속사

this mirror could only be found / in the woods / early in the morning at sunrise / and then only for a few minutes
only가 쓰인 부사구가 문장 앞에 오면 주어와 동사가 도치된다.

/ ⓑ did its magic work. ❹ The king / then proceeded to get up / just before dawn every morning / and ⓒ run
its magic worked → did its magic work   to get up과 병렬구조로 앞에 to 생략

around the woods / searching for this mirror. ❺ After a couple of months / the wise man / ⓓ placing (→ placed) a
분사구문(동시 동작)

mirror in the woods / for the king / to find miraculously he had lost all the weight / he had wanted. ❻ Of course
to부정사의 의미상의 주어   앞에 명사절을 이끄는 that 생략   he 앞에 목적격 관계대명사 that이 생략되어 있고, all the weight를 수식한다.

/ the mirror / was not magic. ❼ The king's weight loss / was directly ⓔ attributable / to two months of early

morning jogging. ❽ Would the king have taken the advice / if he had been told to do that?
가정법 과거완료

해석 ❶ 옛날에 체중이 많이 나가는 것이 못마땅했던 왕이 있었는데, 자신이 몸매를 가꾸는 것을 도울 수 있는 왕국에서 가장 현명한 사람을 불렀다. ❷ 현자는 왕의 숲에 마법의 거울이 있는데, 그 안을 들여다보는 사람은 원하는 만큼 날씬해질 것이라고 왕에게 말했다. ❸ 유일한 문제점은 이 거울은 해가 뜨는 이른 아침에만 숲에서 찾을 수 있고 그때 오직 몇 분 동안만 마법이 발휘된다는 것이었다. ❹ 그러자 왕은 매일 아침 동이 트기 직전에 일어나서 이 거울을 찾아 숲을 뛰어다니기를 계속했다. ❺ 두어 달 뒤에 그 현자는 왕이 기적적으로 자신이 원했던 살이 다 빠졌다는 것을 발견할 수 있도록 숲속에 거울을 하나 놓아두었다. ❻ 물론 그 거울은 마법이 아니었다. ❼ 왕의 체중 감량은 직접적으로 두 달 동안 매일 아침에 했던 조깅 덕분이었다. ❽ 그렇게 하라는(두 달 동안 매일 아침 조깅을 하라는) 말을 들었다면 왕은 그 조언을 받아들였을까?

Words and Phrases overweight 과체중의 get into shape 건강을 유지하다, 몸매를 가꾸다 sunrise 일출, 해돋이 proceed 계속하다 dawn 새벽 miraculously 기적적으로 attributable ~에 기인하는, ~의 탓인

정답 전략 5 ⑤ 왕이 거울을 찾으러 아침마다 뛰어다니느라 살이 빠진 스스로의 모습을 볼 수 있도록 현자가 숲에 거울을 가져다 놓았다.
6 ⓓ the wise man이 문장의 주어이고 placing은 동사 역할을 해야 하므로, placed로 고쳐 써야 한다.

1·2등급 확보 전략 2회

72~79쪽

1 ③ 2 ② 3 ④ 4 ③ 5 ② 6 ① 7 ② 8 ③

1~2

지문 한눈에 보기

❶ "No thanks," / you say / when a waitress comes around / with a basket of warm, freshly baked bread, / even though you're starving, / because you're out to dinner / with your new boss.
even though: 비록 ~일지라도(양보의 접속사)

❷ When we want / to impress someone / or make them ⓐ think a certain way about us, / we tend to eat less / in their presence / than we would / if we were alone.
make+목적어+동사원형: ~가 …하게 하다 *가정법 과거로, would 뒤에 eat이 생략되어 있다.*

❸ Modest consumption / is often viewed favorably / regardless of one's gender / — as it implies self-control, discipline, / and ⓑ what (→ that) you are paying more attention / to the person / you are with / than to your food.
regardless of: ~와 관계없이 *명사절을 이끄는 접속사* *you 앞에 목적격 관계대명사 who(m)이 생략되어 있다.*

❹ In addition to wanting to make a good impression, / simply being watched / makes us self-conscious.
주어는 simply being watched

❺ This along with the anxiety / about what critical observations / the new boss / may be making, / can further suppress food intake.
의문사+주어+동사: 간접의문문

❻ In Deborah Roth's experiment / in which participants were ⓒ given fake information / about prior volunteers, / the enhancing effects of imaginary greedy eaters / totally disappeared / when the experimenter was in the room watching.
목적격 관계대명사로, in which ~ volunteers가 experiment를 수식 / in which는 관계부사 where로 바꿀 수 있다. *of imaginary greedy eaters가 수식*

❼ Regardless of / how much the imaginary predecessors had ⓓ previously eaten, / when the real participant knew / she was being observed / she ate very little.
과거진행형 수동태

❽ This kind of effect / can even occur / when the observer isn't a person at all.

❾ In an experiment / conducted at the University of Missouri, / participants finished their meals more quickly / and sometimes ⓔ got up and left / without finishing / when they were being stared at / by a life-sized bust of a human head.
an experiment를 수식하는 과거분사구

❶ 종업원이 따뜻한 갓 구운 빵이 든 바구니를 가지고 다가올 때, 여러분은 몹시 배가 고파도 새로운 상사와 저녁 식사를 하러 나왔기 때문에 "고맙습니다만 괜찮아요."라고 말한다. ❷ 우리가 누군가에게 좋은 인상을 남기고 싶거나 그들이 우리에 대해 어떤 특정한 방식으로 생각하게 하고 싶을 때, 그들 앞에서는 혼자 있다면 먹을 양보다 적게 먹는 경향이 있다. ❸ 적당하게 먹는 것은 그 사람의 성별과 관계없이 흔히 좋게 여겨지는데, 그것이 자제력, 절제, 그리고 여러분이 음식보다는 함께 있는 사람에게 더 집중하고 있다는 것을 암시하기 때문이다. ❹ 좋은 인상을 주고 싶어 하는 것뿐만 아니라, 관찰되는 것만으로도 우리는 남의 시선을 의식하게 된다. ❺ 이것은 새로운 상사가 어떤 비판적인 관찰을 하고 있을지에 대한 불안감과 함께 음식 섭취를 더 억제할 수 있다. ❻ 참가자들에게 이전 지원자에 대한 가짜 정보가 주어진 Deborah Roth의 실험에서, 상상 속의 욕심 많은 대식가가 일으키는 증진 효과는 실험자가 그 방에서 지켜보고 있을 때 완전히 사라졌다. ❼ 가상의 이전 참가자가 전에 얼마나 많이 먹었든 간에 관계없이, 진짜 실험 참가자는 자신이 관찰되고 있다는 것을 알았을 때 아주 적게 먹었다. ❽ 이런 종류의 효과는 관찰자가 사람이 아닐 때조차 발생할 수 있다. ❾ Missouri 대학교에서 시행된 실험에서, 사람 머리가 있는 실물 크기의 흉상이 자신을 응시하고 있을 때 실험 참가자는 더 빨리 식사를 마쳤고, 때로는 식사를 마치지 않고 일어나 떠났다.

Words and Phrases starve 몹시 배고프다, 굶주리다 impress 감명을 주다, 깊은 인상을 주다 in one's presence 앞에서, 면전에서 modest 적절한, 적당한 consumption 먹는 것, 소비 favorably 호의적으로 regardless of ~와 관계없이 gender 성별 imply 암시하다 self-control 자제력 discipline 절제, 단련 impression 인상, 감명 self-conscious 남의 시선을 의식하는 suppress 억제하다 intake 섭취(량) fake 가짜의 enhance 증진시키다 greedy 탐욕스러운, 욕심 많은 predecessor 전임자, 이전의 것 conduct 수행하다 life-sized 실물 크기의 bust 흉상

정답 전략 **1** 글 전반에 걸쳐 반복적으로 '사람들은 누군가가 지켜보고 있을 때 그들의 시선을 의식하여 적게 먹게 된다'는 내용이 언급되고, 이를 뒷받침하기 위한 실험과 예시가 제시되고 있다. 따라서 ③이 글 전체를 아우를 수 있는 제목으로 적절하다. ① 식사 예절: 필요악인가? ② 혼자 하는 식사는 건강에 좋지 않다 ③ 지켜보는 눈이 당신이 덜 먹게 만들 수도 있다 ④ 적절한 (음식) 섭취량이 건강에 미치는 영향 ⑤ 식욕을 자극하는 효과적인 방법들

2 ⓑ 바로 뒤에 완전한 절이 나오고 있으므로 접속사 that으로 고쳐 써서 implies의 목적어인 명사절을 만든다.

지 문 한 눈 에 보 기

❶ Have you ever found yourself / speaking to someone at length / only to realize / they haven't heard a single
  현재완료(경험)   └▸보어(As ~ hear)가 문장 앞으로 나오면서 뒤의 주어와 동사가 도치됨   to부정사의 부사적 용법(결과)

thing / you've said? ❷ As ⓐremarkable / as our ability to see or hear / is / our capacity to disregard. ❸ This
                a single thing을 수식하는 목적격 관계대명사절   our ability를 수식하는 형용사적 용법의 to부정사   our capacity를 수식하는 형용사적 용법의 to부정사

capacity, / along with the inherent need / to pay attention to something, / has dictated / the development of
                                   the inherent need를 수식하는 형용사적 용법의 to부정사

the attention industries.

❹ Every instant of every day / we are overloaded / with information. ❺ In fact, / all complex organisms, /

especially those with brains, / ⓑsuffer from information overload. ❻ Our eyes and ears / receive / lights and
         = complex organisms

sounds / across the spectrums of visible and audible wavelengths. ❼ All told, / every second, / our senses
                                                             모두 합해서

transmit / an estimated 11 million bits of information / to our poor brains, / as if a giant fiber-optic cable / were
                                                              마치 ~인 것 처럼

plugged directly into ⓒit (→ them) / firing information / at full speed. ❽ In light of this, / it is rather incredible /
                              = our poor brains   분사구문   가주어

that we are even capable of boredom.
  진주어

❾ Fortunately, / we have a valve / by which to turn the flow on or off / at will. ❿ To use another term, / we can
= by which we can turn
both "tune in" and "tune out." ⓫ When we shut the valve, / we ignore almost everything, / while ⓐfocusing on
분사구문 (= while we are focusing ~)
just one discrete stream of information / out of the millions of bits / coming in. ⓬ In fact, / we can even shut out
the millions of bits를 수식하는 현재분사구
everything external to us, / and concentrate on an internal dialogue, / as when we are "lost in thought." ⓭ This
ability — to block out most everything, and focus — / is / ⓔwhat neuroscientists and psychologists refer to / as
refer to A as B: A를 B라고 일컫다
paying attention.

[해석] ❶ 여러분은 누군가에게 길게 이야기를 했는데 그들이 여러분이 말한 것을 단 한마디도 듣지 않았다는 것을 깨닫고 만 자신을 발견한 적
이 있는가? ❷ 보거나 듣는 우리의 능력만큼 놀라운 것이 우리의 무시하는 능력이다. ❸ 어떤 것에 관심을 기울이는 선천적 욕구와 함께 이 능
력은 관심을 활용한 산업의 발달에 영향을 끼쳐 왔다.
❹ 매일 매 순간 우리는 정보로 과부하를 겪는다. ❺ 사실, 모든 복잡한 생명체, 특히 뇌가 있는 생명체들은 정보의 과부하로 고통을 겪는다. ❻
우리의 눈과 귀는 볼 수 있고 들을 수 있는 파장의 스펙트럼 전체에 걸쳐 있는 빛과 소리를 받아들인다. ❼ 마치 거대한 광섬유 케이블이 그것
들에 직접 연결되어 전속력으로 정보를 쏘아대는 것처럼, 우리의 감각은 모두 합쳐, 매초, 천백만 비트로 추정되는 정보를 우리의 가엾은 뇌로
전송한다. ❽ 이 점에 비추어, 우리가 심지어 지루해할 수도 있다는 것이 오히려 놀랍다.
❾ 다행히도, 우리는 마음대로 그 흐름을 지속하게 하거나 차단할 수 있는 밸브를 가지고 있다. ❿ 다른 말로 하면, 우리는 '받아들일' 수도 '차
단할' 수도 있다. ⓫ 우리가 밸브를 잠그면, 들어오고 있는 수백만 비트 중 단지 하나의 별개 정보 흐름에 집중하면서 우리는 거의 모든 것을 무
시한다. ⓬ 사실, 우리가 '사색에 잠겼을' 때처럼 우리는 심지어 우리 외부에 있는 모든 것을 차단하고 내면의 대화에 집중할 수 있다. ⓭ 거의
모든 것을 차단하고 집중하는 이 능력은 신경 과학자들과 심리학자들이 주목이라고 일컫는 것이다.
Words and Phrases   remarkable 놀라운   capacity 용량, 능력   disregard 무시하다   inherent 선천적인   dictate ~에 영향을 끼치다
overload 과부하가 걸리게 하다; 과부하   visible 눈에 보이는   audible 들리는   wavelength 파장, 주파수   all told 모두 합쳐서   transmit
전송하다   fiber-optic 광섬유의   boredom 지루함   term 용어, 말   discrete 별개의   external 외부의   concentrate on ~에 집중하다
internal 내부의   neuroscientist 신경 과학자   psychologist 심리학자   refer to A as B A를 B라고 일컫다
[정답 전략] 3 인간은 정보의 과부하를 겪으며, 매초 엄청난 양의 정보를 받아들이지만 다행히 필요할 때 그 정보의 흐름을 지속하거나 차단할
수 있는 능력이 있다는 것이 이 글의 중심 내용이다. 따라서 이 글의 요지로 적절한 것은 ④이다.
4 ⓒ 문맥상 it이 가리키는 것은 our poor brains이다. 따라서 복수형 them으로 고쳐 써야 한다.

지문 한 눈에 보기

↱ 앞에 being이 생략된 분사구문이라 할 수 있다.
❶ While complex, / blockchains exhibit / a set of core characteristics, / which flow / from the technology's reliance
~인 데 반해서(대조의 접속사)   계속 용법의 관계대명사
/ on a peer-to-peer network, public-private key cryptography, and consensus mechanisms. ❷ Blockchains are /
disintermediated and transnational. ❸ They are resilient and resistant / to change, / and enable people to store
enable+목적어+to부정사: ~가 …하는 것을 가능하게 하다
nonrepudiable data, / pseudonymously, / in a transparent manner. ❹ Most — if not all — blockchain-based
networks / feature market-based or game-theoretical mechanisms / for reaching consensus, / which can be
계속 용법의 관계대명사
used to coordinate people or machines. ❺ These characteristics, / when combined, / enable the deployment of
= when they are combined
autonomous software / and explain / why blockchains serve as a powerful new tool / to facilitate economic and
관계부사로, 앞에 선행사 the reason이 생략되어 있다.   a powerful new tool을 수식하는 형용사적 용법의 to부정사
social activity / that otherwise would be difficult to achieve.
주격 관계대명사로, that ~ to achieve가 economic and social activity를 수식

❻ At the same time, / these characteristics / represent / the technology's greatest <u>limitations</u>. ❼ The disintermediated and transnational nature of blockchains / makes the technology difficult / to govern / and makes it difficult / to implement changes to a blockchain's underlying software protocol. ❽ Because blockchains

<small>가목적어　　　진목적어</small>

are pseudonymous / and have a tamper-resistant data structure / supported by decentralized consensus

<small>= which is supported ~</small>

mechanisms, / they can be used / to coordinate socially unacceptable or criminal conduct, / including conduct

<small>분사구문(동시 동작)</small>

/ facilitated by autonomous software programs. ❾ Moreover, / because blockchains are / transparent and

<small>= which is facilitated ~</small>

traceable, / they are prone to being co-opted / by governments or corporations, / transforming the technology

<small>분사구문(동시 동작) / transform A into B: A를 B로 변형시키다</small>

into a powerful tool / for surveillance and control.

해석 ❶ 복잡하기는 하지만, 블록체인은 일련의 핵심적인 특징들을 보이는데, 이것은 사용자간 직접 네트워크, 공개–개인 키 암호화 기법, 그리고 합의 메커니즘에 대한 그 기술의 의존으로부터 나온다. ❷ 블록체인은 탈중개화되어 있고 초국가적이다. ❸ 그것들은 변경에 대한 회복 탄력성과 저항성이 있으며, 사람들이 부인 방지 데이터를 유사 익명성을 가지고 투명한 방식으로 저장하는 것을 가능하게 해 준다. ❹ 모두는 아니라도, 대부분의 블록체인 기반 네트워크는 합의에 이르기 위해 시장 기반이나 게임 이론의 메커니즘을 특징으로 하는데, 이것은 사람이나 기계들을 조정하는 데 사용될 수 있다. ❺ 이러한 특징들은 결합되었을 때 자동화 소프트웨어의 배치를 가능하게 하고, 블록체인이 그것 없이는 성취하기 어려울지 모르는 경제적, 사회적 활동을 용이하게 하는 강력한 새로운 도구의 역할을 하는 이유를 설명한다.

❻ 동시에, 이런 특징들은 그 기술의 가장 큰 한계들을 나타낸다. ❼ 블록체인의 탈중개화적이고 초국가적인 성질이 그 기술을 통제하기 어렵게 만들고 블록체인의 근본적인 소프트웨어 프로토콜의 변경을 시행하는 것을 어렵게 한다. ❽ 블록체인은 유사 익명성이 있고 분산적 합의 메커니즘에 의해 지원되는 변형 억제 데이터 구조를 가지고 있기 때문에, 그것들은 자동화 소프트웨어 프로그램에 의해 용이해지는 행위를 포함하여, 사회적으로 용인되지 않는 행위나 범죄 행위를 조직화하는 데 이용될 수 있다. ❾ 게다가, 블록체인은 투명하고 추적이 가능하기 때문에, 그 기술을 감시와 통제를 위한 강력한 도구로 변형시키면서, 정부나 기업들이 끌어들이기 쉽다.

Words and Phrases reliance 의존　peer-to-peer 사용자간 직접 접속의　consensus 합의　disintermediate 중개를 탈피하다　transnational 초국가적인　resilient 회복력 있는　nonrepudiable 부인(거부)할 수 없는　transparent 투명한　feature ~을 특징으로 하다　game-theoretical 게임 이론의　coordinate 조정하다, 조직화하다　deployment 배치　autonomous 자동화의　facilitate 촉진하다, 용이하게 하다　otherwise 그렇지 않으면　govern 통제하다　implement 시행하다　protocol 초안, 원안, 통신 규약　tamper-resistant 부정 조작 방지의, 변경 방지의　decentralize 분산시키다　conduct 행위　traceable 추적 가능한　prone to ~을 잘하는, ~의 경향이 있는　co-opt 끌어들이다　surveillance 감시

정답 전략 5 첫 번째 단락은 블록체인 기술의 특징에 대한 내용이고 두 번째 단락은 블록체인 기술의 한계점에 대한 내용이므로, 이 글의 주제로는 ②가 적절하다. ① 블록체인 기술의 간략한 역사 ② 블록체인 기술의 장점과 단점 ③ 사상 최대의 경제적 돌파구로서의 블록체인 ④ 사람들이 블록체인 기반의 디지털 화폐에 열광하는 이유 ⑤ 블록체인 기술을 이용한 정부의 경제 통제

6 빈칸 뒤에 이어지는 내용이 블록체인의 단점에 관한 내용이므로 빈칸에는 ① limitations(한계점들)가 적절하다. ② 고정관념들 ③ 영향들 ④ 혁신들 ⑤ 가능성들

→ ~하기 위해: to부정사의 부사적 용법(목적)

❶ To find out / whether basketball players shoot in streaks, / researchers obtained / the shooting records of the
~인지 아닌지(= if)

Philadelphia 76ers / during the 1980-81 season. (❷ The 76ers are the only team / who keep records of the order
주격 관계대명사로, who ~ simple totals가 the only team을 수식

/ in which a player's hits and misses occurred, / rather than simple totals.) ❸ The researchers / then analyzed
목적격 관계대명사로, in which ~ occurred가 the order를 수식

these data / to determine / whether players' hits tended / to cluster together more / than one would expect by
~인지 아닌지(= if)

chance. ❹ Contrary to the expectations / expressed by the researchers' sample of fans, / players were not more
~에 반해서   the expectations를 꾸미는 과거분사

likely to make a shot / after making their last one, two, or three shots / than after missing their last one, two, or

three shots. ❺ In fact, / there was a slight tendency / for players / to shoot better / after missing their last shot. ❻
to부정사의 의미상의 주어

They made 51% of their shots / after making their previous shot, / compared to 54% after missing their previous
~와 비교하여

shot; ❼ 50% after making their previous two shots, / compared to 53% after missing their previous two; ❽ 46%

after making three in a row, / compared to 56% after missing three in a row.
잇달아, 계속해서

해석 ❶ 농구 선수들이 연속으로 슛을 넣는지를 알아내기 위해, 연구자들은 1980~81 시즌 동안 Philadelphia 76ers의 슈팅 기록을 입수했다. (❷ 76ers는 단순한 총 개수보다, 선수의 명중과 실패가 일어난 '순서'를 기록해 둔 유일한 팀이다.) ❸ 그러고 나서 연구자들은 누군가가 우연히 예상하는 것보다 선수들의 명중이 더 많이 한꺼번에 몰아서 일어나는 경향이 있는지 밝혀내기 위해 이 자료를 분석했다. ❹ 연구자들의 표본으로 뽑힌 팬들에 의해 나타난 예상과는 반대로, 선수들이 슛을 한 번, 두 번, 또는 세 번 성공한 후에 슛을 넣을 가능성은 슛을 한 번, 두 번, 또는 세 번 실패한 후보다 더 높지 않았다. ❺ 실제로는, 선수들이 마지막 슛을 실패한 후에 슛을 더 잘하는 경향이 약간 있었다. ❻ 그들은 이전에 한 번 슛을 실패한 후에 슛의 54퍼센트를 성공시킨 것에 비해, 이전에 한 번 슛을 성공시킨 후에는 슛의 51퍼센트를 성공시켰다. ❼ (슛의 성공률이) 이전에 두 번 슛을 실패한 후에는 53퍼센트였던 것에 비해, 이전에 두 번 슛을 성공시킨 후에는 50퍼센트였다. ❽ (슛의 성공률이) 연속으로 세 번 실패한 후에는 56퍼센트였던 것에 비해, 연속으로 세 번 성공한 후에는 46퍼센트였다.

Words and Phrases analyze 분석하다 cluster 모이다 contrary to ~에 반해서 expectation 예상 slight 약간의 tendency 경향 previous 이전의, 바로 앞의 compared to ~와 비교하여 in a row 잇달아, 계속해서

정답 전략 7 ② 요약문을 빠르게 읽고 내용을 파악한 뒤, 글을 읽으면서 빈칸에 들어갈 말을 찾는다. 농구 슈팅에서 성공 후에 무엇이 잇따를 가능성이 더 높다고 예상되었는지 찾고, 그 예상에 대한 필자의 견해를 파악해야 한다.

위 연구의 자료는 농구 슈팅에서 성공 후에 성공이 잇따를 가능성이 더 높다는 예상을 반박한다.

8 ③ 글과 선택지를 차례로 비교한다. 팬들의 예상과 반대로 선수들이 슛을 성공한 뒤에 슛을 넣을 가능성이 실패했을 때보다 높지 않았다는 것은 팬들은 선수들이 슛을 연속해서 성공시킬 가능성이 크다고 예상했다는 의미가 된다.

DAY 1 개념 돌파 전략 ① CHECK | 8~9쪽

1 ③ 2 ③ 3 ② 4 ②

해석 **1** 우리는 흔히 작은 변화들이 당장은 크게 중요한 것 같지 않아서 그것들을 무시한다. 지금 돈을 약간 모아도, 여러분은 여전히 백만장자가 아니다. 우리는 약간의 변화를 만들어 보지만, 그 결과는 결코 빨리 오지 않는 것 같고 그래서 우리는 이전의 일상으로 되돌아가 버린다. 변화의 느린 속도는 또한 나쁜 습관을 버리기 쉽게(→ 어렵게) 만든다. **2** 우리에게 두드러져 보이고 있는 것은 우리의 목표, 기대 또는 상황에 대한 현재의 요구와 매우 관련이 있을지도 모른다 — "망치를 손에 들고 있으면, 모든 것은 못처럼 보인다." 이 인용문은 선택적 지각 현상을 강조한다. 만약 우리가 망치를 사용하기를 원하면, 우리 주변의 세상은 못으로 가득 찬 것처럼 보이기 시작할지도 모른다! ① 눈에 띄는 것을 꺼리다 ② 우리의 노력을 의미 없는 것으로 만들다 ③ 어떤 일을 특정한 방법으로 하기를 의도하다 **3** 교실 안의 소음은 의사소통 패턴과 주의를 기울이는 능력에 부정적인 영향을 미친다. 그러므로, 지속적으로 소음에 노출되는 것이 특히 읽기와 읽기 학습에 미치는 소음의 부정적인 영향 면에서 어린이들의 <u>학업 성취</u>와 관계가 있다는 것은 놀랍지 않다. 유치원 교실이 소음 수준을 낮추도록 바뀌었을 때, 아이들이 더 완전한 문장으로 말했으며, 그들의 읽기 전 시험 성적이 향상되었다. ① 독립적인 이동성 ③ 사회적 관계 **4** 광고는 제한된 형태의 진실을 전달해야 하는 필요성이 있다. 광고는 매력적인 이미지를 만들어 내야 하지만, <u>모든 것을 말하거나 보여 줌으로써</u> 목적을 달성할 수는 없다. 광고는 그것들이 선전하는 회사나 서비스의 부정적인 측면을 숨기거나 작아 보이도록 한다. 이런 식으로, 그것은 유사한 제품과의 비교에서 유리하다는 것을 홍보할 수 있다. ① 정보의 양을 줄임 ③ 모든 이가 이용할 수 있게 함

 DAY 1 개념 돌파 전략 ② | 10~13쪽

1 ④ 2 ② 3 ② 4 ④

1 해석 빵집 밖에서도, 여러분은 갓 구운 빵 냄새를 즐길 수 있다. 그것은 분자의 형태로 여러분에게 도달하며, 여러분의 눈이 보기에는 너무 작지만 코로는 감지된다. 고대 그리스인들에게 이런 식으로 원자의 개념이 최초로 떠올랐는데, 빵 굽는 냄새는 그들에게 작은 빵 입자가 눈에 보이지 않게 존재한다는 생각이 들게 했다. 날씨의 순환이 이 생각이 틀렸음을 입증했다(→ (생각을) 강화했다). 지면 위 물웅덩이는 말라서 사라지고, 그런 다음 나중에 비가 되어 떨어진다. 수증기로 변하고, 구름을 형성하고, 땅으로 떨어지는 물 입자가 존재하는 것이 틀림없으며, 그래서 그 물이 보존된다고 그들은 추론했다.

정답 전략 밑줄 친 부분의 앞뒤에서 단서를 찾아 해당 단어의 쓰임이 자연스러운지 판단한다. ④ 뒤의 문장에서 고대 그리스인들이 날씨의 순환, 즉 물이 증발하고 다시 비로 내리는 과정을 통해 눈에 보이지 않는 물 입자의 존재를 추론했다고 했으므로, 날씨의 순환은 원자라는 개념에 대한 생각이 틀렸음을 입증한 것이 아니라 오히려 강화했다(reinforced).

끊어 읽기로 보는 구문

그들은 추론했다　　　　물 입자가 존재하는 것이 틀림없으며　　　　수증기로 변하고, 구름을 형성하고, 땅으로 떨어지는
They reasoned / that there must be particles of water / that turn into steam, form clouds, and fall to earth,
　　　　　　　　　　　~임에 틀림없다(강한 추측)　　　　　　　주격 관계대명사로, that ~ earth가 particles of water를 수식

그래서 그 물이 보존된다고
/ so that the water is conserved.

2 해석 나는 아이들에게 완충 지대의 개념을 설명할 때면, 그들에게 차에 타고 있다고 상상해 보라고 말한다. 상상해 보라, 우리는 우리 앞에

서 무슨 일이 일어날지 예측할 수 없다고 나는 말한다. 우리는 신호등이 얼마나 오랫동안 녹색일지, 혹은 앞차가 갑자기 브레이크를 걸지 알 수 없다. 추돌을 피하는 유일한 방법은 우리 차와 우리 앞에 있는 차 사이에 여분의 공간을 두는 것이다. 이 공간은 완충 지대로 작용한다. 그것은 우리에게 다른 차들의 갑작스러운 움직임에 반응하고 적응할 시간을 준다. 마찬가지로, 우리는 그저 완충 지대를 만듦으로써 우리의 일과 삶에서 필수적인 일을 할 때의 마찰을 줄일 수 있다.

정답 전략 이 글은 운전할 때의 상황을 예로 들어 완충 지대의 개념을 설명하고 있다. 완충 지대란 운전할 때 충돌을 피하고 돌발 상황에 대비하기 위해 앞차와 내 차 사이에 여분의 공간을 만들어 두는 것과 같다고 했다. 따라서 이 글에서 완충 지대를 만드는 것(creating a buffer)의 의미는 ② '항상 예상치 못한 사건에 대비하는 것'이다. ① 이기는 것보다는 배우는 것이 더 중요하다는 것을 아는 것 ③ 우리가 이미 시작한 것을 멈추지 않는 것 ④ 우리가 운전할 때 확실한 목적지를 갖는 것 ⑤ 다른 사람들과 평화로운 관계를 유지하는 것

끊어 읽기로 보는 구문

그것은 우리에게 시간을 준다 / 반응하고 적응할　　　　　　　다른 차들의 갑작스러운 움직임에
It gives us time / to respond and adapt / to any sudden moves by other cars.
「give+간접목적어+직접목적어」: ~에게 을 …을 주다 / time 뒤에 쓰인 to부정사는 time을 수식하는 형용사적 용법의 to부정사이다.

3 해석 상대성은 여러 방식으로 그리고 삶의 많은 다른 영역에 걸쳐 정신의 일반적인 메커니즘으로 작용한다. 예를 들어, 'Mindless Eating'의 저자 Brian Wansink는 그것이 우리의 허리둘레에도 영향을 미칠 수 있다는 것을 보여 주었다. 우리는 얼마나 먹을지를, 단순히 우리가 실제로 얼마나 많은 음식을 소비할지의 함수로서가 아니라 그것의 선택(대안)과 비교해서 결정한다. 우리가 메뉴에서 8온스, 10온스, 12온스의 세 버거 중 하나를 선택해야 한다고 하자. 우리는 10온스 버거를

고르고 식사가 끝날 때쯤이면 완벽하게 만족할 수 있을 것이다. 그러나 만약 우리의 선택권이 대신 10온스, 12온스, 14온스라면, 우리는 다시 중간의 버거를 선택할 것이고, 비록 우리가 더 많이 먹었더라도, 하루의 영양분을 섭취하거나 포만감을 느끼기 위해 필요로 하지 않았던 12온스의 햄버거에 식사가 끝날 때 동일한 행복감과 만족감을 다시 느낄 것이다.

정답 전략 주제문의 주어에 빈칸이 있는 것으로 보아 이 글의 핵심어를 찾아야 한다. 우리는 다른 선택지와의 비교를 통해 우리가 선택한 것에 대해 만족감을 느끼므로, ② '상대성'이 우리 정신에 일반적인 메커니즘으로 작용한다고 하는 것이 자연스럽다. ① 독창성 ③ 시각화 ④ 모방 ⑤ 건망증

끊어 읽기로 보는 구문

우리는 결정한다　　얼마나 먹을지를　　　단순히 함수로서가 아니라　　　　우리가 실제로 얼마나 많은 음식을 소비할지의
We decide / how much to eat / not simply as a function / of how much food we actually consume,
　　　　　　　　　　　　　　not A but B: A가 아니라 B인

그것의 선택(대안)과 비교해서
/ but by a comparison to its alternatives.

그러나 만약 우리의 선택권이 대신 10온스, 12온스, 14온스라면　　　　　　　우리는 다시 중간의 버거를 선택할 것이고
But if our options are instead 10, 12, and 14 ounces, / we are likely again to choose the middle one,
　　　　　　　　　　　　　　　　　　　　　　　　　　　　　　　　　　　　= burger

동일한 행복감과 만족감을 다시 느낄 것이다　　　　　　　12온스의 햄버거에　　　　　식사가 끝날 때
/ and again feel equally happy and satisfied / with the 12-ounce burger / at the end of the meal,

비록 우리가 더 많이 먹었더라도　　　　하루의 영양분을 섭취하거나 포만감을 느끼기 위해 필요로 하지 않았던
/ even though we ate more, / which we did not need in order to get our daily nourishment / or in order to feel full.
비록 ~일지라도(양보의 접속사)　　　선행사는 the 12-ounce burger　　in order to+동사원형: ~하기 위해

4 해석 수익을 내기 위해 물적 제품을 판매하는 기업조차도 이사회와 투자자에 의해 어쩔 수 없이 자신들의 근원적인 동기를 재고하게 되고 고객에게서 가능한 한 많은 정보를 수집하게 된다. 슈퍼마켓은 더 이상 농산물과 제조된 물품을 판매해서 모든 돈을 버는 것이 아니다. 그들은 여러분의 구매 행동을 정밀하게 추적하게 해 주는 고객 우대 카드를 여러분에게 준다. 그러고 나서 슈퍼마켓은 이 구매 행위(정보)를 마케팅 분석 기업에 판매한다. 마케팅 분석 기업은 기계 학습 절차를 수행하고, 그 정보를 새로운 방식으로 쪼개서, 행동 정보를 제품 제조 기업에 통찰력 있는 마케팅 정보로 다시 되판다. 정보와 기계 학습이 자본주의 체제에서 가치 있는 통화가 될 때, 고객 자체가 새로운 가치 창출 장치이기 때문에 모든 기업의 자연스러운 경향은 자신의 고객에 대한 관찰을 수행하는 능력을 최대화하는 것이다.

빈칸에 들어갈 긴 어구는 대개 글의 주제나 요지라는 점을 기억하며 글을 읽는다. '슈퍼마켓 – 마케팅 분석 기업 – 제품 제조 기업'으로 이어지는 고객의 구매 행위에 대한 정보의 흐름이 돈과 연결되어 있음을 파악해야 한다. 즉, 기업이 고객을 관찰함으로써 얻는 정보가 곧 가치 창출의 바탕이 된다는 것이 이 글의 요지이므로 빈칸에 적절한 말은 ④ '고객 자체가 새로운 가치 창출 장치이다'이다. ① 그것의 성공은 혁신적인 제품의 수에 달려 있다 ② 더 많은 고객이 입소문 마케팅을 통해 온다 ③ 그것(기업)은 오프라인 매장의 중요성을 깨닫게 되었다 ⑤ 자본주의 체제의 효율성에 대한 의문이 제기된다

끊어 읽기로 보는 구문

기업조차도 | 수익을 내기 위해 물적 제품을 판매하는 | 이사회와 투자자에 의해 어쩔 수 없이 ~하게 된다
Even companies / that sell physical products to make profit / are forced by their boards and investors
주격 관계대명사로, that ~ profit이 companies를 수식 | 주어는 companies이므로 복수 취급 / be forced+to부정사: ~하도록 강요당하다

자신들의 근원적인 동기를 재고하고 | 가능한 한 많은 정보를 수집하게 | 고객에게서
/ to reconsider their underlying motives / and to collect as much data as possible / from consumers.
to reconsider ~, to collect ~가 병렬 구조로 연결 | as ~ as possible: 가능한 한 ~한

DAY 2 필수 체크 전략 ①, ②

14~19쪽

[대표 유형] **1** ⑤   [대표 유형] **2** ⑤   **1** ⑤   **2** ①   **3** ③   **4** ①

[대표 유형 **1**]   지 문 한 눈 에 보 기

❶ How the bandwagon effect occurs / is demonstrated / by the history of measurements of the speed of light.

❷ Because this speed is / the basis of the theory of relativity, / it's one of the most frequently and carefully
one of the+최상급+복수명사: 가장 ~한 것들 중 하나
measured ①quantities in science. ❸ As far as we know, / the speed hasn't changed / over time. ❹ However, /
~하는 한
from 1870 to 1900, / all the experiments / found speeds / that were too high. ❺ Then, / from 1900 to 1950, / the
from A to B: A부터 B까지   주격 관계대명사로, that 이하가 speeds를 수식
②opposite happened / — all the experiments / found speeds / that were too low! ❻ This kind of error, / where
계속 용법의 관계부사
results are always / on one side of the real value, / is called "bias." ❼ It probably happened / because / over time,
주어는 This kind of error
/ experimenters subconsciously adjusted / their results / to ③match what they expected to find. ❽ If a result fit
선행사를 포함하는 관계대명사
/ what they expected, / they kept it. ❾ If a result didn't fit, / they threw it out. ❿ They weren't being intentionally
「타동사+부사」의 목적어로 대명사가 올 때는 타동사와 부사 사이에 쓴다.
dishonest, / just ④influenced / by the conventional wisdom. ⓫ The pattern / only changed / when someone
→ 선행사를 포함하는 관계대명사
⑤lacked (→ had) the courage / to report / what was actually measured / instead of what was expected.
형용사적 용법의 to부정사로, the courage를 수식

해석 ❶ 편승 효과가 어떻게 발생하는지는 빛의 속도 측정의 역사로 입증된다. ❷ 이 속도는 상대성 이론의 기초이기 때문에, 과학에서 가장 빈번하고 면밀하게 측정된 물리량 중 하나이다. ❸ 우리가 아는 한, 빛의 속력은 시간이 흐르는 동안 변하지 않았다. ❹ 그러나, 1870년부터 1900년까지, 모든 실험이 너무 높은 속력을 발견했다. ❺ 그리고 나서, 1900년부터 1950년까지, 그 반대 현상이 일어났다. 모든 실험이 너무 낮은 속력을 발견한 것이다! ❻ 결과치가 항상 실제의 어느 한쪽 측면에 있는 이런 형태의 오류를 '편향'이라고 한다. ❼ 그것은 아마 오랜 시간에 걸쳐, 실험자들이 자신들이 발견할 것이라 기대한 것과 일치하도록 잠재의식적으로 결과를 조정했기 때문에 일어났을 것이다. ❽ 결과가 그들이 기대한 것과 부합하면, 그들은 그것을 유지했다. ❾ 결과가 부합하지 않으면, 그들은 그것을 버렸다. ❿ 그들은 의도적으로 부정직하게 구는 것은 아니었고, 단지 일반 통념에 영향을 받았을 뿐이었다. ⓫ 그 행동 양식은 누군가가 예상된 것 대신에 실제로 측정된 것을 보고할 용기가 부족했을(→ 있었을) 때에만 바뀌었다.

일반 통념에 의해 영향을 받아 편승 효과가 지속되고 있는 상황에서 이 행동 양식을 변화시키는 것은 기대한 결과가 아니라 실제 측정된 결과를 보고할 용기를 '가진' 사람이 할 수 있는 일이다. 따라서 ⑤의 lacked를 '가졌다'라는 의미의 had로 고치는 것이 적절하다.

© ayelet-keshet / shutterstock

❶ Many ancillary businesses / that today seem almost core / at one time / started out / as journey edges. ❷ For
_{주격 관계대명사로, that ~ core가 Many ancillary businesses를 수식}
example, / retailers often boost sales / with accompanying support / such as assembly or installation services.
_{~와 같은(accompanying support의 예시)}
❸ Think of a home goods retailer / selling an unassembled outdoor grill as a box of parts / and leaving its
_{앞에 있는 a home goods retailer를 수식하는 현재분사구로, selling과 leaving이 병렬 구조로 연결되어 있다.}
customer's mission incomplete. ❹ When that retailer also sells / assembly and delivery, / it takes another step in
the journey / to the customer's true mission / of cooking in his backyard. ❺ Another example is / the business-
to-business service contracts / that are layered on top of software sales. ❻ Maintenance, installation, training,
_{주격 관계대명사로, that 이하가 the business-to-business service contracts를 수식}
delivery, anything at all / that turns do-it-yourself into a do-it-for-me solution / originally resulted / from
_{주격 관계대명사로, that ~ solution이 anything을 수식}   _{결과+result from+원인}
exploring the edge / of where core products intersect with customer journeys.

해석 ❶ 오늘날 거의 핵심인 것처럼 보이는 많은 보조 사업들이 한 때는 여정의 가장자리로 시작했다. ❷ 예를 들어, 소매업자들은 종종 조립이나 설치 서비스와 같이 동반되는 지원을 통해 판매를 북돋운다. ❸ 조립되지 않은 야외 그릴을 부품 상자로 판매하고 고객의 임무를 미완성 상태로 남겨 두는 가정용품 소매업자를 생각해 보라. ❹ 그 소매업자가 조립과 배달(이라는 서비스)도 판매할 때, 그것은 그 고객이 자신의 뒤뜰에서 요리를 한다는 진정한 임무를 향한 여정에 또 다른 한 걸음을 내딛는 것이다. ❺ 또 다른 예는 소프트웨어 판매 위에 층층이 쌓이는 기업 대 기업 간의 서비스 계약이다. ❻ 유지, 설치, 교육, 배달, '손수 하는 것'을 '대신 해주는 해결책'으로 바꿔주는 것은 무엇이든 원래 핵심 제품이 고객의 여정과 교차하는 곳의 가장자리를 탐구하는 것에서 비롯되었다.

정답 전략 마지막 문장의 customer journeys가 의미하는 것이 소비자가 제품을 사용하기까지 거쳐야 하는 조립, 설치, 유지 등의 과정임을 파악할 수 있어야 한다. 따라서 journey edges는 기본적인 구매 이외의 다른 과정을 서비스로 제공하는 것임을 유추할 수 있다. 즉 ⑤ '고객의 기본적인 구매를 넘어 추가 서비스를 제공하는 것'이 가장 적절하다. ① 고객에게 불필요한 상품을 구매하도록 요구하는 것 ② 비즈니스 서비스에 대한 고객의 의존도를 줄이는 것 ③ 부품보다 최종 제품 판매에 더 중점을 두는 것 ④ 핵심 제품에 기술의 획기적 발전을 더하는 것

❶ Discovering how people are affected by jokes / is often difficult. ❷ People ① mask / their reactions / because
_{의문사+주어+동사: 간접의문문}   _{because of+명사(구): ~ 때문에 cf. because+절}
of politeness or peer pressure. ❸ Moreover, / people are sometimes ② unaware / of how they, themselves, are
affected. ❹ Denial, / for example, / may conceal from people / how deeply wounded they are by certain jokes.
_{conceal의 목적어가 길이 때문에 문장의 끝에 왔다.}
❺ Jokes can also be / termites or time bombs, / lingering unnoticed in a person's subconscious, / gnawing on
_{lingering, gnawing ~ or exploding은 분사구문을 이끄는 현재분사이다.}
his or her self-esteem / or ③ exploding it at a later time. ❻ But even if one could accurately determine / how
_{비록 ~일지라도(양보의 접속사)}
people are affected, / this would not be / an ④ accurate measure of hatefulness. ❼ People

are often simply wrong / about whether a joke is acceptable or hateful. ❽ For example, /
_{~인지 아닌지}
people notoriously find terribly hateful jokes / about themselves or their sex, nationalities,
_{find+목적어+형용사(목적격보어): ~가 …하다는 것을 알다 / 목적어는 terribly hateful jokes, 목적격보어는 unproblematic}
professions, etc. / ⑤ problematic (→ unproblematic) / until their consciousness
_{~할 때까지(접속사)}
becomes raised. ❾ And the raising of consciousness / is often followed / by a period of
hypersensitivity / where people are hurt or offended / even by tasteful, tactful jokes.
_{선행사가 a period of hypersensitivity인 관계부사}

❶ 사람들이 어떻게 농담에 영향받는지 알아내는 것은 종종 어렵다. ❷ 사람들은 공손함이나 동료 집단의 압력 때문에 자신의 반응을 숨긴다. ❸ 게다가, 사람들은 때때로 그들이 어떻게 영향을 받는지 스스로도 인식하지 못한다. ❹ 예를 들어, 부인은 사람들이 특정한 농담에 의해 얼마나 깊이 상처받는지 스스로에게 숨길 수 있다. ❺ 농담은 또한 사람의 잠재의식 속에 눈에 띄지 않고 남아 그 사람의 자존감을 갉아먹거나 나중에 그것을 폭발시키는 흰개미나 시한폭탄일 수도 있다. ❻ 그러나 누군가가 사람들이 어떻게 영향을 받는지 정확히 파악할 수 있다고 해도, 이것이 혐오에 대한 정확한 척도가 되지는 못할 것이다. ❼ 사람들은 종종 농담이 용인될 만한지 혹은 혐오스러운지에 대해서는 그저 틀린다. ❽ 예를 들어,

사람들은 그들의 의식이 높아지기 전까지 자기 자신이나 자신의 성별, 국적, 직업 등에 대한 매우 혐오스러운 농담이 문제가 된다고 (→ 문제가 되지 않는다고) 생각하는 것으로 악명 높다. ❾ 그리고 의식이 높아진 뒤에는 심지어 품위 있고 재치 있는 농담에도 사람들이 상처를 받거나 기분이 상하는 과민증의 시기가 흔히 뒤따른다.

사람들이 농담에 어떻게 영향을 받는지 알아내기 어렵다는 것이 이 글의 요지이다. ❺의 밑줄 친 부분의 앞뒤를 살펴 볼 때, 의식이 높아지기 전까지는 사람들은 혐오스러운 농담이 '문제가 되지 않는다'고 생각하는 것이 자연스러우므로 problematic(문제가 있는, 문제가 되는)을 unproblematic(문제가 되지 않는)으로 고쳐 써야 한다.

---

❶ Any learning environment / that deals with only the database instincts or only the improvisatory instincts
주격 관계대명사로, that ~ improvisatory instincts가 environment를 수식
/ ignores / one half of our ability. ❷ It is bound to fail. ❸ It makes me think of jazz guitarists: ❹ They're not
주어가 Any learning environment로, 단수 취급   make+목적어+동사원형: ~가 …하게 하다
going to make it / if they know a lot / about music theory / but don't know / how to jam in a live concert. ❺
how+to부정사: ~하는 방법
Some schools and workplaces / emphasize / a stable, rote-learned database. ❻ They ignore / the improvisatory
┌ drilled ~ years는 the improvisatory instincts를 수식하는 과거분사구
instincts / drilled into us / for millions of years. ❼ Creativity suffers. ❽ Others emphasize / creative usage of a
for+숫자: ~하는 동안   = Other schools and workplaces
database, / without installing a fund of knowledge in the first place. ❾ They ignore / our need / to obtain a deep
our need를 수식하는 형용사적 용법의 to부정사
understanding of a subject, / which includes memorizing and storing a richly structured database. ❿ You get
계속 용법의 관계대명사(→ and it includes ~)
people / who are great improvisers / but don't have depth of knowledge. ⓫ You may know / someone like this /
주격 관계대명사로, who 이하가 people을 수식
where you work. ⓬ They may look like jazz musicians / and have the appearance of jamming, / but in the end /
장소를 나타내는 관계부사
they know nothing. ⓭ They're playing / intellectual air guitar.

❶ 데이터베이스에 근거한 직감만을, 또는 즉흥적인 직감만을 다루는 어떤 학습 환경이든 우리 능력의 절반은 무시한다. ❷ 그것은 실패하게 되어 있다. ❸ 그것은 내게 재즈 기타리스트를 생각나게 한다. ❹ 음악 이론에 대해 많이 알고 있지만 라이브 콘서트에서 즉흥 연주하는 법을 모른다면, 그들은 성공하지 못할 것이다. ❺ 어떤 학교와 직장에서는 안정적이고, 기계적으로 암기한 데이터베이스를 강조한다. ❻ 그들은 수백만 년 동안 우리에게 주입되어 온 즉흥적인 직감을 무시한다. ❼ 창의력은 악화된다. ❽ 다른 학교와 직장에서는 애초에 축적된 지식을 갖추지 않고서 창의적인 데이터베이스의 사용을 강조한다. ❾ 그들은 어떤 주제에 대한 깊은 이해를 얻고자 하는 우리의 욕구를 무시하는데, 그것은 풍부하게 구조화된 데이터베이스를 암기하고 저장하는 것을 포함한다. ❿ 여러분은 훌륭한 즉흥 연주자이지만 깊이 있는 지식은 없는 사람들을 얻게 된다. ⓫ 여러분은 여러분의 직장에서 이런 사람을 알지도 모른다. ⓬ 그들은 재즈 뮤지션처럼 보이고 즉흥 연주를 하는 모습을 보이기

하지만, 결국 아무것도 모른다. ⓭ 그들은 지적으로 기타 연주 흉내를 내고 있는 것이다.

밑줄 친 부분이 있는 문장 앞에서 지식을 축적하려 하지 않고 창의적인 데이터베이스만 사용할 때 그럴 듯한 겉모습을 보여주지만 결국 아무것도 모른다고 설명했다. 즉, 밑줄 친 playing intellectual air guitar가 의미하는 바로 가장 적절한 것은 ① '확고한 지식에 뿌리를 두지 않은 겉보기에 창의적인 능력을 보여 주고 있는'이다. ② 자신들의 심층 지식을 보여 줌으로써 전문가인 척하는 ③ 탄탄한 음악 지식과 결합된 예술적 재능을 드러내고 있는 ④ 고학력 청중을 끌어들이기 위해 음악 작품을 연주하고 있는 ⑤ 자신들의 창의력을 향상시키기 위해 필요한 경험을 습득하고 있는

3

❶ Hypothesis is a tool / which can cause trouble / if not used properly. ❷ We must be ready / to abandon or modify our hypothesis / as soon as it is shown / to be (A) consistent / inconsistent with the facts. ❸ This is not as easy / as it sounds. ❹ When delighted / by the way / one's beautiful idea offers promise of further advances, / it is tempting / to overlook an observation / that does not fit into the pattern woven, / or to try to explain it away. ❺ It is not at all rare / for investigators / to adhere to their broken hypotheses, / turning a blind eye to contrary evidence, / and not altogether unknown / for them / to (B) deliberately / unintentionally suppress contrary results. ❻ If the experimental results or observations are definitely opposed / to the hypothesis / or if they necessitate / overly complicated or improbable subsidiary hypotheses / to accommodate them, / one has to (C) defend / discard the idea with / as few regrets as possible. ❼ It is easier / to drop the old hypothesis / if one can find a new one / to replace it. ❽ The feeling of disappointment / too will then vanish.

해석 ❶ 가설은 적절히 사용되지 않으면 문제를 일으킬 수 있는 도구이다. ❷ 우리는 우리의 가설이 사실과 일치하지 않는다는 것이 드러나자마자 그것을 폐기하거나 수정할 준비가 되어 있어야 한다. ❸ 이것은 말처럼 쉽지는 않다. ❹ 누군가의 멋진 아이디어가 더 나아간 발전에 대한 가능성을 제공하는 방법에 기뻐할 때, 그 짜인 패턴에 들어맞지 않는 관찰을 무시하거나, 그것을 변명하며 넘어가려는 것은 솔깃한 일이다. ❺ 연구자들이 반대되는 증거에 눈을 감으면서 자신들의 무너진 가설에 집착하는 것은 전혀 드문 일이 아니며, 그들이 반대되는 결과를 의도적으로 숨기는 것이 전혀 알려지지 않은 것은 아니다. ❻ 만약 실험의 결과나 관찰들이 확실하게 가설에 반대되거나 그것들을 수용하기 위해 지나치게 복잡하거나 있을 법하지 않은 부차적인 가설들을 필요로 한다면, 가능한 한 후회 없이 그 아이디어를 버려야 한다. ❼ 이전 가설을 대체할 새로운 것을

찾을 수 있다면 그것을 버리기가 더 쉽다. ❽ 그러면 실망감도 사라질 것이다.

정답 전략 이 글의 요지는 가설이 사실과 부합하지 않거나 반대될 때 이것을 미련 없이 폐기해야 한다는 것으로, 각 네모 안에서 어떤 낱말을 골라야 해당 문장이 글의 맥락과 어울리는지 확인하며 읽는다. (A) 가설이 사실과 '일치하지 않을(inconsistent)' 때 폐기하거나 수정하는 것이 적절하고, (B) 그것이 쉬운 일이 아니기 때문에 연구자들이 자신의 가설과 반대되는 결과를 '의도적으로 (deliberately)' 감추기도 한다. (C) 그러나 실험 결과가 가설과 반대되거나, 가설에 또 다른 가설이 필요할 만큼 불완전하다면 그것을 '버려야(discard)' 할 것이다.

4

❶ The known fact of contingencies, / without knowing precisely / what those contingencies will be, / shows / that disaster preparation is not the same thing / as disaster rehearsal. ❷ No matter how many mock disasters are staged / according to prior plans, / the real disaster / will never mirror / any one of them. ❸ Disaster-preparation planning / is more like training for a marathon / than training for a high-jump competition or a sprinting event. ❹ Marathon runners / do not practice / by running the full course of twenty-six miles; / rather, / they get into shape / by running shorter distances / and building up their endurance with cross-training. ❺ If they have prepared successfully, / then they are in optimal condition / to run the marathon / over its predetermined course and length, / assuming a range of weather conditions, / predicted or not. ❻ This is / normal marathon preparation.

해석 ❶ 비상사태에 관해 이미 알려진 사실은, 그 비상사태가 어떤 것이 될 것인지 정확히 아는 것이 없이는, 재난 대비가 재난 예행연습과 똑같은 것이 아니라는 것을 보여 준다. ❷ 아무리 많은 모의 재난이 사전 계획에 따라 조직되더라도, 실제 재난은 그런 것들 중 어느 하나라도 그대로 반영하지 않을 것이다. ❸ 재난 대비 계획 세우기는 높이뛰기 시합이나 단거리 달리기 경주를 위해 훈련하는 것이라기보다는 마라톤을 위해 훈련하는 것과 더 비슷하다. ❹ 마라톤 선수들은 26마일 전체 코스를 달리는 것으로 연습하는 것이 아니라 오히려 더 짧은 거리를 달리고 여러 가지 운동을 조합하여 행하는 훈련법으로 지구력을 강화함으로써 몸 상태를 좋게 만든다. ❺ 만약 그들이 성공적으로 준비했다면, 그들은 마라톤의 미리 정해진 코스와 길이에 걸쳐, 예상되건 아니건 다양한 기상 조건을 가

정하면서, 마라톤을 달리기에 최적의 상태에 있다. ❻ 이것이 보통의 마라톤 준비이다.

정답 전략 밑줄 친 부분이 글의 중간에 있는 것으로 보아 앞뒤 내용을 통해 주제를 추론하여 밑줄 친 부분의 의미를 파악해야 한다. 마라톤 훈련이란 마라톤 코스를 똑같이 달리는 것이 아니라, 마라톤 코스를 달릴 수 있는 몸 상태를 만들고 기상 조건을 가정하여 준비하는 것이라고 했으므로, 재난 대비 계획을 세운다는 것은 ① '실제 재난에 대응할 수 있는 잠재력을 기르기'라는 측면에서 마라톤 준비와 비슷하다는 의미이다. ② 재난에 대한 장기적인 복구 계획 수립하기 ③ 관련 기관들 간의 협조 구하기 ④ 비상사태에 대비해 기본적인 재난 물자 저장하기 ⑤ 가능한 한 자주 달리기 선수의 속도를 검사하기

DAY 3 필수 체크 전략 ①, ②

[대표 유형] 3 ②　　[대표 유형] 4 ②　　1 ①　　2 ②　　3 ③　　4 ④

[대표 유형 3]   지 문 한 눈 에 보 기

❶ In the classic model of the Sumerian economy, / the temple / functioned / **as an administrative authority** /
　　　　　　　　　　　　　　　　　　　　　　　　　　　　　　　　~로서(자격의 전치사)
governing commodity production, collection, and redistribution. ❷ The discovery of administrative tablets /
an administrative authority를 수식하는 현재분사구　　　　　　　　→ 명사절을 이끄는 접속사
from the temple complexes at Uruk / **suggests** / **that** token use and consequently writing evolved / **as a tool**
　　　　　　　　　　　　　주어가 The discovery로, 단수 취급　　　　　　　　　　　　　　　　　~로서(자격의 전치사)
of centralized economic governance. ❸ **Given** the lack of archaeological evidence / from Uruk-period domestic
　　　　　　　　　　　　　　　　　　given (that) ~: ~임을 고려하면
sites, / **it** is not clear / **whether** individuals also used the system / for personal agreements. ❹ For that matter, / it
　　　　가주어　　　　　　　　진주어 / ~인지 아닌지
is not clear / **how widespread literacy was at its beginnings.** ❺ The use of identifiable symbols and pictograms
　　　　　　　　의문사+주어+동사: 간접의문문
/ on the early tablets / **is consistent with administrators** **needing** a lexicon / **that** was mutually intelligible / by
　　　　　　　　　　　　주어가 The use로, 단수 취급　　　　administrators를 수식하는 현재분사　　주격 관계대명사로, that 이하가 a lexicon을 수식
literate and nonliterate parties. ❻ **As cuneiform script became more abstract, /** literacy **must have become**
　　　　　　　　　　　　　　　　　　　~하면서　　　　　　　　　　　　　　　　　　　must have+과거분사: ~이었음에 틀림없다(과거에 대한 강한 추측)
increasingly important / **to ensure / one understood / what he or she had agreed to.**
　　　　　　　　~하기 위해: to부정사의 부사적 용법(목적) / one 앞에 접속사 that이 생략되었다.

해석 ❶ 수메르 경제의 전형적 모델에서, 사원은 상품의 생산, 수집, 그리고 재분배를 관리하는 행정 당국으로서 기능했다. ❷ Uruk의 사원 단지에서 나온 행정용 (점토)판의 발견은 상징의 사용, 그리고 결과적으로 글자가 중앙집권화된 경제 지배의 도구로 발달했음을 시사한다. ❸ Uruk 시대의 가정집 터에서 나온 고고학적 증거가 부족함을 고려하면, 개인들이 사적인 합의를 위해서도 그 체계를 사용했는지는 명확하지 않다. ❹ 그 문제에 있어, 읽고 쓰는 능력이 그것의 초기에 얼마나 널리 퍼져 있었는지 명확하지 않다. ❺ 초기 (점토)판에서의 인식 가능한 기호와 그림 문자의 사용은 행정가들이 읽고 쓸 줄 아는 측과 읽고 쓸 수 없는 측 상호 간에 이해할 수 있는 어휘 목록을 필요로 했음과 일맥상통한다. ❻ 쐐기문자가 더 추상적이 되면서, 읽고 쓰는 능력은 자신이 합의했던 것을 이해하고 있

다는 것을 확실히 하기 위해 점점 더 중요해졌음이 틀림없다.

정답 전략 빈칸이 있는 문장은 Uruk 시대의 가정집 터에서 나온 고고학적 증거가 부족하여 '무엇'을 위해 글자 체계를 사용했는지 명확하지 않다는 의미이다. 수메르 경제에서 글자는 초기에 중앙집권화된 경제 지배의 수단으로 발달했다가 점차 개인에게 있어서도 합의한 것에 대한 이해를 확실히 하기 위해 중요해졌다는 것이 글의 중심 내용이므로, 빈칸에 들어갈 말로 가장 적절한 것은 ② '사적인 합의'이다. 빈칸이 있는 문장에서 사적인 공간인 '가정집 터'가 언급된 것에 유의한다. ① 종교 행사 ③ 공동 책임 ④ 역사적 기록 ⑤ 권력 이동

❶ Heritage / is concerned / with the ways / in which very selective material artefacts, mythologies, memories
in which는 관계부사 where로 바꿔 쓸 수 있다.

and traditions / become / resources for the present. ❷ The contents, interpretations and representations of the
주어는 very ~ traditions

resource / are selected / according to the demands of the present; / an imagined past / provides resources / for

a heritage / that is to be passed onto an imagined future. ❸ It follows too / that the meanings and functions
주격 관계대명사로, that 이하가 a heritage를 수식　　　가주어　　　　진주어 / 명사절을 이끄는 접속사

of memory and tradition / are defined in the present. ❹ Further, / heritage is more concerned / with meanings

/ than material artefacts. ❺ It is the former / that give value, / either cultural or financial, / to the latter / and
It ~ that 강조 용법

explain / why they have been selected / from the near infinity of the past. ❻ In turn, / they may later be
의문사+주어+동사 ~: 간접의문문

discarded / as the demands of present societies change, / or even, / as is presently occurring / in the former
~하면서

Eastern Europe, / when pasts have to be reinvented / to reflect new presents. ❼ Thus / heritage is as much about
~하기 위해: to부정사의 부사적 용법(목적)

forgetting / as remembering the past.

해석 ❶ 문화유산은 매우 선별적인 물질적 인공물, 신화, 기억, 그리고 전통이 현재를 위한 자원이 되는 방식과 관련이 있다. ❷ 그 자원의 내용, 해석, 표현은 현재의 요구에 따라 선택되는데, 상상된 과거는 상상된 미래로 전해지게 될 유산을 위한 자원을 제공한다. ❸ 또한 기억과 전통의 의미와 기능이 현재에서 정의된다는 결론이 나온다. ❹ 게다가, 유산은 물질적 인공물보다 의미와 더 많이 관련이 있다. ❺ 후자(물질적 인공물)에게 문화적이든 재정적이든 가치를 부여하고, 무한에 가까운 과거의 것들로부터 왜 그것들이 선택되었는지 설명하는 것은 바로 전자(의미)이다. ❻ 결국, 현 사회의 요구가 변화하면서, 혹은 심지어, 옛 동유럽에서 현재 일어나고 있는 것처럼, 새로운 현재를 반영하기 위해서 과거가 재창조되어야 할 때,

그것들은 나중에 버려질지도 모른다. ❼ 따라서 유산은 과거를 기억하는 것만큼이나 과거를 잊는 것에 관한 것이다.

정답 전략 빈칸에 들어갈 말은 이 글에서의 문화유산에 대한 정의이다. 이 글의 글쓴이는 문화유산은 과거의 많은 물질적 인공물, 신화, 기억, 전통 중에 현재의 시점에서 가치를 부여하고 의미를 해석하여 선택한 것들이며 시간이 지남에 따라 지금 선택된 것이 나중에 버려질 가능성도 있다고 했다. 따라서 빈칸에 들어갈 말로 가장 적절한 것은 ② '과거를 기억하는 것만큼이나 과거를 잊는 것에 관한 것'이다. ① 사회의 기억과 전통을 모아놓은 것 ③ 현재와도 미래와도 관련이 없는 것 ④ 과거의 인공물을 반영하는 거울 ⑤ 보편적인 문화적 가치를 보존하는 것에 관한 것

---

❶ The creativity / that children possess / needs to be cultivated / throughout their development. ❷ Research
목적격 관계대명사로, that ~ possess가 The creativity를 수식

suggests / that overstructuring the child's environment may actually limit / creative and academic development.
명사절을 이끄는 접속사　　　　　　　　　　　　　　　　주어는 overstructuring ~ environment

❸ This is / a central problem / with much of science instruction. ❹ The exercises or activities / are devised /

to eliminate different options / and to focus on predetermined results. ❺ The answers / are structured / to fit the
to eliminate ~, to focus ~가 병렬 구조로 연결되어 있다.

course assessments, / and the wonder of science / is lost / along with cognitive intrigue. ❻ We define / cognitive
┌ 주격 관계대명사로, that 이하가 the wonder를 수식　　　　　　　　　　　　define A as B: A를 B로 정의하다

intrigue / as the wonder / that stimulates and intrinsically motivates / an individual / to voluntarily engage in an
motivate+목적어+to부정사: ~가 …하도록 동기를 부여하다

activity. ❼ The loss of cognitive intrigue / may be initiated / by the sole use of play items / with predetermined
initiated ~, reinforced ~가 병렬 구조로 연결되어 있다.

conclusions / and reinforced by rote instruction in school. ❽ This is exemplified /

by toys, games, and lessons / that are an end / in and of themselves / and require
주격 관계대명사로, that 이하가 toys, games, and lessons를 수식

little of the individual / other than to master the planned objective.
~ 외에

해석 ❶ 아이들이 지닌 창의력은 그들의 성장 기간 내내 길러져야 할 필요가 있다. ❷ 연구는 아이의 환경을 지나치게 구조화하는 것이 실제로 창의적 발달과 학문적 발달을 제한할지도 모른다는 것을 시사한다. ❸ 이것은 과학 교육의 많은 부분에 있어 가장 중요한 문제이다. ❹ 연습이나 활동들은 다양한 선택권을 제거하고, 미리 정해진 결과에 집중하도록 고안된다. ❺ 정답은 수업 평가에 부합하도록 구성되고, 과학에 대한 경이는 인지적 흥미와 함께 상실된다. ❻ 우리는 인지적 흥미를 한 개인이 자발적으로 어떤 활동에 참여하도록 자극하고 내재적으로 동기를 부여하는 경이감으로 정의한다. ❼ 인지적 흥미를 상실하는 것은 미리 정해진 결론을 가지고 놀잇감을 하나의 방식으로만 사용하는 것에서 시작되며 학교에서의 암기식

교육을 통해 강화될지도 모른다. ❽ 이것은 그 자체로 목적이 되어 계획된 목표를 숙달하는 것 외에는 개인에게 거의 아무것도 요구하지 않는 장난감, 게임, 그리고 수업이 전형적인 사례를 보여 준다.

정답 전략 미리 정해진 결론을 가지고 놀잇감을 한 가지 방식으로 사용함으로써 인지적 호기심의 상실이 시작되고 암기식 교육을 통해 그러한 호기심의 상실이 강화될지도 모른다는 것이 이 글의 전반적인 내용이다. 빈칸이 있는 문장에서는 계획된 목표를 익히는 것 외에는 개인에게 아무것도 요구하지 않는 장난감, 게임, 그리고 수업이 그 전형적인 예가 된다고 했으므로, 즉 장난감, 게임, 수업 그 자체가 ① '목표, 목적'이 되고 있다고 할 수 있다. ② 투입 ③ 퍼즐 ④ 흥밋거리 ⑤ 대안

---

❶ Having people stop working together / and start working individually / is something / that leaders are
have+목적어+동사원형: ~가 …하게 하다 *목적격 관계대명사로, that ~ do가 something을 수식*
uniquely positioned to do, / because several obstacles stand / in the way of people / voluntarily working alone.
people을 수식하는 현재분사구

❷ For one thing, / the fear of being left out of the loop / can keep them glued / to their enterprise social media.

❸ Individuals / don't want to be — or appear to be — isolated. ❹ For another, / knowing what their teammates
의문사+주어+동사: 간접의문문
are doing / provides / a sense of comfort and security, / because people can adjust / their own behavior / to be
-thing으로 끝나는 대명사는 형용사가 뒤에서 수식
in harmony with the group. ❺ It's risky / to go off on their own / to try something new / that will probably not
가주어 *to go 이하는 진주어* *가주어* *주격 관계대명사로, that 이하가 something new를 수식*
be successful right from the start. ❻ But even though it feels reassuring / for individuals / to be hyperconnected,
비록 ~일지라도(양보의 접속사) *to부정사의 의미상의 주어* *진주어*
/ it's better for the organization / if they periodically go off and think for themselves / and generate diverse —
if not quite mature — ideas. ❼ Thus, / It becomes / the leader's job / to create conditions / that are good for the
가주어 *진주어* *주격 관계대명사로, that ~ the whole이 conditions를 수식*
whole / by enforcing intermittent interaction / even when people wouldn't choose it for themselves, / without
= intermittent interaction
making it seem / like a punishment.
make+목적어+동사원형: ~가 …하게 하다

해석 ❶ 사람들이 함께 일하는 것을 멈추고 개인적으로 일하기 시작하게 하는 것은 고유하게 지도자들이 해야 하는 위치에 있는 것인데, 왜냐하면 자발적으로 혼자 일하는 사람들의 길에는 여러 장애물이 있기 때문이다. ❷ 우선, 소외되어 혼자 남겨진다는 두려움은 그들이 계속 자신들의 기업 소셜미디어에 매달리도록 할 수 있다. ❸ 개인들은 고립되거나 그렇게 보이는 것을 원치 않는다. ❹ 또 다른 이유로, 팀 동료들이 무엇을 하고 있는지 아는 것이 편안하고 안전하다는 느낌을 제공하는데, 이는 사람들은 자신의 행동을 집단과 조화를 이루도록 조정할 수 있기 때문이다. ❺ 아마 처음부터 바로 성공적이지 않을 뭔가 새로운 것을 시도하기 위해 홀로 벗어나는 것은 위험하다. ❻ 하지만 사람들이 과잉연결되는 것에 안도감을 느낄지라도, 조직을 위해서는 그들이 주기적으로 벗어나 스스로 생각하여 다양한 – 그다지 심사숙고한 것이 아니더라도 – 아이디어를 만들어내는 것이 더 좋다. ❼ 그러므로, 사람들이 스스로 선택

하지 않는 때조차, 그것이 처벌처럼 보이게 하지 않고서 간헐적인 상호작용을 강제함으로써 전체에게 유익한 여건을 조성하는 것이 지도자의 임무가 된다.

정답 전략 사람들은 일할 때 동료들과 함께 하는 것이 편안하고 안전하다고 느끼지만, 직원들이 조직을 벗어나 스스로 생각하고 다양한 아이디어를 이끌어내는 것이 조직에 유익하므로, 지도자는 이런 여건을 조성하도록 해야 한다는 것이 글의 중심 내용이다. 따라서, 빈칸에 들어갈 말은 ② '사람들이 함께 일하는 것을 멈추고 개인적으로 일하기 시작하도록 하는 것'이다. ① 협력을 방해하는 물리적 장벽과 집단 규범을 타파하는 것 ③ 사람들이 온라인 협업에 더 많은 시간을 할애하도록 독려하는 것 ④ 더 높은 생산성이 요구되는 환경을 만드는 것 ⑤ 직원들이 그룹 프로젝트에 관심을 집중하도록 요구하는 것

❶ Choosing similar friends / can have / a rationale. ❷ Assessing the survivability of an environment / can be risky

(if an environment turns out / to be deadly, / for instance, / it might be too late / by the time you found out),
　　　　　　　　　　　　～으로 판명되다, ~인 것으로 드러나다   ～할 때까지

/ so humans have evolved the desire / to associate with similar individuals / as a way to perform this function
　　　　　　　　　　　　　　　　　　the desire를 수식하는 형용사적 용법의 to부정사   ～로서(전치사)

efficiently. ❸ This is especially useful / to a species / that lives in so many different sorts of environments. ❹
　　　　　　　　　　　　　　　　　　　　　　　　　주격 관계대명사로, that 이하가 a species를 수식

However, / the carrying capacity / of a given environment / places a limit on this strategy. ❺ If resources are very

limited, / the individuals / who live in a particular place / cannot all do the exact same thing / (for example, / if
　　　　　　　　　　　　　주격 관계대명사로, who ~ place가 the individuals를 수식

there are few trees, / people cannot all live / in tree houses, / or if mangoes are / in short supply, / people cannot
there are+복수명사(주어): ~들이 있다

all live / solely on a diet of mangoes). ❻ A rational strategy / would therefore sometimes be / to avoid similar
　　　to부정사의 명사적 용법(보어)

members of one's species.

해석 ❶ 비슷한 친구를 선택하는 것에는 근거가 있을 수 있다. ❷ 어떤 환경에서의 생존 가능성을 평가하는 것은 위험할 수 있어서 (예를 들어, 어떤 환경이 치명적인 것으로 판명되면, 그 사실을 알게 될 때에는 너무 늦을 수도 있다), 인간은 이 기능을 효율적으로 수행하기 위한 방법으로 서로 비슷한 개인들과 함께하고자 하는 욕구를 진화시켜 왔다. ❸ 이것은 매우 다양한 유형의 환경에 사는 종에게 특히 유용하다. ❹ 그러나, 주어진 환경의 수용 능력이 이 전략에 제한을 둔다. ❺ 만약 자원이 매우 한정적이라면, 특정 장소에 사는 개인이 모두 정확히 똑같은 것을 할 수는 없다 (예를 들어, 나무가 거의 없다면, 사람들이 모두 나무집에 살 수는 없으며, 또는 망고의 공급이 부족하면, 사람들이 모두 망고만 먹는 식단으로만 살 수는 없다). ❻ 그러므로 합리적인 전략은 때로 자신이 속한 종의 비슷한 구성원들을 피하는 것이 될 것이다.

정답 전략 인간은 생존 가능성을 높이기 위해 서로 비슷한 친구와 함께하려 하지만, 자원이 한정될 때에는 반대로 같은 종의 비슷한 친구를 피하는 전략을 취해야 한다고 했다. 따라서 주어진 환경의 수용 능력에 의해 전략에도 변화가 생기므로, 빈칸에 들어갈 말로 가장 적절한 것은 ③ '이 전략에 제한을 둔다'이다. ① 공동체의 예상 수요를 초과한다 ② 다양한 생존 수단에 의해 감소된다 ④ 세상을 개개인에게 적합하게 만든다 ⑤ 비슷하지 않은 구성원들과의 사회적 유대를 방해한다

❶ Enabling animals / to operate / in the presence of harmless stimuli / is / an almost universal function of
enable+목적어+to부정사: ~가 …하는 것을 가능하게 하다   Enabling(동명사)이 주어이므로 단수 취급

learning. ❷ Most animals / innately avoid objects / they have not previously encountered. ❸ Unfamiliar objects
　　　　　　　　　　　　　　　　　　　　　　they 앞에 목적격 관계대명사 which(that)가 생략되어 있고, they 이하가 objects를 수식

/ may be dangerous; / treating them with caution / has survival value. ❹ If persisted in, / however, / such careful
　　　　　　　　　　　　　　　　with+추상명사 = 부사 (= cautiously)

behavior / could interfere / with feeding and other necessary activities / to the extent / that the benefit of
　　　　　　　　　　　　　　　　　　　　　　　　　　　　　　　　　　　　　　　～하는 정도까지

caution would be lost. ❺ A turtle / that withdraws into its shell / at every puff of wind / or whenever a cloud
　　　　　　　　　　　　주격 관계대명사로, that ~ shadow가 A turtle을 수식   ～할 때마다

casts a shadow / would never win races, / not even with a lazy rabbit. ❻ To overcome this problem, / almost all
　　　　　　　　　　　　　　　　　　　　　　　　　　　　　　　　　　　～하기 위해: to부정사의 부사적 용법(목적)

animals / habituate to safe stimuli / that occur frequently. ❼ Confronted by a strange object, / an inexperienced
　　　　　　　　　　　주격 관계대명사로, that 이하가 safe stimuli를 수식   분사구문(= If it is confronted ~)

animal / may freeze or attempt to hide, / but if nothing unpleasant happens, / sooner or later / it will continue
　　　　　　　　　　　　　　　　　　　　　　　　-thing으로 끝나는 대명사는 형용사가 뒤에서 수식   머지않아

its activity. ❽ The possibility also exists / that an unfamiliar object may be useful, / so if it poses no immediate
　　　　　　　　　　　　　　　　　　The possibility의 내용인 명사절을 이끄는 접속사 that

threat, / a closer inspection may be worthwhile.

해석 ❶ 동물이 무해한 자극 앞에서 움직일 수 있게 하는 것은 학습의 거의 보편적인 기능이다. ❷ 대부분의 동물들은 선천적으로 이전에 마주친 적 없는 대상을 피한다. ❸ 익숙하지 않은 대상은 위험할 수 있고, 그것을 조심해서 다루는 것은 생존가를 갖는다. ❹ 그러나 지속되면, 그러한 신중한 행동은 조심해서 얻는 이익이 소실될 수준으로까지 먹이 섭취와 다른 필요한 활동들을 방해할 수도 있다. ❺ 바람이 훅 불 때마다, 또는 구름이 그림자를 드리울 때마다 등껍질 속으로 움츠리는 거북은 게으른 토끼와의 경주라도 결코 이기지 못할 것이다. ❻ 이 문제를 극복하기 위해, 거의 모든 동물들은 자주 발생하는 안전한 자극에 익숙해져 있다. ❼ 낯선 대상에 직면하면, 경험이 없는 동물은 굳어버리거나 숨으려고 할 수도 있지만, 불쾌한 일이 일어나지 않으면, 그것은 머지않아 활동을 계속할 것이다. ❽ 익숙하지 않은 대상이 유용할 가능성 또한 존재하므로, 그것이 즉각적인 위협을 주지 않는다면, 더 자세히 살펴볼 가치가 있을 수도 있다.

정답 전략 동물은 새로운 대상 앞에서는 신중해지고 그것을 조심해서 다루지만, 위험하지 않은 자극에는 곧 익숙해져서 활동을 계속하게 된다고 했다. 즉 자주 발생하는 안전한 자극에 익숙해지는 (habituate to safe stimuli that occur frequently) 것이 동물이 하는 '학습'이므로, 빈칸에 들어갈 말로 가장 적절한 것은 ④ '무해한 자극 앞에서 움직이다'이다. ① 익숙한 것을 조심해서 다루는 것의 이점을 따져 보다 ② 있을법한 공격을 예측한 후 퇴로를 계획하다 ③ 생존을 위해 반복된 먹이 섭취의 실패를 극복하다 ⑤ 주변 지역을 정기적으로 모니터하다

| 26~29쪽

누구나 합격 / 전략

1 ② 2 ② 3 ④ 4 ④

1

지문 한 눈에 보기

❶ It is important / to note / that the primary goal / of the professional athlete / as well as many adults / — winning — / is far less important / to children.
가주어 ⌐ 명사절을 이끄는 접속사
to note 이하는 진주어
B as well as A: A뿐만 아니라 B도
비교급 강조 부사

❷ In one of our own studies, / we found / that teams' won-lost records / had nothing to do / with how much young athletes / liked their coaches / or with their desire / to play for the same coaches again.
⌐ 의문사+주어+동사: 간접의문문
명사절을 이끄는 접속사
have nothing to do with: ~와 전혀 관계가 없다
their desire를 수식하는 형용사적 용법의 to부정사

❸ Interestingly, / however, / success of the team / was related / to how much the children thought / their parents liked their coaches.
간접의문문 안에 삽입된 형태

❹ The children also felt / that the won-lost record influenced / how much their coaches liked them.

❺ It appears / that, / even at very young ages, / children begin to tune in / to the adult emphasis on winning, / even though they do not yet share it themselves.
~인 것 같다
⌐ 선행사를 포함하는 관계대명사
비록 ~일지라도(양보의 접속사)

❻ What children do share / is / a desire / to have fun!
동사 강조
a desire를 수식하는 형용사적 용법의 to부정사

해석 ❶ 많은 어른들뿐만 아니라 프로 선수들의 주된 목표인 승리가 아이들에게는 훨씬 덜 중요하다는 점을 주목하는 것이 중요하다. ❷ 우리 연구 중 하나에서, 우리는 팀의 승패 기록은 어린 선수들이 자신의 코치를 얼마나 좋아하는지 또는 같은 코치를 위해 다시 경기하고자 하는 어린 선수들의 바람과는 전혀 관련이 없다는 것을 발견했다. ❸ 하지만 흥미롭게도, 그 팀의 성공은 아이들이 생각하기에 자신의 부모가 코치를 얼마나 마음에 들어 하는지와 관련이 있었다. ❹ 아이들은 또한 승패 기록이 코치가 자신들을 얼마나 좋아하는지에 영향을 미친다고 느꼈다. ❺ 아이들은 아직 스스로 그것을 공유하고 있지는 않지만, 매우 어린 나이에도 승리에 대한 어른의 강조와 주파수를 맞추기 시작하는 것처럼 보인다. ❻ 아이들이 정말 공유하는 것은 재미있게 놀고 싶어 하는 열망이다!

정답 전략 빈칸 앞의 내용은 어린 선수들이 자신이 속한 팀의 승리를 자신의 바람과 관련짓지 않고, 어른의 바람(부모가 코치를 얼마나 좋아하는가 또는 코치가 자신들을 얼마나 좋아하는가)과 관련지어 생각한다는 것이다. 또한 빈칸에 들어갈 말은 아이들이 스스로 공유하는 것이 아니라고 했으므로, ② '어른의 강조'가 가장 적절하다. ① 또래집단의 압력 ③ 비판적인 연구 ④ 재정적 의존 ⑤ 팀워크의 영향

❶ Plants are / genius chemists. ❷ They / rely on their ability / to manufacture chemical compounds / for every
형용사적 용법의 to부정사로 their ability를 수식
single aspect of their survival. ❸ A plant with juicy leaves / can't run away / to avoid being eaten. ❹ It relies
동명사의 수동태
/ on its own chemical defenses / to kill microbes, deter pests, or poison would-be predators. ❺ Plants also
형용사적 용법의 to부정사로 its own chemical defenses를 수식
need / to reproduce. ❻ They can't impress / a potential mate / with a fancy dance, a victory in horn-to-horn
combat, or a well-constructed nest / like animals do. ❼ Since plants need / to attract pollinators / to accomplish
~처럼(접속사)   ~ 때문에(이유의 접속사)   ~하기 위해: to부정사의 부사적 용법(목적)
reproduction, / they've evolved / intoxicating scents, sweet nectar, and pheromones / that send signals /
주격 관계대명사로, that 이하가 pheromones를 수식
that bees and butterflies can't resist. ❽ When you consider / that plants solve / almost all of their problems /
목적격 관계대명사로, that 이하가 signals를 수식   명사절을 이끄는 접속사
by making chemicals, / and that there are / nearly 400,000 species of plants on Earth, / it's no wonder / that the
by -ing: ~함으로써   명사절을 이끄는 접속사 / consider의 목적어   ~하는 것은 당연하다, ~은 놀랍지 않다
plant kingdom is / a source for a dazzling array of useful substances.

해석 ❶ 식물은 천재적인 화학자다. ❷ 식물은 생존의 모든 측면 하나하나를 화학적 혼합물을 제조하는 자신들의 능력에 의존한다. ❸ 즙이 풍부한 잎을 가진 식물은 먹히는 것을 피하려고 달아날 수 없다. ❹ 그것은 세균을 죽이거나 해충을 저지하거나 잠재적 포식자를 독살하는 스스로의 화학적 방어 수단에 의존한다. ❺ 식물은 또한 번식도 해야 한다. ❻ 식물은 동물이 하듯이 화려한 춤이나 뿔대 뿔 결투에서의 승리, 혹은 잘 지어진 둥지로 잠재적인 짝에게 깊은 인상을 줄 수 없다. ❼ 번식을 해내기 위해서 꽃가루 매개자를 끌어들여야 하기 때문에, 식물은 취하게 하는 향기, 달콤한 화밀, 그리고 벌과 나비가 저항할 수 없는 신호를 보내는 페로몬을 진화시켜 왔다. ❽ 식물이 그들의 거의 모든 문제를 화학 물질을 만들어 해결한다는 것, 그리고 지구상에 거의 40만 종의 식물이 있다는 것을 고려할 때, 식물 왕국이 놀랍도록 많은 유용한 물질의 공급원이라는 것은 전혀 놀랍지 않다.

정답 전략 첫 번째 문장이 이 글의 주제문이라는 점에 유의하여 글을 읽으면, 이 글의 주제가 식물의 놀라운 화학 물질 제조 능력임을 알 수 있다. 또한 빈칸 바로 앞에서 식물이 화학 물질을 만들어 문제를 해결하며, 지구상에 40만 종이 넘는 식물이 존재한다고 했으므로, 빈칸에는 ② '놀랍도록 많은 유용한 물질의 공급원'이 가장 적절하다. ① 깨끗한 공기를 끊임없이 만드는 공장 ③ 식물이 햇빛을 받기 위해 투쟁하는 고요한 전쟁터 ④ 세계적인 규모의 중요한 미생물 서식지 ⑤ 지구의 원시 상태를 묘사하는 문서

❶ The repairman / is called in / when the ① smooth operation of our world has been disrupted, / and at such
call ~ in: ~을 부르다
moments / our dependence on things / normally taken for granted / (for example, / a toilet / that flushes) / is
things를 수식하는 과거분사구 / take ~ for granted: ~을 당연히 여기다   주격 관계대명사절로, a toilet을 수식
brought to vivid awareness. ❷ For this very reason, / the repairman's ② presence / may make / the narcissist /
make+목적어+형용사: ~을 …하게 하다
uncomfortable. ❸ The problem / isn't so much / that he is dirty / or the job is messy. ❹ Rather, / he seems to pose
seem+to부정사: ~인 것 같다
a ③ challenge / to our self-understanding / that is somehow fundamental. ❺ We're not / as free and independent
주격 관계대명사로, that 이하가 our self-understanding을 수식
/ as we thought. ❻ Street-level work / that disrupts the infrastructure / (the sewer system below or the electrical
주격 관계대명사로, that ~ infrastructure가 Street-level work을 수식
grid above) / brings our shared ④ isolation (→ dependence) / into view. ❼ People / may inhabit very different
worlds / even in the same city, / according to their wealth or poverty. ❽ Yet / we all live / in the same physical
~에 따라
reality, / ultimately, / and owe a ⑤ common debt / to the world.
owe A to B: B에 A를 빚지다

❶ 우리의 세상의 원활한 작동이 방해를 받을 때 수리공을 부르게 되며, 그러한 순간에 우리가 보통 당연하게 여겼던 것들(예를 들어, 물이 내려가는 변기)에 대한 우리의 의존성이 선명히 인식된다. ❷ 바로 이런 이유로, 수리공의 존재가 자아도취자를 불편하게 만들 수도 있다. ❸ 그가 더럽다거나 작업이 지저분한 것은 별 문제가 아니다. ❹ 오히려, 그는 어쨌거나 근본적인 우리의 자기 인식에 도전장을 내미는 것 같다. ❺ 우리는 우리가 생각한 것만큼 자유롭고 독립적이지 않다. ❻ 사회 기반 시설(지하의 하수도 체계나 지상의 전력망)에 지장을 주는 길 위의 작업은 우리에게 공유된 고립(→ 의존)을 눈에 띄게 한다. ❼ 사람들은 자신의 부나 가난에 따라 같은

도시에서조차 매우 다른 세상에서 살 수도 있다. ❽ 하지만 우리 모두는 궁극적으로 동일한 물리적 현실 속에서 살고 있으며, 세상에 공통의 빚을 지고 있다.

우리는 독립적인 존재로 살고 있다고 생각하지만, 실제로는 동일한 현실 속에서 다른 사람들과 많은 것을 공유하며 살아가고 있다는 것이 이 글의 주제이다. 특히 사회 기반 시설과 같이 사회 구성원 전체가 공유하는 시설에 영향을 주는 일이 발생할 때 우리 모두 의존하고 있다는 것이 드러난다고 이어지는 것이 자연스럽다. 따라서 ④에서 (공유된) '고립'은 (공유된) '의존'으로 바꾸는 것이 자연스럽다.

---

❶ Many writers make / the common mistake / of being too vague / when picturing a reader. ❷ When it comes / to identifying a target audience, / everyone is no one. ❸ You may worry / about excluding other people / if you write / specifically for one individual. ❹ Relax / —that doesn't necessarily happen. ❺ A well-defined audience simplifies / decisions / about explanations and word choice. ❻ Your style / may become / more distinctive, / in a way / that attracts people / beyond the target reader. ❼ For example, / Andy Weir wrote / *The Martian* / for science fiction readers / who want their stories / firmly grounded in scientific fact, / and perhaps rocket scientists / who enjoy science fiction. ❽ I belong / to neither audience, / yet I enjoyed the book. ❾ Weir was so successful / at pleasing his target audience / that they shared it / widely and enthusiastically. ❿ Because Weir didn't try / to cater to everyone, / he wrote / something / that delighted his core audience. ⓫ Eventually, / his work traveled / far beyond that sphere. ⓬ It may be counterintuitive, / but if you want / to broaden your impact, / tighten your focus on the reader.

❶ 많은 작가들은 독자를 떠올릴 때 너무 모호해지는 흔한 실수를 한다. ❷ 대상 독자층을 알아보는 데 있어서 모두는 아무도 아니다. ❸ 만약 여러분이 특별히 한 사람을 위해 글을 쓰고 있다면, 다른 사람들을 배제하는 것을 걱정할지도 모른다. ❹ 안심해라. 그것이 반드시 일어나지는 않는다. ❺ 제대로 정의된 독자층은 설명과 단어 선택에 대한 결정을 단순하게 만들어준다. ❻ 여러분의 문체는 대상 독자층을 넘어서는 사람들을 끌어들이는 방식으로 더 특색 있어질 수도 있다. ❼ 예를 들어, Andy Weir는 자신들이 읽고 있는 이야기가 과학적 사실에 확고하게 기반을 두기를 원하는 공상 과학 소설 독자들과, 아마도 공상 과학 소설을 즐기는 로켓 과학자들을 위해 'The Martian'을 썼다. ❽ 나는 두 독자층 어디에도 속하지 않지만, 그 책을 재미있게 읽었다. ❾ Weir는 그의 대상 독자층을 기쁘게 하는 데 매우 성공적이었기에 그들이 그것을 널리, 그리고 열정적으로 공유했다. ❿ Weir가 모두의 구미를 맞추려 하지

않았기 때문에, 그는 자신의 핵심 독자층을 즐겁게 한 무언가를 썼다. ⓫ 결국, 그의 작품은 그 범위를 훨씬 뛰어넘어 퍼져나갔다. ⓬ 직관에는 어긋날지도 모르지만, 여러분의 영향력을 넓히고 싶다면, 독자층에 대한 초점을 좁혀라.

글을 쓸 때 핵심 독자층을 정하는 것이 오히려 그 독자층을 넘어선 영향력을 발휘하도록 해 줄 수 있다는 것이 이 글의 주제이므로, 밑줄 친 '모두는 아무도 아니다'는 반대로 모든 이를 독자층으로 삼으려고 애쓰는 것이 실패를 불러올 수 있다는 의미이다. 따라서 ④ '모든 독자를 만족시키려고 노력하면 누구도 만족하지 않는 결과를 낳는다.'가 가장 적절하다. ① 가능한 한 독자층을 넓게 생각하는 것이 바람직하다. ② 모든 독자는 그들의 취향과 상관없이 베스트셀러를 구매하고 싶어한다. ③ 하나의 이야기가 독자에 따라 다양한 반응을 일으킬 수 있다. ⑤ 독자를 특정적으로 겨냥하는 것이 소설 작가에게 해롭다.

1 icing on the cake – ⓐ Olivia / make no difference – ⓒ Mia / grasp at straws – ⓔ Ella / you reap what you sow – ⓓ Sam / in the bag – ⓑ Dean　**2** ①　**3** creative, satisfy, gone　**4** ⑤

1

[해석] (차례대로) 금상첨화 / 계란으로 바위 치기 / 지푸라기라도 잡는다 / 뿌린 대로 거둔다 / 따 놓은 당상

Olivia: ⓐ 그건 "좋은데 필수적인 것은 아닌 부가물"이라는 의미야. Dean: ⓑ 무언가를 얻거나 성취한다고 확신할 때 이렇게 말할 수 있어. Mia: ⓒ 우리는 상황을 바꾸거나 개선할 수 없을 때 이 말을 해. Sam: ⓓ 그건 "결국 자신이 한 행동의 결과를 마주해야 한다"는 의미야. Ella: ⓔ 우리는 누군가가 어려운 상황을 해결하려 무엇이든 시도할 때 이 말을 해.

[끊어 읽기로 보는 구문]

그건 의미해　결국 마주해야 한다　　너의 행동의 결과를
It means / "you must eventually face / the consequences of your actions."

우리는 이 말을 해 / 누군가가 무엇이든 시도할 때　　어려운 상황을 해결하기 위해
We say it / when someone tries anything / to deal with a difficult situation.
　　　　　　　　　　　　　　　　～하기 위해: to부정사의 부사적 용법(목적)

2

[해석] Mike: 이것 봐. 내 새 자전거야! 수진: 멋지다! 최신 모델이야? Mike: 아니. 네 자전거랑 같은 모델이야. 네 자전거가 마음에 들어서 그 모델을 사기로 결심했거든. 수진: 뭐라고? 분명히 달라 보이는데. 네 자전거가 내 것보다 훨씬 더 좋아 보여. Mike: 하하. ① 남의 떡이 더 커 보이는 거야. ② 집처럼 좋은 곳은 없다. ③ 쇠뿔도 단김에 빼라. ④ 뛰는 놈 위에 나는 놈 있다. ⑤ 무소식이 희소식이다.

[끊어 읽기로 보는 구문]

그것은 ～이야 / 같은 모델　　네 자전거와
It's / the same model / as yours.
　　the same ～ as …: …와 같은 ～

그것은 / 분명히 달라 보여
It / definitely looks different.
　　look(감각동사)+형용사: ～하게 보이다

3

[해석] Heesu: 공예품은 순수 예술품보다 가치가 덜해. 그것들은 일상적인 기능을 제공하기 때문에 순수하게 창의적이지 않아. Eugene: 난 그렇게 생각하지 않아. 현대의 고급 예술 대부분은 일종의 공예로써 시작했어. 우리가 오늘날 "고전 음악"이라고 부르는 것의 작곡은 공예 음악의 형태로 시작했거든. Heesu: 네 말은 고전 음악이 원래는 특정한 목적을 갖고 있었다는 거야? 난 그건 몰랐는데. Eugene: 그것들 중 다수가 왕실 후원자의 오락적 요구를 충족시키기 위해 작곡되었어. 예를 들면, 실내악은 종종 부유한 가정에서 배경음악으로 연주되도록 만들어졌지. Bill: 맞아. Bach나 Chopin에 의해서 작곡된 춤곡들이 원래는 사실상 춤을 동반했어. 하지만 오늘날, 그것들이 작곡된 맥락과 기능은 사라졌고, 우리는 이러한 작품들을 순수 예술로 듣는 거지.

Words and Phrases craft 공예　fine art 순수 예술　contemporary 현대의　patron 후원자　accompany 동반하다

[정답 전략] 현재 순수 예술로 여겨지는 것들이 원래는 공예, 즉 실용적이고 특정한 목적을 위한 예술의 산물이었다는 내용의 토론이다. 토론의 중심 내용과 흐름에 유의한다. 희수가 공예품이 순수 예술품보다 덜 가치가 있는 이유로 그것들이 순수하게 '창의적'이지 않기 때문이라는 이유를 들었고, 이에 대해 Eugene과 Bill이 반론을 하는 흐름이다.

[끊어 읽기로 보는 구문]

작곡은　　　　　우리가 오늘날 "고전 음악"이라고 부르는 것의　　　시작했다　공예 음악의 형태로
The composition / of what we now call "classical music" / began / as a form of craft music.
　　　　　　　　～하는 것: 선행사를 포함하는 관계대명사　　　　　～로서(전치사)

하지만 오늘날　맥락과 기능은　　　　　그것들이 작곡된　　　　사라졌고　　　우리는 이러한 작품들을 듣는 거지
But today, / the contexts and functions / they were composed for / were gone, / and we listen to these works
　　　　　　　　　　　they 앞에 목적격 관계대명사 which(that)이 생략되어 있고, the contexts and functions를 수식

순수 예술로
/ as fine art.
～로서(전치사)

4

해석 학문적인 언어를 일상 언어로 바꿔 보는 것은 여러분이 작가로서 <u>자신의 생각을</u> <u>스스로에게 명료하게 하는</u> 필수적인 도구가 될 수 있다. 글쓰기는 일반적으로 머릿속에 완전하게 만들어진 한 가지 생각으로 시작하여, 그 생각을 변하지 않은 상태로 페이지 위에 단순히 옮겨 쓰는 과정이 아니다. / 글쓰기는 흔히 글쓰기 과정을 사용하여 우리의 생각이 무엇인지를 알아내는 발견의 수단이다. / 글을 쓰는 사람들은 결국 페이지 위에 쓰고 마는 내용이 처음에 시작할 때 그렇게 되리라고 생각했던 것과 상당히 다르다는 것을 발견하고는 자주 놀란다. / 여러분의 생각을 더 평범하고 더 간단한 말로 바꿔 보는 것은 여러분이 처음에 그럴 것이라고 상상했던 것이 아니라 실제 여러분의 생각이 무엇인지 알아내도록 도와줄 수 있을 것이다. ① 글쓰기를 빨리 끝내다 ② 문장 오류를 줄이다 ③ 다양한 독자의 흥미를 끌다 ④ 창의적인 아이디어를 생각해 내다 ⑤ 자신의 생각을 스스로에게 명료하게 하다

Words and Phrases translate 바꾸다, 번역하다 generally 일반적으로 figure out ~을 알아내다, ~을 이해하다 as opposed to ~와는 대조적으로, ~이 아니라 clarify 명료하게 하다

정답 전략 뒷받침 문장들은 글을 쓸 때 머릿속으로 생각한 것과 실제로 글로 쓰게 되는 것이 다를 수 있으며, 이를 통해 실제 자신의 생각이 무엇인지 알아낼 수 있게 된다는 내용을 담고 있다. 따라서 이러한 내용에 의해 뒷받침되는 주제문은 학문적인 언어를 일상적인 언어로 바꾸는 것이 '자신의 생각을 스스로에게 명료하게 하는' 도구가 될 수 있다는 내용이 되는 것이 적절하다.

끊어 읽기로 보는 구문

글쓰기는 일반적으로 과정이 아니다 　　　　　　머릿속에 완전하게 만들어진 한 가지 생각으로 시작하는
Writing is generally not a process / in which we start with a fully formed idea in our heads
　　　　　　　　　in which는 관계부사 where로 바꿔 쓸 수 있고, in which 이하가 a process를 수식

단순히 옮겨 쓰는 　　　　　　변하지 않은 상태로 　　　　페이지 위에
/ that we then simply transcribe / in an unchanged state / onto the page.
　　목적격 관계대명사로, that 이하가 a fully formed idea를 수식

글을 쓰는 사람들은 자주 놀란다 　　　　발견하고는 　　결국 페이지 위에 그들이 적게 되는 내용이 상당히 다르다는 것을
Writers are often surprised / to find / that what they end up with on the page is quite different
　　　감정의 원인을 나타내는 부사적 용법의 to부정사 　　　~하는 것: 선행사를 포함하는 관계대명사

그들이 그렇게 되리라고 생각했던 것과 　　　　처음에 시작할 때
/ from what they thought it would be / when they started.

© Inga Linder / shutterstock

개념 돌파 전략 ① CHECK

36~37쪽

1 (C) – (B) **2** ② **3** ② **4** uncooperative, little

해설 **1** (A) 어떤 사람들은 우리보다 돈을 더 많이 필요로 한다. (C) 예를 들어, 어떤 사람들은 자연재해나 전쟁 때문에 집을 잃었고, 한편 다른 사람들은 음식이나 의복이 충분하지 않다. (B) 그러므로 올해 우리 생일을 위해 선물을 사는 대신 자선단체에 돈을 기부하라고 친구와 가족에게 말하자. **2** 여러분의 애완동물의 특정한 욕구를 인식하고 그것을 존중해 주는 것이 중요하다. 여러분에게 운동을 좋아하고, 에너지가 넘치는 개가 있다고 상상해 보자. 매일 개를 밖으로 데리고 나가서 한 시간 동안 달리게 하면, 실내에서 다루기가 훨씬 더 쉬워질 것이다. (여러분은 여러분의 개를 항상 효과적으로 통제해야 한다.) 여러분의 고양이가 수줍음을 타고 겁이 많다면, 고양이 품평회 쇼에 나가서 전시되는 것을 원치 않을 것이다. **3** 가끔씩, 당신은 불편하기 때문에 성공으로 이끌어 줄 무언가를 피하고 싶어 한다. 당신은 그저 불편함을 느끼기 때문에 적극적으로 성공을 차단하고 있다. 따라서, 처음에는 불편한 것을 피하고자 하는 당신의 본능을 극복하는 것이 필수적이다. 편안함을 주는 곳을 벗어나서 새로운 일을 시도하라. 변화는 불편하지만, 그것은 성공을 위한 마법의 공식을 찾기 위해서 일을 색다르게 하는 데 있어 핵심이다. **4** 시선의 마주침은 협동에 있어서 가장 강력한 인간의 힘일지도 모르지만, 우리는 차량 운행 중에 그것을 잃고 도로에서 매우 비협조적이 된다. 대부분의 시간에 우리가 너무 빨리 움직이고 있거나, 혹은 (서로를) 보는 것이 안전하지 않다. 어쩌면 우리의 시야가 색이 옅게 들어간 창문에 가려져 있을 수도 있다. 흔히 다른 운전자들이 선글라스를 끼고 있다. 때로는 우리는 백미러를 통해 시선을 마주치지만, '얼굴을 마주하고 있는 것'이 아니기 때문에, 믿을 수 없게 느껴진다. → 운전하는 동안, 사람들은 비협조적이 되는데, 왜냐하면 그들이 시선을 거의 마주치지 않기 때문이다.

개념 돌파 전략 ②

38~41쪽

1 ② **2** ③ **3** ② **4** ④

1 해설 토지는 도시 개발에 있어 항상 희소한 자원이다. 높은 건축 밀도는, 개별 부지에 건물이 가득 들어설 공간을 더 많이 제공함으로써 부족한 도시 토지의 활용을 극대화할 수 있다. (B) 그러므로, 높은 건축 밀도는 공지(空地)를 개발하라는 압력을 줄이게 해 주며 도시 생활의 질을 개선하는 공용 시설과 서비스를 위한 토지를 더 많이 풀어 준다. (A) 하지만, 어떤 사람들은 그 반대의 경우도 사실이라고 주장한다. 높은 건축 밀도를 얻기 위해서는 거대한 고층 건물이 불가피하며, 작은 부지에 밀어 넣은 이러한 거대한 구조물은 역으로 매우 적은 공지와 혼잡한 도시 경관이라는 결과를 가져올 수 있다. (C) 이것은 계획 없이 고밀도 개발이 수행되는 경우에 발생할 수 있다. 그러므로, 고밀도의 부정적인 영향을 막기 위해서는 철저한 계획과 적절한 밀도 조절이 필수적이다.

정답 전략 주어진 글에서는 높은 건축 밀도가 도시의 부족한 토지 문제에 도움이 된다는 요지의 내용이 담겨 있다. 높은 건축 밀도의 순기능을 설명하는 (B)는 부사 therefore(그러므로)로 보아 주어진 글 뒤에 이어지는 것이 자연스럽고, 이와 대조를 이루는 내용인 (A)가 However로 그 뒤에 이어져 높은 건축 밀도로 인해 생기는 부정적인 결과를 언급하는 것이 적절하다. 그리고 부작용을 줄이기 위해 필요한 조치를 설명하는 (C)가 (A) 뒤에 오는 흐름이 적절하다.

끊어 읽기로 보는 구문

높은 건축 밀도를 얻기 위해서는   거대한 고층 건물이 불가피하며   이러한 거대한 구조물은

In order to achieve high building density, / massive high-rise buildings are inevitable, / and these massive structures,
in order+to부정사: ~하기 위해

작은 부지에 밀어 넣어진   역으로 결과를 가져올 수 있다   매우 적은 공지와 혼잡한 도시 경관이라는

/ crammed into small sites, / can conversely result / in very little open space and a congested cityscape.
result in: (결과적으로) ~이 되다

2 해석 신기술은 그것이 얼마나 많은 우리의 기존 습관을 바꾸겠다고 약속하는지와 이러한 습관의 강도 둘 다에 기초한 도전에 직면한다. 지속적인 행동 변화는 기존 습관을 바꾸려는 시도보다는 기존 습관을 통해 일어나야 한다. 전자계산기가 수학적인 계산을 더 빠르게 만든 것과 같은 방식으로, 사람들은 기존 습관을 없애기보다 개선할 경우에만 혁신을 받아들일 것이다. (전자제품의 성공은 그것의 전자 처리 과정과 주요 부품 둘 다의 혁신적인 기술적 설계와 연관이 있다.) 따라서, 공공 정책은 가장 덜 고착화된 습관을 목표로 함으로써 행동 변화를 장려해야 한다. 예를 들어, 개발도상국은 새로운 형태의 고단백 식품보다는 새로운 고단백 음료를 제공함으로써 단백질 섭취 증가를 촉진할 수 있었다.

정답 전략 첫 번째 문장으로 보아 이 글은 기존 습관을 유지하려는 인간의 성향이 신기술이 직면하는 도전이 된다는 내용이다. ③은 전자제품의 성공이 혁신적인 기술적 설계와 관련이 있다는 뜻으로, 이 글의 주제와는 연관이 없다.

끊어 읽기로 보는 구문

신기술은　　　　도전에 직면한다　　　둘 다에 기초한　　　그것이 얼마나 많은 우리의 기존 습관을 바꾸겠다고 약속하는지와
New technologies / encounter challenges / based on both / how many of our existing habits they promise to alter
　　　　based 이하는 challenges를 수식하는 과거분사구 ┘　　　both A and B: A와 B 둘 다　　간접의문문(의문사+주어+동사 ~).

이러한 습관의 강도
/ and the strength of these habits.

3 해석 당신은 어떤 역에서 또 다른 기차 옆에 서 있는 한 기차 안에 있다. 갑자기 당신은 움직이기 시작하는 것 같다. 하지만 그때 당신은 당신이 사실 전혀 움직이지 않고 있다는 것을 깨닫는다. 반대 방향으로 움직이고 있는 것은 바로 또 다른 기차이다. 상대적인 움직임에 대한 착각이 다른 방식으로도 작동한다. 당신은 다른 기차가 움직였다고 생각했지만, 움직이고 있는 것은 바로 당신 자신의 기차라는 것을 발견할 뿐이다. 외견상의 움직임과 실제 움직임 간의 차이를 구별하는 것은 어려울 수 있다. 물론, 당신의 기차가 덜컥하고 움직이기 시작한다면 쉽겠지만, 당신의 기차가 매우 부드럽게 움직인다면 쉽지 않다. 당신이 탄 기차가 약간 더 느린 기차를 따라잡을 때, 당신은 당신의 기차는 정지해 있고 다른 기차가 천천히 뒤로 움직이고 있다고 생각하도록 때때로 스스로를 속일 수 있다.

정답 전략 ② 앞에 언급된 '다른 기차의 움직임을 보고 당신이 탄 기차가 움직인다고 생각하는 것'이 주어진 문장의 '상대적인 움직임에 대한 착각(The illusion of relative movement)'이고, ② 뒤에 나온 '다른 기차가 움직였다고 생각했지만, 사실 당신이 탄 기차가 움직이는 상황'을 가리키는 것이 the other way이다. 따라서 주어진 문장은 ②에 들어가야 한다.

끊어 읽기로 보는 구문

당신은 한 기차 안에 있다　　어떤 역에서 서 있는　　또 다른 기차 옆에
You are in a train, / standing at a station / next to another train.

바로 또 다른 기차이다　　　반대 방향으로 움직이고 있는 것은
It is the second train / that is moving in the opposite direction.
It ~ that 강조 구문(주어 강조)

4 해석 상품의 똑같은 할인액에 대한 인식은 그것의 최초 가격과의 관계에 달려 있다. 한 연구에서, 응답자들은 어떤 구매 상황을 제시받았다. 15달러 가격의 계산기를 사는 상황에 놓인 사람들이 같은 제품을 20분 떨어진 다른 상점에서 10달러에 살 수 있다는 것을 알게 되었다. 이 경우, 응답자의 68%가 5달러를 절약하기 위해 그 가게까지 가기로 결심했다. 두 번째 조건에서는 125달러짜리 재킷을 사는 것을 포함했는데, 응답자들은 또한 같은 제품을 20분 떨어진 상점에서 살 수 있고 그곳에서는 120달러라고 들었다. 이번에는, 단지 사람들의 29%만이 더 저렴한 재킷을 살 것이라고 말했다. 두 경우 모두, 제품은 5달러 더 저렴했으나, 첫 번째의 경우 그 액수가 가격의 3분의 1이었고, 두 번째의 경우 그것은 가격의 25분의 1이었다. 이 두 상황 모두에서 달랐던 것은 구매의 가격 맥락이었다. → 구매 상황에서 같은 할인 금액이 주어질 때, 그 할인의 상대적인 가치가 사람들이 그 가치를 어떻게 인식하는지에 영향을 미친다.

정답 전략 같은 할인 금액이라도 상품의 원래 가격에 따라 사람들이 다르게 인식한다는 것이 이 글의 요지이다. 즉, 할인의 '상대적인' 가치가 사람들이 그 할인의 가치를 '인식하는' 데 영향을 미친다고 할 수 있다. 할인 금액이 원래 상품 가격의 1/3인 경우와 1/25인 경우를 할인의 '상대적인' 가치로, 그리고 이것에 대한 사람들의 반응을 그 가치에 대한 '인식'으로 바꿔 말할 수 있다. ① 절대적인 – 수정하다 ② 절대적인 – 표현하다 ③ 동일한 – 생산하다 ④ 상대적인 – 인식하다 ⑤ 상대적인 – 광고하다

두 번째 조건에서   이는 125달러짜리 재킷을 사는 것을 포함했는데   응답자들은 또한 들었다

In the second condition, / which involved buying a jacket for $125, / the respondents were also told

계속 용법의 관계대명사로, 선행사는 the second condition

같은 제품을 살 수 있고   20분 떨어진 상점에서   그곳에서는 120달러라고

/ that the same product was available / in a store 20 minutes away / and cost $120 there.

명사절을 이끄는 접속사

DAY 2 필수 체크 전략 ①, ② | 42~47쪽

[대표 유형] 1 ②   [대표 유형] 2 ④   1 ⑤   2 ④   3 ⑤   4 ③

[대표 유형 1]   지 문 한 눈 에 보 기

❶ The objective of battle, / to "throw" the enemy and to make him defenseless, / may temporarily blind /

└── 동격 관계 ──┘

commanders and even strategists / to the larger purpose of war. ❷ War is never an isolated act, / nor is it ever

부정어가 앞에 오면 주어와 동사가 도치된다.

only one decision.

(B) ❸ In the real world, / war's larger purpose / is always a political purpose. ❹ It

transcends / the use of force. ❺ This insight / was famously captured / by Clausewitz's

most famous phrase, / "War / is a mere continuation of politics / by other means."

수단

(A) ❻ To be political, / a political entity or a representative of a political entity, / whatever its constitutional form,

~하기 위해: to부정사의 부사적 용법(목적)   ~하는 것은 무엇이든지   뒤에 be동사 is 생략

/ has to have an intention, a will. ❼ That intention / has to be clearly expressed.

(C) ❽ And one side's will / has to be transmitted / to the enemy / at some point during the confrontation / (it

does not have to be publicly communicated). ❾ A violent act and its larger political intention / must also be

attributed to one side / at some point during the confrontation. ❿ History / does not know of acts of war /

attribute A to B: A를 B의 탓으로 돌리다

without eventual attribution.

~ 없이(전치사)

해석 ❶ 전투의 목표, 즉 적군을 '격퇴하고' 무방비 상태로 만드는 것은 일시적으로 지휘관과 심지어 전략가까지도 전쟁의 더 큰 목적을 보지 못하게 할 수도 있다. ❷ 전쟁은 결코 고립된 행위가 아니며, 결코 단 하나의 결정도 아니다. (B) ❸ 현실 세계에서, 전쟁의 더 큰 목적은 언제나 정치적 목적이다. ❹ 그것은 힘의 사용을 초월한다. ❺ 이 통찰은 "전쟁은 단지 다른 수단에 의한 정치의 지속이다." 라고 한 Clausewitz의 가장 유명한 어구에 의해 유명하게 포착되었다. (A) ❻ 정치적이기 위해서, 정치적 실체나 정치적 실체의 대표자는 그것의 체제상의 형태가 무엇이든, 의도, 의지를 갖고 있어야 한다. ❼ 그 의도는 분명히 표현되어야 한다. (C) ❽ 그리고 한쪽의 의지는 대치하는 동안 어느 시점에 적에게 전달되어야 한다(그것이 공개적으로 소통될 필요는 없다). ❾ 폭력행위와 그것의 더 큰 정치

적 의도 또한 대치하는 동안 어느 시점에 한쪽의 탓으로 돌려져야 한다. ❿ 역사는 궁극적인 귀인(歸因)이 없는 전쟁 행위에 대해 알지 못한다.

정답 전략 주어진 글은 전쟁은 결코 고립된 행위가 아니며 단 하나의 결정도 아니라는 내용이다. (B)에 언급된 '정치적 목적'이 주어진 글에 나온 the larger purpose of war이므로 주어진 글 뒤에 이어지는 것이 자연스럽다. 그 다음에는 (B)에서 언급한 정치적인 목적을 가지기 위해서 대표자는 의도, 의지를 가져야 하고 그것을 분명히 표현해야 한다는 내용의 (A)가 와야 한다. (A)의 To be political이 (B)와 이어지는 단서가 된다. 마지막으로 (A)에 나온 의지(will)에 관해 접속사 And로 연결하면서 설명하는 (C)가 나오는 것이 자연스럽다. 따라서 글의 순서는 (B)-(A)-(C)가 되어야 한다.

[대표 유형 2]   지 문 한 눈 에 보 기

❶ One of the most widespread, and sadly mistaken, environmental myths / is / that living "close to nature" out in

one of the+최상급+복수명사: 가장 ~한 것들 중 하나   명사절을 이끄는 접속사   동명사 주어

the country or in a leafy suburb / is / the best "green" lifestyle. ❷ Cities, / on the other hand, / are often blamed /

as a major cause of ecological destruction / — artificial, crowded places / **that** suck up precious resources. ❸ Yet, /
~로서(전치사) 　　　　　　　　　　　　　　　　　　　　　　　　　　　　주격 관계대명사로, that 이하가 places를 수식

when you look at the facts, / nothing / could be **farther** / from the truth. ❹ The pattern of life / in the country and
　　　　　　　　　　　　　　　　　　　far의 비교급

most suburbs / **involves** / long hours in the automobile each week, / burning fuel and pumping out exhaust /
　　　　　　　The pattern of life가 주어이므로 단수 취급　　　　　　　　　　분사구문(동시 동작)

to get to work, buy groceries, and take kids to school and activities. ❺ City dwellers, / on the other hand, / have /
목적을 나타내는 부사적 용법의 to부정사가 병렬 구조로 연결

the option of walking or taking transit / to work, shops, and school. ❻ The larger yards and houses / found outside
　　　　　　　　　　　　　　　　　　　　　　　　　　　　　　　　　　　　　과거분사구로, The larger yards and houses를 수식

cities / also create an environmental cost / **in terms of** energy use, water use, and land use. ❼ This illustrates /
　　　　　　　　　　　　　　　　　　　　　　　～의 측면에서

the tendency / **that** most city dwellers get tired of urban lives / and decide to settle in the countryside. ❽ It's
　　　　　　the tendency = that절　　　　　　　　　　　　　　　　　　　　　　　　　　　　　　　　가주어

clear / **that** the future of the Earth depends / on more people gathering together / in compact communities.
　　　　that 이하는 진주어　　　　　　　　　　　동명사의 의미상의 주어

해석 ❶ 가장 널리 퍼져 있고 슬프게도 잘못된, 환경에 대한 근거 없는 통념 중 하나는 시골이나 녹음이 우거진 교외에서 '자연에 가까이' 사는 것이 최고의 '친환경적' 생활 방식이라는 것이다. ❷ 반면, 도시들은 종종 귀중한 자원을 빨아들이는 인공적이고 혼잡한 장소로서 생태 파괴의 주요 원인으로 비난을 받는다. ❸ 그러나, 사실들을 살펴보면, 그것은 전혀 진실이 아니다. ❹ 시골과 대부분의 교외의 생활 양식은 매주 자동차 안에서의 오랜 시간을 수반하며, 출근하고 식료품을 사고 아이들을 학교와 활동에 데리고 가기 위해 연료를 태우고 배기가스를 뿜어낸다. ❺ 반면, 도시 거주자들은 일터, 상점, 학교까지 걸어가거나 대중교통을 타는 선택지를 갖는다.

❻ 도시 밖에서 발견되는 더 큰 마당과 집들도 또한 에너지 사용, 물 사용, 토지 사용의 측면에서 환경적인 대가를 치르게 한다. ❼ (이는 대부분의 도시 거주자들이 도시 생활에 지쳐서 시골에 정착하기로 하는 경향을 보여 준다.) ❽ 지구의 미래가 더 많은 사람들이 밀집한 공동체 안에 한 데 모이는 것에 달린 것은 분명하다.

정답 전략 글의 첫 부분에서 시골과 교외에서의 생활이 도시에서의 생활보다 친환경적일 것이라는 통념은 사실이 아니라고 했으므로, 그렇게 주장하는 근거가 나머지 부분의 주요 내용일 것이다. 따라서 전체 흐름과 관계가 없는 문장은 도시 거주자들이 도시 생활에 지쳐 시골에 정착하려는 경향이 나타난다고 하는 ④이다.

지문 한눈에 보기

❶ Green products involve, / in many cases, / higher ingredient costs / than **those** of mainstream products.
　　　　　　　　　　　　　　　　　　　　　　　　　　　　　　= ingredient costs

(C) ❷ Furthermore, / the restrictive ingredient lists and design criteria / **that** are typical of such products / may
　　　　　　　　　　　　　　　　　　　　　　　　　　　　주격 관계대명사로, that ~ products가 the restrictive ~ criteria를 수식

make green products / **inferior to** mainstream products / on core performance dimensions / (e.g., less effective
　　　　　　　　　～보다 열등한

cleansers). ❸ In turn, / the higher costs and lower performance of some products / **attract** only a small portion of
　　　　　　　　　　　　　　　　　　　　　　　　　　　　　　　　　　　주어가 the higher costs ~ some products

the customer base, / leading to lower economies of scale / in procurement, manufacturing, and distribution.
　　　　　　　　　분사구문(연속 동작) / economies of scale (규모의 경제): 생산 규모가 확대되면 평균 생산 비용이 줄어드는 현상

(B) ❹ **Even if** the green product succeeds, / it may cannibalize / the company's higher-profit mainstream
　　　　비록 ~일지라도(양보의 접속사)

offerings. ❺ **Given** such downsides, / companies / serving mainstream consumers / with successful mainstream
　　　　　　　　～을 고려하면　　　　　　　　companies를 수식하는 현재분사구

products / face / what seems / like an obvious investment decision.
주어는 companies ┙　　　～하는 것: 선행사를 포함하는 관계대명사

(A) ❻ They'd rather **put** money and time / **into** known, profitable, high-volume products / **that** serve populous
　　　　　　　　　　put A into B: A를 B에 넣다　　　　　　　　　　　　　　　　주격 관계대명사로, that ~ segments가 products를 수식

customer segments / than **into** risky, less-profitable, low-volume products / **that** may serve current
　　　　　　　　　　　　　　　　　　　　　　　　　　　　　　　　　　　　주격 관계대명사로, that ~ noncustomers가 products를 수식

noncustomers. ❼ Given that choice, / these companies / may choose / to leave the green segment of the market

/ to small niche competitors.

수능전략 • 영어 영역 독해 150

❶ 많은 경우, 친환경 제품은 주류 제품보다 더 높은 원료비를 수반한다. (C) ❷ 게다가, 그런 제품에서는 일반적인 제한 성분 목록과 디자인 기준이 친환경 제품을 주류 제품보다 핵심 성능 측면(예를 들어, 덜 효과적인 세제)에서 더 떨어지게 만들 수 있다. ❸ 결과적으로, 일부 제품의 더 높은 비용과 더 낮은 성능은 고객층의 적은 부분만 유인해서, 조달, 제조, 유통에서 더 낮은 규모의 경제를 초래한다. (B) ❹ 비록 친환경 제품이 성공하더라도, 기업에서 더 높은 수익을 내는 주류 제품을 잡아먹을 수 있다. ❺ 이러한 부정적인 면을 고려하면, 주류 소비자에게 성공적인 주류 제품을 제공하는 기업들은 명백한 투자 결정처럼 보이는 것에 직면한다. (A) ❻ 그들은 현재 고객이 아닌 사람들을 위한 위험하고 수익성이 더 낮은 소량의 제품보다는, 다수의 고객 계층에게 돌아가는, 이미 알려져 있고 수익성이 있는 다량의 제품에 돈과 시간을 투자할 것이다. ❼ 그런 선택을 고려하면, 이들 기업은 소규모 틈새 경쟁업체들에게 시장의

친환경 부문을 남겨두는 선택을 할 수 있다.

주어진 문장은 친환경 제품이 주류 제품보다 더 높은 원료비가 든다는 단점을 들고 있다. 따라서 바로 뒤에는 친환경 제품의 다른 단점으로 핵심 성능 측면에서의 열등함을 언급한 (C)가 오는 것이 적절하다. (C)에서 친환경 제품이 많은 소비자를 끌 수 없다고 지적했으므로, 비록 성공하더라도 부정적인 결과가 있을 것이라고 설명하는 (B)가 그 뒤에 와야 한다. (B) 뒤에는 앞서 말한 이유들로 인한 기업의 투자 결정 방향을 설명하고 있는 (A)가 와야 한다. (A)의 맨 처음에 나오는 They는 (B)의 companies (serving mainstream consumers with successful mainstream products)를 가리키며 (B)의 마지막에 언급된 what seems ~ decision 의 내용이 (A)에서 설명된다.

❶ Since the concept of a teddy bear is / very obviously not a genetically inherited trait, / we can be confident /
  ~ 때문에(이유의 접속사)

that we are looking at a cultural trait. ❷ However, / it is a cultural trait / that seems to be / under the guidance of
명사절을 이끄는 접속사   주격 관계대명사로, a cultural trait를 수식

another, genuinely biological trait: / the cues / that attract us to babies (high foreheads and small faces). ❸ Cute,
                               주격 관계대명사로, that ~ babies가 the cues를 수식

baby-like features / are inherently appealing, / producing a nurturing response / in most humans. ❹ Teddy bears
                               분사구문(동시 동작)

/ that had a more baby-like appearance / — however slight this may have been initially — / were thus more
주격 관계대명사로, that ~ appearance가 Teddy bears를 수식   아무리 ~해도

popular with customers. ❺ Teddy bear manufacturers / obviously noticed / which bears were selling best / and
                                         의문형용사+명사(주어)+동사 ~: 간접의문문

so made more of these and fewer of the less popular models, / to maximize their profits. (❻ As a result, / using
                                     ~하기 위해: to부정사의 부사적 용법(목적)

animal images for commercial purposes / was faced with severe criticism / from animal rights activists.) ❼ In this
                     주어가 동명사 using으로 단수 취급

way, / the selection pressure / built up by the customers / resulted / in the evolution of a more baby-like bear /
                    the selection pressure를 수식하는 과거분사구

by the manufacturers.

❶ 봉제 장난감 곰이라는 개념은 유전학적으로 물려받은 특성이 아주 명백하게 아니므로, 우리는 문화적 특성을 보고 있는 것이라고 자신할 수 있다. ❷ 그러나, 그것은 또 다른 진짜 생물학적인 특성, 즉 우리를 아기들(높은 이마와 작은 얼굴)에게 이끄는 신호의 유도 하에 있는 것처럼 보이는 문화적 특성이다. ❸ 귀엽고 아기 같은 생김새는 선천적으로 사람의 마음을 끌어, 대부분의 인간에게 있는 보살피려는 반응을 불러일으킨다. ❹ 더 아기 같은 모습을 한 봉제 장난감 곰들은 – 이것이 처음에는 얼마나 사소했든지 – 그렇기 때문에 소비자들에게 더욱 인기 있었다. ❺ 봉제 장난감 곰 제조사들은 어느 곰이 가장 잘 팔리고 있는지를 분명히 눈치 챘고, 그래서 자신들의 이익을 최대화하기 위해 이런 것들은 더 많이, 그리고 덜 인기 있는 모델을 더 적게 만들었다. (❻ 그 결과, 상업적 목적으로

동물 이미지를 사용한 것은 동물 권리 운동가들로부터의 심한 비판에 직면했다.) ❼ 이렇게 해서, 소비자에 의해 쌓아올려진 선택의 압력은 제조사들이 더 아기 같은 곰을 진화시키는 결과를 낳았다.

이 글은 봉제 장난감 곰이 왜 귀엽고 아기 같은 모양으로 만들어지게 되었는지를 인간의 생물학적 특성과 연관지어 설명하고 있다. 따라서 동물의 이미지를 상업적으로 사용하는 것에 대한 동물 권리 운동가들의 비판을 언급하는 ④는 글의 주제와 관계가 없다.

❶ Clearly, / schematic knowledge / helps you / — guiding your understanding / and enabling you to reconstruct
enable+목적어+to부정사: ~가 …하는 것을 가능하게 하다
things / you cannot remember.
you 앞에 목적격 관계대명사 that이 생략된 관계대명사절로, things를 수식
(C) ❷ But schematic knowledge / can also hurt you, / promoting errors / in perception and memory. ❸ Moreover,
분사구문(동시 동작)
/ the types of errors / produced by schemata / are quite predictable: ❹ Bear in mind / that schemata summarize
errors를 수식하는 과거분사구   주어가 the types   ~을 명심하다   명사절을 이끄는 접속사
/ the broad pattern of your experience, / and so they tell you, / in essence, / what's typical or ordinary / in a given
의문사(주어)+동사 ~: 간접의문문
situation.

(B) ❺ Any reliance / on schematic knowledge, / therefore, / will be shaped / by this information / about what's
조동사가 쓰인 수동태
"normal." ❻ Thus, / if there are things / you don't notice / while viewing a situation or event, / your schemata /
you 앞에 목적격 관계대명사 that이 생략된 관계대명사절로, things를 수식   = while you are viewing ~
will lead you / to fill in these "gaps" with knowledge / about what's normally in place in that setting.

(A) ❼ Likewise, / if there are things / you can't recall, / your schemata / will fill in the gaps with knowledge /
about what's typical in that situation. ❽ As a result, / a reliance on schemata / will inevitably make the world
make(사역동사)+목적어+동사원형: ~가 …하게 하다
seem more "normal" / than it really is / and will make the past seem more "regular" / than it actually was.
= the world   = the past

해석 ❶ 분명히, 도식적인 지식은 여러분의 이해를 이끌어 주고 기억할 수 없는 것들을 재구성할 수 있게 하여 도움을 준다. (C) ❷ 하지만 도식적인 지식은 또한 인식과 기억에 오류를 조장하여 여러분에게 해를 끼칠 수 있다. ❸ 게다가, 도식에 의해서 발생하는 오류의 종류는 꽤나 예측 가능하다. ❹ 도식이 여러분의 경험의 광범위한 유형을 요약하며, 그래서 그것들이 본질적으로는 주어진 상황에서 무엇이 전형적이거나 평범한 것인지 여러분에게 말해 준다는 것을 명심하라. (B) ❺ 그러므로, 도식적인 지식에 대한 어떠한 의존이든 무엇이 '정상적인' 것인지에 대한 이러한 정보에 의해 형성될 것이다. ❻ 따라서, 어떤 상황이나 사건을 보면서 여러분이 알아차리지 못하는 것이 있으면, 여러분의 도식이 그 상황에서 일반적으로 무엇이 어울리는지에 관한 지식으로 이러한 '공백'을 채우도록 여러분을 이끌어줄 것이다. (A) ❼ 마찬가지로, 여러분이 기억해 낼 수 없는 것이 있으면, 여러분의 도식이 그 상황에서 무엇이 일반적인지에 대

한 지식으로 그 공백을 채워 줄 것이다. ❽ 결과적으로, 도식에 의존하는 것은 불가피하게 세상을 실제보다 더 '정상적인' 것으로 보이게 할 것이고, 과거를 실제보다 더 '규칙적인' 것으로 보이게 할 것이다.

정답 전략 주어진 글은 인간의 도식적 지식이 이해와 기억에 도움이 된다는 내용이다. 그러나 도식이 해가 될 수도 있다고 지적하는 (C)가 바로 뒤에 이어지는 것이 자연스럽다. 또한 (C)에 도식이 어떻게 작용하는지에 대한 언급이 있으므로 이 작용을 더 구체적으로 설명하는 (B)가 온 뒤, 기억할 수 없어서 생기는 공백을 도식이 어떻게 채워주는지 추가적으로 설명한 (A)가 마지막에 오는 것이 가장 적절하다. (A)가 Likewise(마찬가지로)로 시작하는 점에 유의한다.

which의 선행사는 weaknesses
❶ Although commonsense knowledge may have merit, / it also has weaknesses, / not the least of which / is /
비록 ~일지라도(양보의 접속사)   그중에서도 가장 중요한 것
that it often contradicts itself. ❷ For example, / we hear / that people who are similar will like / one another /
명사절을 이끄는 접속사   명사절을 이끄는 접속사   주격 관계대명사로, who ~ similar가 people을 수식
("Birds of a feather / flock together") / but also / that persons who are dissimilar will like / each other / ("Opposites
attract"). ❸ We are told / that groups are wiser and smarter / than individuals / ("Two heads are better / than
one") / but also / that group work inevitably produces / poor results / ("Too many cooks / spoil the broth"). ❹ Each
of these contradictory statements / may hold true / under particular conditions, / but without a clear statement
사실이다, 진실이다   ~ 없이(전치사)

/ of when they apply / and when they do not, / aphorisms provide little insight / into relations among people.
_{뒤에 apply 생략}
(❺ That is / why we heavily depend on aphorisms / whenever we face difficulties and challenges / in the long
_{That is why+결과: 그것이 ~한 이유이다. 그래서 ~이다} _{~할 때마다}
journey of our lives.) ❻ They provide / even less guidance / in situations / where we must make decisions. ❼ For
_{장소의 관계부사 (= in which)}
example, / when facing a choice / that entails risk, / which guideline / should we use / — "Nothing ventured, /
_{= when we face} _{주격 관계대명사로, that ~ risk가 a choice를 수식}
nothing gained" / or "Better safe / than sorry"?

해석 ❶ 상식적인 지식에는 장점이 있기는 하지만, 또한 약점도 있는데, 그중에서 가장 중요한 것은 그것이 종종 모순된다는 것이다. ❷ 예를 들어, 우리는 비슷한 사람들이 서로 좋아하기 마련이라는 말('유유상종')을 듣지만, 닮지 않은 사람들이 서로 좋아하기 마련이라는 말('반대되는 사람들이 끌린다')도 듣는다. ❸ 우리는 집단이 개인보다 더 현명하고 똑똑하다는 말('두 사람의 지혜가 한 사람의 지혜보다 낫다')을 듣지만, 집단 작업이 불가피하게 나쁜 결과를 만든다는 말('요리사가 너무 많으면 수프를 망친다')도 듣는다. ❹ 이런 모순된 말들 각각은 특정한 상황에서는 사실일지도 모르지만, 그것이 언제 적용되는지와 언제 적용되지 않는지에 대한 명확한 진술 없이는 격언이 사람들 간의 관계에 대한 통찰력은 거의 제공하지 못한다. (❺ 그것이 우리가 삶의 긴 여정에서 어려움과 도전에 직면할 때마다 격언에 매우 의존하는 이유이다.) ❻ 그것들은 우리가 결정을 내려야 하는 상황에서는 하물며 지침도 제공하지 못한다. ❼ 예를 들어, 위험을 수반하는 선택에 직면할 때, '모험하지 않으면 아

무것도 얻을 수 없다' 또는 '후회하는 것보다 조심하는 것이 낫다' 중에 우리는 어느 지침을 이용해야 하는가?

정답 전략 글 초반에 글쓴이는 격언에는 모순되는 것이 많으며, 그것이 상식의 약점이라고 했다. 어떤 상황에서 어떤 격언이 적용되는지에 관한 명확한 설명이 없으면 격언은 아무런 도움이 되지 못한다는 것이 이 글의 요지이다. 따라서 삶의 여정에서 어려움과 도전에 직면할 때마다 격언에 의존하게 된다는 내용의 ❸은 글의 전체 흐름과 관계가 없다.

[대표 유형] 3 ④　　[대표 유형] 4 ③　　1 ③　　2 ③　　3 ⑤　　4 ①

[대표 유형 3]　　　　　　　　　　　　　　　　　　　지 문 한 눈 에 보 기

❶ Wind direction / is usually measured / through the use of a simple vane. ❷ This is simply a paddle of some sort

/ mounted on a spindle; / when it catches the wind, / it turns / so that the wind passes by / without obstruction.
_{a paddle을 수식하는 과거분사구} _{~하도록(목적)}

❸ The direction is recorded, / but if you ever have a chance / to watch a wind vane / on a breezy day, / you will
_{a chance를 수식하는 형용사적 용법의 to부정사}

notice / that there is a lot of variation / in the direction of wind flow / — a lot! ❹ Sometimes / the wind can blow
_{명사절을 이끄는 접속사}

/ from virtually every direction / within a minute or two. ❺ In order to make some sense of this, / an average
_{~하기 위해}

wind direction / over an hour / is sometimes calculated, / or sometimes / the direction / that the wind blew from
_{목적격 관계대명사로, that ~ hour가 the direction을 수식}

the most during the hour / is recorded. ❻ Either way, / it is a generalization, / and it's important / to remember /
_{가주어} _{to부정사구가 진주어}

that there can be a lot of variation / in the data. ❼ It's also important / to remember / that the data recorded at
_{명사절을 이끄는 접속사} _{the data를 수식하는 과거분사구}

a weather station give / an indication of conditions / prevailing in an area / but will not be exactly the same / as
_{주어가 the data} _{conditions를 수식하는 현재분사구} _{~와 같은}

the conditions at a landscape some distance from the weather station.

❶ 풍향은 보통 단순한 풍향계를 사용하여 측정된다. ❷ 이것은 단순히 회전축 위에 고정된 일종의 노로, 바람을 받으면 바람이 방해받지 않고 지나가도록 돌아간다. ❸ 방향은 기록되지만, 만약 여러분이 미풍이 부는 날에 풍향계를 볼 기회가 있다면, 바람의 흐름 방향에 많은 변화가, 정말 많이 있다는 것을 알게 될 것이다! ❹ 때때로 바람은 1~2분 이내에 사실상 거의 모든 방향에서 불어올 수 있다. ❺ 이것을 어느 정도 이해하기 위해, 때때로 한 시간에 걸친 평균 풍향을 계산하거나, 때때로 그 시간 동안 바람이 가장 많이 불어온 방향이 기록된다. ❻ 어느 쪽이든, 그것은 일반화이고, 데이터에는 많은 변화가 있을 수 있음을 기억하는 것이 중요하다. ❼ 기상 관측소에서 기록되는 데이터는 한 지역에서의 우세한 조건을 나타내지만, 기상 관측소로부터 어느 정도 떨어진 지형에서의 조건과 완전히 동일하지는 않을 것임을 기억하는 것도 중요하다.

정답 전략 주어진 문장의 this가 가리키는 바를 글에서 찾아야 한다. 주어진 문장은 '이것'을 이해하기 위해 한 시간 동안의 평균적인 풍향이나 가장 많이 바람이 불어온 방향이 기록된다는 의미이므로, '이것'은 바람의 방향이 다양하거나 자주 바뀜을 의미한다는 것을 짐작할 수 있다. 또한 주어진 문장에서 언급된 바람의 기록 방법이 두 가지이므로, 이 두 가지 단서를 종합하면 주어진 문장이 ④에 들어가는 것이 가장 적절하다. ④ 뒤의 문장이 Either way로 시작하는 것에 유의한다.

[대표 유형 4]   지 문 한 눈 에 보 기

❶ The idea / **that** planting trees could have a social or political significance / **appears to have been invented** by
  The idea = that절   → since: 그 후   appear+to부정사: ~처럼 보이다 / to have been+과거분사: 수동태 완료부정사
the English, / **though** it has **since** spread widely. ❷ According to Keith Thomas's history *Man and the Natural*
       비록 ~일지라도(양보의 접속사)
World, / seventeenth- and eighteenth-century aristocrats / began planting hardwood trees, / usually in lines, /

to declare the extent of their property / and the permanence of their claim to **it**. ❸ "What can be more pleasant,"
~하기 위해: to부정사의 부사적 용법(목적)   = their property
/ the editor of a magazine for gentlemen / asked his readers, / "than to **have** / the bounds and limits of your own

property / **preserved and continued** / **from age to age** / by the testimony of **such living and growing witnesses**?"
         have+목적어+과거분사: ~을 …되게 하다   대대로   = trees
❹ Planting trees / had / the additional advantage / of being **regarded as** a patriotic act, / **for** the Crown had
                                                    regard A as B: A를 B로 간주하다   ~ 때문에(이유의 접속사)
declared / a severe shortage of the hardwood / on **which** the Royal Navy depended.
                                            목적격 관계대명사로, on which ~ depended가 the hardwood를 수식
→ ❺ For English aristocrats, / planting trees / served as statements / to mark the lasting ownership of their land,
                                                          statements를 수식하는 형용사적 용법의 to부정사
/ and it was also considered / to be an exhibition of their loyalty to the nation.

❶ 나무를 심는 것이 사회적이거나 정치적인 의미를 가질 수 있다는 생각은, 비록 이후에 널리 퍼져나가기는 했지만, 영국인들에 의해 고안된 것처럼 보인다. ❷ Keith Thomas의 역사서 'Man and the Natural World'에 따르면, 17세기와 18세기의 귀족들은 자신의 재산 규모와 그것에 대한 자신의 권리의 영속성을 선언하기 위해 보통은 줄을 지어 활엽수를 심기 시작했다. ❸ 한 신사용 잡지의 편집자는 자신의 독자들에게 "그런 살아 있고 성장하는 증인들의 증언에 의해 여러분 자신의 재산의 경계와 한계가 대대로 보존되고 지속되게 하는 것보다 무엇이 더 즐거울 수 있는가?"라고 물었다. ❹ 나무를 심는 것에는 애국적인 행위로 여겨지는 추가적인 이점이 있었는데, 왜냐하면 왕이 영국 해군이 의존하는 경재(활엽수에서 얻은 단단한 목재)가 심각하게 부족하다고 선포했기 때문이었다. → ❺ 영국의 귀족들에게, 나무를 심는 것은 그들의 땅에 대한 지속적인 소유권을 표시하는 성명의 역할을 했고, 그것은 또한 국가에 대한 그들의 충성심의 표현으로 여겨졌다.

정답 전략 영국의 귀족들은 자신의 재산 규모를 표시하고 그 재산에 대한 자신의 권리의 영속성을 보여 주기 위해 활엽수를 심기 시작했으며, 목재가 부족하다는 왕의 선포 때문에 나무를 심는 것이 애국적인 행위로 여겨지기도 했다는 내용의 글이다. 따라서 요약문의 빈칸 (A)와 (B)에 각각 들어갈 말로 가장 적절한 것은 ③ '지속적인 – 표현'이다. ① 불안정한 – 확인 ② 불안정한 – 과장 ④ 지속적인 – 조작 ⑤ 공식적인 – 정당화

---

1   지 문 한 눈 에 보 기

❶ From a cross-cultural perspective / the equation / **between** public leadership **and** dominance / is
                                                   between A and B: A와 B 사이에
questionable. ❷ What does one mean / by 'dominance'? ❸ Does it indicate / coercion? ❹ Or control / over 'the

most valued'? ❺ 'Political' systems / may be / about both, either, or conceivably neither. ❻ The idea of 'control' / would be a bothersome one / for many peoples, / as for instance among many native peoples of Amazonia /
= idea   ~처럼
where all members of a community are fond / of their personal autonomy / and notably allergic to any obvious
are fond of ~, (are) allergic to ~가 병렬 구조로 연결되어 있다.
expression / of control or coercion. ❼ The conception of political power / as a coercive force, / while it may be a
~로서(전치사)
Western fixation, / is not a universal. ❽ It is very unusual / for an Amazonian leader / to give an order. ❾ If many
가주어   to부정사의 의미상의 주어   진주어
peoples do not view / political power / as a coercive force, / nor as the most valued domain, / then the leap
from 'the political' to 'domination' (as coercion), / and from there to 'domination of women', / is / a shaky one.
= leap
❿ As Marilyn Strathern has remarked, / the notions / of 'the political' and 'political personhood' / are / cultural
~처럼(접속사)   of ~ personhood'의 수식을 받음
obsessions of our own, / a bias long reflected in anthropological constructs.
a bias를 수식하는 과거분사구
→ ⓫ It is misguided / to understand political power / in other cultures / through our own notion of it / because
가주어   진주어 to부정사   = political power
ideas of political power are not uniform / across cultures.
주어가 ideas이므로 복수 취급

해석 ❶ 비교 문화적 관점에서 공적인 지도력과 지배력 사이의 방정식은 의심스럽다. ❷ '지배력'이 의미하는 바는 무엇인가? ❸ 그것은 강제를 나타내는 것인가? ❹ 아니면 '가장 가치 있는 것'에 대한 통제인가? ❺ '정치적' 시스템은 둘 다에 관한 것일 수도, 둘 중 하나에 관한 것일 수도, 아니면 아마 둘 다에 관한 것이 아닐 수도 있다. ❻ '통제'라는 생각은 많은 민족에게 성가신 것일 텐데, 예를 들어 공동체의 모든 구성원이 개인의 자율성을 좋아하고 통제나 강제의 어떠한 명백한 표현이든 몹시 싫어하는 아마존의 많은 원주민 부족에서처럼 말이다. ❼ 강제적인 힘으로서 정치권력이라는 개념은 서양의 고정관념일지 모르겠지만, 보편적이지 않다. ❽ 아마존의 지도자가 명령을 내리는 것은 매우 이례적이다. ❾ 많은 민족이 정치권력을 강제적인 힘으로, 또는 가장 가치 있는 영역으로 여기지 않는다면, '정치적인 것'에서 (강제로서의) '지배'로, 그리고 거기에서

'여성에 대한 지배'로 비약하는 것은 불안정한 비약이다. ❿ Marilyn Strathern이 말한 것처럼, '정치적인 것'과 '정치적 개성'이라는 개념은 우리 자신의 문화적 강박 관념, 인류학적 구성체에 오랫동안 반영된 편견이다. → ⓫ 정치권력에 관한 생각은 여러 문화에 걸쳐 일률적이지 않기 때문에, 그것에 대한 우리의 개념을 통해 다른 문화의 정치권력을 이해하는 것은 잘못 이해한 것이다.

정답 전략 서양은 지배를 통제나 강제라고 생각하는 것에 반해, 아마존의 원주민 부족들은 정치권력을 강제적인 힘으로 여기지 않는다고 했다. 따라서 정치권력에 관한 생각은 보편적인 것이 아니므로, 다른 문화의 정치권력을 서양의 개념에 따라 이해하는 것은 잘못이라는 내용의 글이다. 요약문의 빈칸 (A)와 (B)에 들어갈 말로 가장 적절한 것은 ③ '잘못 이해한 – 일률적인'이다. ① 합리적인 – 유연한 ② 적절한 – 흔한 ④ 불합리한 – 다양한 ⑤ 효과적인 – 객관적인

❶ The printing press boosted / the power of ideas / to copy themselves. ❷ Prior to low-cost printing, / ideas
ideas를 수식하는 형용사적 용법의 to부정사
could and did spread / by word of mouth. ❸ While this was tremendously powerful, / it limited / the complexity
~인데 반해(대조의 접속사)   limit A to B: A를 B로 제한하다
of the ideas / that could be propagated / to those / that a single person could remember. ❹ It also added / a
주격 관계대명사로, that ~ propagated가 the ideas를 수식   목적격 관계대명사로, that 이하가 those를 수식
certain amount of guaranteed error. ❺ The spread of ideas / by word of mouth / was equivalent / to a game of
telephone / on a global scale. ❻ The advent of literacy and the creation of handwritten scrolls and, eventually,
handwritten books / strengthened / the ability of large and complex ideas / to spread with high fidelity. ❼
the ability를 수식하는 형용사적 용법의 to부정사
But the incredible amount of time / required to copy a scroll or book by hand / limited the speed / with which
time을 수식하는 과거분사구   with which ~ this way가 the speed를 수식
information could spread this way. ❽ A well-trained monk / could transcribe / around four pages of text / per

day. ❾ A printing press / could copy information / thousands of times faster, / allowing knowledge / to spread
allow+목적어+to부정사: ~가 …하게 하다
far more quickly, / with full fidelity, / than ever before.
비교급 강조 부사

해석 ❶ 인쇄기는 생각이 스스로를 복제하는 능력을 신장시켰다.
❷ 저비용의 인쇄술이 있기 전에, 생각은 구전으로 퍼져 나갈 수 있
었고 그렇게 퍼져 나갔다. ❸ 이것은 대단히 강력했지만, 전파될 수
있는 생각의 복잡성을 한 사람이 기억할 수 있는 것으로 제한했다.
❹ 그것은 또한 일정량의 확정적인 오류를 추가했다. ❺ 구전에 의
한 생각의 전파는 전 세계적인 규모의 말 전하기 놀이와 맞먹었다.
❻ 글을 읽고 쓸 줄 아는 능력의 출현과 손으로 쓴 두루마리, 그리
고 궁극적으로 손으로 쓴 책의 탄생은 크고 복잡한 생각이 높은 정
확도를 가지고 전파되는 능력을 강화했다. ❼ 그러나 손으로 두루
마리나 책을 베끼는 데 요구된 엄청난 양의 시간은 정보가 이 방식
으로 퍼져 나갈 수 있는 속도를 제한했다. ❽ 잘 훈련된 수도승은

하루에 약 4쪽의 문서를 필사할 수 있었다. ❾ 인쇄기는 정보를 수
천 배 더 빠르게 복사할 수 있었는데, 지식이 이전의 어느 때보다
훨씬 더 빠르게 완전한 정확도로 퍼져 나갈 수 있도록 했다.

정답 전략 주어진 문장은 읽고 쓸 아
는 능력과 손으로 쓰는 매체의 출현으로
생각의 전파 양상이 달라졌음을 나타낸
다. 따라서 바로 뒤에 손으로 두루마리나
책을 베낀다는 내용이 언급된 ③에 주어
진 문장이 들어가는 것이 적절하다.

❶ A meaningful level of complexity / in our history / consists of culture: / information / stored in nerve and brain
~으로 구성되다   information을 수식하는 과거분사구
cells or in human records of various kinds. ❷ The species / that has developed this capacity the most / is, / of
주격 관계대명사로, that ~ the most가 The species를 수식
course, / humankind. ❸ In terms of total body weight, / our species / currently makes up / about 0.005 per cent
/ of all planetary biomass. ❹ If all life combined were only a paint chip, / all human beings / today would jointly
all life를 수식하는 과거분사
amount / to no more than a tiny colony of bacteria / sitting on that flake. ❺ Yet / through their combined efforts
= only   bacteria를 수식하는 현재분사구
/ humans have learned / to control a considerable portion / of the terrestrial biomass, / today / perhaps as much
/ as between 25 and 40 percent of it. ❻ In other words, / thanks to its culture / this tiny colony of microorganisms
/ residing on a paint chip / has gained / control over a considerable portion of that flake. ❼ To understand how
this ~ microorganisms를 수식하는 현재분사구   ~하기 위해: to부정사의 부사적 용법(목적)
human societies operate, / it is therefore not sufficient / to only look at their DNA, their molecular mechanisms
의문사+주어+동사: 간접의문문   가주어   진주어
and the influences from the outside world. ❽ We / also need to study / the cultural information / that humans
have been using / for shaping their own lives / as well as considerable portions of the rest of nature.
B as well as A: A뿐만 아니라 B도

해석 ❶ 우리의 역사에서 의미 있는 수준의 복잡성은 문화, 즉 신경
과 뇌세포 또는 다양한 종류의 인간 기록 안에 저장된 정보로 구성
된다. ❷ 이 능력을 가장 많이 발달시킨 종은 물론 인간이다. ❸ 총
체중 면에서, 우리 인간은 현재 지구 전체 생물량의 약 0.005%를
차지한다. ❹ 모든 생명체를 합친 것이 벗겨진 페인트 조각에 불과
하다면, 오늘날의 모든 인간은 다 합쳐도 겨우 그 조각 위에 놓인
아주 작은 박테리아 군체에 지나지 않을 것이다. ❺ 하지만 인간은
자신들의 협력을 통해 지구 생물량의 상당한 부분, 아마도 오늘날에
는 그 중 25~40%만큼을 통제하게 되었다. ❻ 다시 말해서, 자신들
의 문화 덕분에 페인트 조각 위에 살고 있는 이 작은 미생물 군체는

그 조각의 상당 부분에 대한 통제력을 얻었다. ❼ 따라서 인간 사회
가 어떻게 작동하는지 이해하려면, 인간의 DNA와 분자 메커니즘,
그리고 외부 세계로부터의 영향을 살펴보는 것만으로는 충분하지
않다. ❽ 우리는 인간이 나머지 자연의 상당 부분뿐만 아니라 자신
들의 삶을 형성하기 위해 사용해 오고
있는 문화적 정보 또한 연구할 필요가
있다.

인간이 자연의 상당 부분을 통제하게 된 데에는 문화의 힘이 크게 작용했다는 것이 이 글의 중심 내용이다. 주어진 문장의 therefore로 보아 앞에는 인간 사회가 작동하는 방식을 이해하려고 할 때 생물학적인 조건만 고려해서는 안 되는 이유가 나올 것이다. 또한 ⑤ 뒤의 문장에서 인간의 문화적 정보를 연구할 필요성에 대해 언급하며 앞 문장을 부연할 때 쓰는 also를 썼으므로 주어진 문장이 ⑤에 들어가는 것이 적절하다.

4

❶ In 2010 / scientists conducted / a rat experiment. ❷ They / locked a rat in a tiny cage, / placed the cage within
_{locked, placed, allowed가 병렬 구조로 연결되어 있다.}
a much larger cell / and allowed another rat / to roam freely / through that cell. ❸ The caged rat / gave out
_{allow+목적어+to부정사: ~가 …하게 하다}
distress signals, / which caused the free rat also / to exhibit signs of anxiety and stress. ❹ In most cases, / the free
_{계속 용법의 관계대명사   cause+목적어+to부정사: ~가 …하도록 야기하다}
rat / proceeded to help her trapped companion, / and after several attempts / usually succeeded in opening
_{opening, liberating이 병렬 구조로 연결되어 있다.}
the cage / and liberating the prisoner. ❺ The researchers / then repeated / the experiment, / this time / placing
_{분사구문(동시 동작)}
chocolate in the cell. ❻ The free rat / now had to choose / between either liberating the prisoner, or enjoying the
_{either A or B: A 또는 B 중 하나}
chocolate all by herself. ❼ Many rats preferred / to first free their companion / and share the chocolate / (though
a few behaved more selfishly, / proving perhaps / that some rats are meaner / than others).
_{분사구문(동시 동작)   명사절을 이끄는 접속사}
→ ❽ In a series of experiments, / when the free rats witnessed / their fellow in a state of <u>anguish</u> in a cage, / they
tended / to rescue their companion, / even delaying eating chocolate.
_{분사구문(동시 동작)}

❶ 2010년에 과학자들이 쥐 실험을 했다. ❷ 그들은 쥐 한 마리를 작은 우리 안에 가두고, 그 우리를 훨씬 더 큰 방 안에 두고는 또 다른 쥐가 그 방을 자유롭게 돌아다닐 수 있게 했다. ❸ 우리에 갇힌 쥐는 조난 신호를 보냈는데, 이것은 자유로운 쥐도 불안과 스트레스의 징후를 나타내게 했다. ❹ 대부분의 경우, 자유로운 쥐는 계속해서 갇힌 동료를 도우려 했고, 몇 번의 시도 후에 대개 우리를 열고 갇힌 쥐를 풀어주는 데 성공했다. ❺ 그리고 나서 이번에는 연구원들이 방 안에 초콜릿을 놓고 실험을 반복했다. ❻ 자유로운 쥐는 이제 갇힌 쥐를 풀어주거나 자기 혼자 초콜릿을 먹는 것 사이에서 선택을 해야 했다. ❼ 많은 쥐가 먼저 동료를 풀어주고 나서, 초콜릿을 나눠 먹는 것을 택했다 (몇 마리의 쥐가 더 이기적으로 행동해서, 아마도 어떤 쥐들이 다른 쥐들보다 더 인색하다는 것을 증명

했음에도 불구하고). → ❽ 일련의 실험에서, 자유로운 쥐들이 자신의 동료가 우리에 갇혀 고통의 상태에 있는 것을 목격했을 때, 그들은 심지어 초콜릿을 먹는 것을 미루면서, 동료를 구하려는 경향이 있었다.

요약문을 읽고, 자유로운 쥐가 우리에 갇힌 쥐를 어떤 상황에서 어떻게 구하는지 알아야 문제를 풀 수 있다는 것을 파악해야 한다. 실험 내용으로 보아 대부분의 쥐가 고통스러워하는 동료를 구하려 하고, 심지어는 초콜릿을 앞에 두고도 먼저 동료를 구한다고 했으므로 ①의 anguish(고통)와 delaying (미루는)이 요약문의 빈칸에 알맞다. ② 고통 – 우선으로 하는 ③ 흥분 – 우선으로 하는 ④ 지루함 – 거부하는 ⑤ 지루함 – 미루는

누구나 합격 전략

54~57쪽

1 ②   2 ④   3 ④   4 ⑤

1

❶ The searchability / of online works / represents / a variation on older navigational aids / such as tables of
_{The searchability가 주어   ~와 같은(older navigational aids의 예시)}
contents, indexes, and concordances. ❷ But the effects are different. ❸ As with links, / the ease and ready
_{┌ 비교급 강조 부사}
availability of searching / make it much simpler to jump between digital documents / than it ever was to jump
_{가목적어   진목적어   가주어   진주어}

between printed ones. ❹ Our attachment / to any one text / becomes / more tenuous, more transitory. ❺

Searches also lead / to the fragmentation of online works. ❻ A search engine often draws / our attention / to a

⤷ ~하는 것이 무엇이든지

particular snippet of text, / a few words or sentences / that have strong relevance / to whatever we're searching

주격 관계대명사로, that ~ moment가 a few words or sentences를 수식

for at the moment, / while providing little incentive / for taking in the work as a whole. ❼ We don't see / the

= while it provides

forest / when we search / the Web. ❽ We don't even see / the trees. ❾ We see / twigs and leaves.

→ ❿ As online search becomes easier and speedier, / people's attachment to a text / tends to become more

~하면서(접속사)

temporary, / and their interest / in the whole content / diminishes.

해석 ❶ 온라인 저작물의 검색 가능성은 목차, 색인 및 용어 색인과 같은 더 오래된 탐색 보조 도구의 변형을 보여 준다. ❷ 하지만 그 결과는 다르다. ❸ 링크에서와 마찬가지로, 검색의 편리함과 즉각적인 이용 가능성은 인쇄된 문서 사이를 오가는 것이 어느 때 그랬던 것보다 디지털 문서 사이를 오가는 것을 훨씬 더 간단하게 해 준다. ❹ 어떤 한 텍스트에 대한 우리의 애착은 더 미약해지고 더 일시적인 것이 된다. ❺ 검색은 또한 온라인 저작물의 단편화로 이어진다. ❻ 검색 엔진은 흔히 텍스트의 특정 작은 정보, 즉 우리가 그 순간에 찾고 있는 무엇이든 그것과 관련성이 강한 몇몇 단어나 문장으로 우리의 관심을 이끌지만, 저작물 전체를 받아들이게 하는 유인책은 거의 제공하지 않는다. ❼ 우리는 웹을 검색할 때 숲을 보지 못한다. ❽ 우리는 심지어 나무도 보지 못한다. ❾ 우리는 잔가지와 나뭇잎들을 본다. → ❿ 온라인 검색이 점점 더 쉬워지고 더 빨라지면서, 텍스트에 대한 사람들의 애착이 더 일시적이 되는 경향이 있으며 전체 내용에 대한 사람들의 관심은 줄어든다.

정답 전략 요약문의 내용으로 보아 온라인 검색이 더 쉽고 빨라지면서 텍스트에 대한 사람들의 태도가 어떻게 변화했는지 파악해야 한다. 온라인 검색으로 텍스트의 특정 부분에만 관심을 두게 되면서, 텍스트에 대한 애착이나 텍스트 전체에 대한 관심에 부정적인 영향이 있었음을 알 수 있으므로 그에 어울리는 어휘를 골라야 한다. ② '일시적인'이라는 의미의 temporary와 '줄어들다'라는 의미의 diminish가 적절하다. ① 일시적인 – 확대되다 ③ 강렬한 – 줄어들다 ④ 강렬한 – 확대되다 ⑤ 복잡한 – 계속되다

---

❶ The ancient Greek historian Aeneas the Tactician / suggested / conveying a secret message / by pricking

└ = ┘동격   suggest는 목적어로 동명사를 취한다.   by -ing: ~함으로써

tiny holes / under particular letters / in an apparently ordinary page of text. ❷ Those letters / would spell out a

secret message, / easily read / by the intended receiver. ❸ However, / any other person / who stared at the page

being이 생략된 분사구문   주격 관계대명사로, who ~ page가 person을 수식

/ would probably be unaware of pinpricks / and thus the secret message. ❹ Two thousand years later, / British

⤷ ~하기 위해: to부정사의 부사적 용법(목적)

letter writers / used exactly the same method, / not to achieve secrecy / but to avoid paying excessive postage

not A but B: A가 아니라 B인   avoid는 목적어로 동명사를 취한다.

costs. ❺ Before the establishment of the postage system / in the mid-1800s, / sending a letter / cost / about a

cost(비용이 들다)의 과거형 / cost - cost -cost

shilling for every hundred miles, / beyond the means of most people. ❻ However, / newspapers could be posted

/ free of charge, / and this provided / a loophole for thrifty Victorians. ❼ Instead of writing and sending letters,

무료로   ~하는 대신에

/ people began to use pinpricks / to spell out a message / on the front page of a newspaper. ❽ They could then

send / the newspaper / through the post / without having to pay a penny.

have to: ~해야 한다

해석 ❶ 고대 그리스 역사가인 책략가 Aeneas는 언뜻 보기에 평범한 문서의 한 페이지에 있는 특정한 글자 아래에 작은 구멍을 내서 비밀 메시지를 전달할 것을 제안했다. ❷ 그러한 글자는 비밀 메시지의 철자를 나타냈고, 의도된 수신자에게 쉽게 읽힐 것이었다. ❸ 그러나, 그 페이지를 유심히 쳐다보는 어떤 다른 사람도 아마 핀으로 찌른 작은 구멍들을, 따라서 비밀 메시지를 알아채지 못할 것이었다. ❹ 2천 년 후에, 영국에서 편지를 쓰는 사람들은 정확히 같은 방법을 사용했는데, 비밀 유지를 달성하기 위해서가 아니라 과도한 우편 요금 지불을 피하기 위해서였다. ❺ 1800년대 중반 우편 요금 체계가 확립되기 이전에는, 편지를 부치는 데 100마일당 약 1실링의 비용이 들었는데, 이는 대부분 사람들의 재력을 넘어서는 것

이었다. ❻ 그러나, 신문은 무료로 우송될 수 있어서, 이것은 검소한 빅토리아 시대 사람들에게 빠져나갈 구멍을 제공했다. ❼ 편지를 써서 부치는 대신, 사람들은 핀으로 찌른 구멍을 사용하여 신문 첫 페이지에 메시지의 철자를 나타내기 시작했다. ❽ 그런 다음에 그들은 한 푼도 지불할 필요 없이 우편으로 신문을 보낼 수 있었다.

정답 전략 주어진 문장은 신문의 우송료가 무료여서 빅토리아 시대 사람들이 이를 어떤 목적을 위해 이용했다는 의미이다. 따라서 이 문장의 앞에는 비싼 우편료에 대한 이야기가 나올 가능성이 크고, 뒤에는 빅토리아 시대 사람들이 이를 어떻게 이용했는지 부연 설명이 나올 것임을 짐작할 수 있다. 따라서 주어진 문장이 들어갈 적절한 곳은 ④이다.

3

지 문 한 눈 에 보 기

❶ Cyber attacks / on air traffic control systems / have become / a leading security concern. ❷ The federal

government / released a report in 2009 / stating / that the nation's air traffic control system is vulnerable / to
a report를 수식하는 현재분사구를 이끎　　　*명사절을 이끄는 접속사*

a cyber attack / that could interrupt communication with pilots / and alter the flight information / used to
주격 관계대명사로, that ~ an airport가 a cyber attack을 수식　　　*the flight information을 수식하는 과거분사구*

separate aircraft / as they approach an airport. ❸ The report / found / numerous security problems / in airline
aircraft는 단수형과 복수형이 동일하다.

computer systems, / including easy-to-crack passwords and unencrypted file folders, issues / that could give
including 이하는 분사구문(동시 동작)　　　*주격 관계대명사*

invaders easy access. ❹ A cyber attack on air traffic / has / the potential / to kill many people / and could cripple
the potential을 수식하는 형용사적 용법의 to부정사

/ the country's entire airline industry. (❺ Unprecedented declines / in consumer demand / impacted / the

profitability of the airline industry, / changing the face of aircraft travel / for the foreseeable future.) ❻ Tightening
분사구문(연속 동작)

airline computer security / could be even more important / than conducting security screenings of passengers,
비교급 강조 부사

/ because / in an increasingly cyber-oriented world, / plane hijackers of the future / may not even be on board.

해석 ❶ 항공 교통 관제 시스템에 대한 사이버 공격은 안보의 주요 우려 사항이 되었다. ❷ 2009년에 연방 정부는 국가의 항공 교통 관제 시스템이 조종사들과의 통신을 방해하고 항공기가 공항에 접근할 때 그것들을 서로 떼어 놓는 데 사용되는 비행 정보를 바꿔놓을 수 있는 사이버 공격에 취약하다고 기술한 보고서를 내놓았다. ❸ 이 보고서는 쉽게 풀 수 있는 암호와 암호화되지 않은 파일 폴더, 즉 침입자가 쉽게 접근할 수 있게 해 주는 문제점을 포함하여 항공사 컴퓨터 시스템에서의 수많은 보안 문제를 발견했다. ❹ 항공 교통에 대한 사이버 공격은 많은 사람을 죽일 수 있는 잠재가능성이 있으며, 국가 전체 항공 산업을 무력하게 만들 수 있다. ❺ (소비자 수요의 유례 없는 감소는 항공 산업의 수익성에 영향을 미쳤고, 예측할 수 있는 미래 항공기 여행의 면모를 바꿔 놓았다.) ❻ 점점 더 사이버 지향적인 세계에서, 미래의 비행기 납치범들은 비행기에 탑승조차 하지 않을 수 있기 때문에, 항공사 컴퓨터 보안을 강화

하는 것이 승객에 대한 보안 검사를 실시하는 것보다 훨씬 더 중요할 수도 있다.

정답 전략 글의 첫 부분에서 이 글이 항공 교통 관제 시스템의 보안과 사이버 공격의 위험성에 대한 것임을 알 수 있다. ④는 항공 산업에서의 소비자 감소가 미치는 영향에 대한 내용이므로 글 전체의 흐름과 어울리지 않는다.

정답과 해설 **67**

❶ A carbon sink / is / a natural feature / **that** absorbs or stores more carbon / than **it** releases.
　　　　　　　　　　　　　　　　　　주격 관계대명사로, a natural feature가 선행사　　　　　= the natural feature

(C) ❷ The value of carbon sinks / is / **that** they can help create equilibrium in the atmosphere / **by removing**
　　　　　　　　　　　　　　　　　명사절을 이끄는 접속사　　　　　　　　　　　　　　　　　　　　　　　by -ing: ~함으로써

excess CO_2. ❸ One example of a carbon sink / is a large forest.

(B) ❹ Its mass of plants and other organic material / absorb and store / tons of carbon. ❺ However, / the planet's

major carbon sink / is / its oceans. ❻ **Since** the Industrial Revolution began / in the eighteenth century, / CO_2 /
　　　　　　　　　　　　　~ 이후로, ~ 이래로

released during industrial processes / has greatly increased / the proportion of carbon in the atmosphere.
CO_2를 수식하는 과거분사구

(A) ❼ Carbon sinks / have been able to absorb / about half of this excess CO_2, / and the world's oceans / have

done / the major part of that job. ❽ **They** absorb / about one-fourth of humans' industrial carbon emissions, /
　　　　　　　　　　　　　　　　　　　　= The world's oceans

doing half the work of all Earth's carbon sinks / combined.
분사구문 (동시 동작)

해석 ❶ 카본 싱크(이산화탄소 흡수계)는 배출하는 양보다 더 많은 탄소를 흡수하거나 저장하는 천연 지형이다. (C) ❷ 카본 싱크의 가치는 초과 이산화탄소를 제거함으로써 대기 내 평형 상태를 만드는 것을 돕는다는 것이다. ❸ 카본 싱크의 한 예는 거대한 숲이다. (B) ❹ 그 안의 대량의 식물과 다른 유기 물질이 엄청난 양의 탄소를 흡수하고 저장한다. ❺ 하지만, 지구의 주요 카본 싱크는 바다이다. ❻ 18세기에 산업 혁명이 시작된 이후로, 산업 공정 중에 배출된 이산화탄소는 대기 중의 탄소 비율을 크게 증가시켰다. (A) ❼ 카본 싱크는 이러한 초과 이산화탄소 중 절반 가량을 흡수할 수 있었고, 전 세계의 바다가 그 일의 주된 역할을 해 왔다. ❽ 바다는 인간의 산업으로 인한 탄소 배출물의 약 4분의 1을 흡수하여, 전 지구의 카본 싱크를 합친 것이 하는 일의 절반을 한다.

정답 전략 주어진 글은 카본 싱크(이산화탄소 흡수계)에 대한 정의를 내리고 있다. 그 다음으로는 카본 싱크의 가치(The value of carbon sinks)를 설명하는 (C)가 이어지는 것이 자연스럽다. (C)의 마지막 부분에 카본 싱크의 한 사례로 거대한 숲을 제시하고 있으므로, 그것의(Its) 수많은 식물 및 다른 유기 물질의 역할을 설명한 (B)가 이어진다. (B)의 마지막 부분에 산업 혁명으로 인한 대기 중 탄소 비율의 증가가 언급되므로, 이러한 초과 이산화탄소(this excess CO_2)의 거의 절반을 흡수하는 데 바다가 큰 역할을 했다는 내용의 (A)가 (B) 뒤에 오는 것이 적절하다.

창의·융합·코딩 | 전략 ①, ② | 58~61쪽

1 1 박테리아 – 3 – 2 박테리아 – 4 항생제　**2** (1) (B) (2) Ransom Olds: ⓐ, ⓑ / Henry Ford: ⓒ, ⓓ　**3** ⑤　**4** (1) ⓓ (2) ⓑ

1

해석 1 Sonya: 우리 주변에는 항상 많은 박테리아가 있다. 왜냐하면 그것은 거의 모든 곳에 살고 있기 때문이다. 즉 공기, 토양, 우리 몸의 다양한 부분들, 그리고 심지어 우리가 먹는 몇몇 음식들에까지. 하지만 걱정하지 마! 2 Marin: 대부분의 박테리아는 우리에게 유익하다. 어떤 것은 우리의 소화기관에 살면서 우리가 음식을 소화시키는 것을 도와주고, 어떤 것은 주변에 살면서 우리가 지구에서 숨 쉬고 살 수 있도록 산소를 만들어낸다. 3 Andy: 하지만 불행하게도, 이런 훌륭한 생명체들 중 몇몇이 때로는 우리를 병들게 할 수 있다. 이때가 우리가 감염을 통제할 수 있도록 약을 처방해 줄 수 있는 의사에게 진찰 받는 것이 필요한 때이다. 4 Michael: 그런데 이런 약은 정확히 무엇이고 어떻게 박테리아와 싸울까? 이런 약은 '항생제'라고 불리며, 이는 '박테리아의 생명에 대항하는 것'을 의미한다. 항생제는 박테리아를 죽이거나 또는 그것이 증식하는 것을 막는다.

정답 전략 우리 주변에는 어디에나 박테리아가 있다는 내용으로 시작하여 대부분 우리에게 이롭지만 몇몇은 우리를 아프게 하므로 약을 처방 받게 되고, 그 약은 항생제로서 박테리아를 죽일 수 있다는 흐름이 자연스럽다.

2

해석 Oldsmobile의 창립자인 Ransom Olds는 '말 없는 마차'를 충분히 빨리 생산할 수 없었다. 1901년에 그는 생산 과정의 속도를 높이는 아이디어가 있었는데 한 번에 한 대의 자동차를 만드는 대신에, 조립 라인을 고안했던 것이다. 생산의 가속은 1901년 425대의 자동차 생산에서 이듬해 인상적인 2,500대의 자동차 생산까지 전례가 없는 것이었다. 다른 경쟁사들이 이 놀라운 양에 깊은 감명을 받는 동안, Henry Ford는 감히 "우리가 훨씬 더 잘할 수 있을까?"라고 물었다. 사실, 그는 컨베이어 벨트를 조립 라인에 도입함으로써 Olds의 훌륭한 아이디어를 개선할 수 있었다. 그 결과, Ford사의 생산은 최고조에 달했다. 과거처럼, Model T를 제작하는 데 1.5일이 걸리는 대신, 그는 이제 90분마다 한 대씩의 속도로 차를 뱉어낼(생산할) 수 있게 됐다.

Words and Phrases carriage 마차 assembly line 조립 라인 acceleration 가속 output 생산량, 산출량 conveyor belt 컨베이어 벨트 spit out 뱉다 at a rate of ~의 속도로 in awe of 깊은 감명을 받은 volume 양, 용량 dare 감히 ~하다

정답 전략 (1) 주어진 문장의 내용으로 보아 앞에는 경쟁사들을 놀라게 한 변화가, 뒤에는 Henry Ford의 사례가 나올 확률이 크다. 주어진 문장이 들어갈 알맞은 위치는 (B)로, 뒤에 나오는 문장의 He가 Henry Ford를 가리킨다. (2) ⓐ와 ⓑ는 자동차 생산에 조립 라인을 고안한 Ransom Olds이고, ⓒ와 ⓓ는 Ransom Olds의 아이디어에 컨베이어 벨트를 접목한 Henry Ford를 가리킨다.

3

해석 회사들은 직원의 업무 만족도를 높이고자 한다. ① 행복한 직원들이 더 열심히 일하기 때문에 업무 만족도가 생산성을 높이고, 그들이 더 낮은 비용으로 더 많은 것을 생산하게 한다. ② 많은 서비스 조직에서, 고객 만족은 자주 직접적으로 직원들의 태도에 달려 있고, 그들은 고객에게 회사의 얼굴이다. ③ 사람들의 구매 패턴은 그들의 구매 경험 중 어떻게 느끼는지에 영향을 받기 때문에, 행복한 직원들은 중요하다. ④ 직원들이 만족하지 못하면, 그들의 불행이 고객들의 경험을 악화시키고, 그 결과, 고객들은 덜 사고, 회사의 실적이 나빠진다. (⑤ 제품의 가격이 더 비싸지만 그만한 가치가 있다면, 그것의 가치는 소비자들에게 받아들여진다.)

Words and Phrases enhance 높이다, 향상시키다 contentment 만족도 productivity 생산성 acceptable 받아들일 수 있는

정답 전략 주제문은 회사들이 직원들의 업무 만족도를 높이려고 한다는 것이고, 다른 문장들은 회사들이 그렇게 하는 이유를 설명하여 주제문을 뒷받침하고 있다. 그러나 ⑤는 직원들의 업무 만족도와는 상관없는, 제품에 대한 소비자의 만족도에 대한 내용이므로 필요하지 않다.

4

해석 Rhonda는 여러 사람들과 함께 캠퍼스 근처에 살고 있었는데, 그들 중 누구도 서로를 알지 못했다. 청소 직원들은 주말마다 와서, 화장실 두 칸에 각각 여러 개의 두루마리 화장지를 두고 갔다. 그러나, 월요일 즈음에는 모든 화장지가 없어지곤 했다. 그것은 전형적인 공유지의 비극 상황이었다. 일부 사람들이 자신들의 공정한 몫보다 더 많은 휴지를 가져갔기 때문에, 다른 모두의 공공재가 파괴된 것이었다. 행동변화에 대한 한 연구 논문을 읽고 나서, Rhonda는 화장실 화장지는 공유 물품이므로 가져가지 말라고 사람들에게 요청하는 쪽지를 한 군데의 화장실에 두었다. 아주 만족스럽게도, 몇 시간 후에 화장지 한 개가 다시 나타났고, 그 다음 날에 또 하나가 다시 나타났다. 하지만 쪽지가 없는 화장실에서는 청소 직원들이 돌아오는 그 다음 주말까지 화장지가 없었다. → 작은 상기물이 그들이 필요한 것보다 더 많은 공유 물품을 가져갔던 사람들의 행동에 변화를 가져왔다.

Words and Phrases tragedy-of-the-commons 공유지의 비극 reminder 상기물

정답 전략 공공 물품인 화장실 화장지를 많이 가져가는 사람들이 있어 결국 화장실에 휴지가 없는 상황이 발생하자, Rhonda가 그러지 말라고 요청하는 쪽지를 남겨 화장실 화장지의 일부가 돌아왔다고 했다. 즉, Rhonda가 남긴 쪽지가 상기물(A small reminder) 역할을 해서, 공유 물품(the shared goods)인 화장실 화장지를 가져갔던 사람들의 행동에 변화를 일으킨 것이다.

신유형·신경향 전략

64~67쪽

1 ② 2 ② 3 ② 4 ⑤

❶ On August 12, 1994, / major league baseball players / went on strike, / bringing baseball to a halt / for the rest
분사구문(동시 동작)
of the season. ❷ The strike, / which lasted 235 days, / ended / in April of the next year / when a federal judge
계속 용법의 관계대명사   시간의 관계부사
issued an injunction / against the club owners. ❸ Just before the strike, / baseball was enjoying / one of the
one of the+최상급+복수명사: 가장 ~한 것들 중 하나
most exciting seasons / in many years. ❹ The lowly Montreal Expos / were leading their league / by six games,
(정도·차이) ~의 차이로
/ Tony Gwynn / was enjoying a .400 batting average, / and a number of ballplayers / were having banner years.

❺ Just before the strike, / the famed hitter Ken Griffey, Jr., / was asked / what he thought about the upcoming
의문사+주어+동사 ~: 간접의문문
strike, / especially / since he and so many other ballplayers were doing so well. ❻ He replied: / We picked / a bad
~ 때문에(이유의 접속사)
year / to have a good year.
~하기 위해: to부정사의 부사적 용법(목적)

[해석] ❶ 1994년 8월 12일, 메이저리그 야구 선수들이 파업에 돌입했고, 그 시즌의 나머지 기간 동안 야구를 중단시
켰다. ❷ 그 파업은 235일간 지속되었고, 연방 법원 판사가 구단주들에 불리한 명령을 낸 그 다음 해 4월에 끝났다. ❸
파업 직전에, 야구는 여러 해 중 가장 흥미진진한 시즌 중 하나를 누리고 있었다. ❹ 보잘것없던 Montreal Expos는
6경기 차로 리그에서 선두를 달리고 있었고, Tony Gwynn은 4할의 타율을 누리고 있었으며, 많은 야구 선수들이 아
주 성공적인 해를 보내고 있었다. ❺ 파업 직전에, 아주 유명한 타자인 Ken Griffey, Jr.는, 특히 그와 아주 많은 다른
야구 선수들이 매우 잘하고 있었기 때문에, 다가오는 파업에 대해 어떻게 생각하느냐는 질문을 받았다. ❻ 그는 "우리
는 좋은 해를 갖기 위해 나쁜 해를 골랐다."라고 답했다.

[정답 전략] 많은 야구 선수들이 좋은 기록을 내며 흥미진진한 한 해를 보내고 있던 때에 파업에 돌입하는 상황이므로 Ken Griffey, Jr.가 말한 a
bad year는 '좋은 상황을 중단해야 하는 나쁜 해'라는 의미로 볼 수 있다. 즉 ② '파업을 위해, 우리는 성공적인 시즌을 희생하고 있다.'라는 말
로 바꿔 쓸 수 있다. ① 우리는 우리의 개인기록이 실망스럽다. ③ 우리는 파업을 계속하는 것보다는 협상하기를 원한다. ④ 우리는 스트라이크
를 나쁜 스포츠맨십 행동으로 여긴다. ⑤ 우리는 파업에 대한 다양한 태도가 있음을 인정한다.

❶ Major long-term threats / to deep-sea fishes, / as with all life on the planet, / derive from trends of global
~처럼
climate change. ❷ Although deep-sea fishes are generally cold-water species, / warming of the oceans itself /
비록 ~일지라도(양보의 접속사)
may not be / a direct threat. ❸ Many of the deep-sea fishes / originated / during the early Cretaceous / when
시간의 관계부사
the deep sea was warm, / and the Mediterranean Sea, / which is warm down to a depth of over 5,000 m, /
계속 용법의 관계대명사
is populated by deep-sea fishes. ❹ On the other hand, / substantial changes / may be expected / in ocean
ecosystems / over the next 100 years / driven by an increase in dissolved carbon dioxide (CO₂) and consequent
being이 생략된 분사구문으로 볼 수 있다.
ocean acidification / resulting from burning of fossil fuels. ❺ Although the effects on deep-sea fishes are likely to
an increase ~ ocean acidification을 수식하는 현재분사구
be indirect / through loss of coral habitats and changes in prey availability, / larval stages of deep-sea fishes / in
the surface layers of the ocean / may be directly affected by acidity.

→ ❻ Changes / in sea (A) | level / temperature | / may not pose an immediate threat / to deep-sea fishes, / and yet

changes / in seawater (B) | chemistry / pressure | / may directly affect them / in their (C) | adult / larval | stages.

해석 ❶ 심해어류에 대한 장기간의 주요 위협은, 지구상의 모든 생물체가 그렇듯이, 지구 기후 변화의 추세에서 비롯된다. ❷ 심해어류가 일반적으로 냉수종이지만, 바다의 온난화 자체는 직접적인 위협이 아닐 수도 있다. ❸ 심해어류 중 많은 수는 심해가 따뜻했던 백악기 초기에 나타났고, 5,000미터가 넘는 깊이까지 내려가도 따뜻한 지중해에는 심해어류가 다수 서식한다. ❹ 반면, 향후 100년 동안 해양 생태계에는 화석 연료 연소로 발생하는 용존 이산화탄소(CO_2)의 증가와 그 결과 발생하는 해양 산성화에 의해 상당한 변화가 예상될지도 모른다. ❺ 산호초 서식지의 소실과 먹이 가용성의 변화를 통해서는 심해어류에 대한 영향이 간접적일 가능성이 높지만, 바다 표층에 있는 유생 단계의 심해어류는 산도(酸度)에 직접적으로 영향을 받을 수 있다. → ❻ 바다 온도의 변화는 심해어류에 즉각적인 위협을 주지 않을 수도 있지만, 바닷물의 화학 성분 변화는 유생 단계에 있는 심해어류에게 직접적으로 영향을 미칠 수 있다.

정답 전략 요약문의 내용으로 보아 심해어류에 즉각적인 위협을 주지 않는 요소와, 직접적으로 영향을 주는 요소를 글을 읽으며 찾아야 한다. 심해어류는 온난화 자체에는 직접적으로 영향을 받지 않을 수 있지만, 용존 이산화탄소 양의 증가로 인한 바다의 산성화에는 심해어류의 유생 단계에서 직접적인 영향을 받을 수 있다고 했다. 온난화는 '바다 온도의 변화'로, 바다의 산성화는 '바닷물의 화학 성분 변화'로 요약문에서 다르게 표현되었다는 점에 유의한다.

❶ Scientists / have no special purchase / on moral or ethical decisions; / a climate scientist is no more qualified / to comment on health care reform / than a physicist is / to judge the causes of bee colony collapse. ❷ The very
to부정사의 형용사적 용법 / 앞에 qualified가 생략되었다.
features / that create expertise in a specialized domain / lead to ignorance / in many others. ❸ In some cases /
주격 관계대명사로, that ~ domain이 The very features를 수식   주어가 The very features로 복수 취급
lay people — farmers, fishermen, patients, native peoples — / may have relevant experiences / that scientists
목적격 관계대명사로, that 이하가 experiences를 수식
can learn from. ❹ Indeed, / in recent years, / scientists have begun / to recognize this: / the Arctic Climate Impact
Assessment / includes observations / gathered from local native groups. ❺ So / our trust / needs to be limited,
observations를 수식하는 과거분사구
/ and focused. ❻ It needs / to be very particular. ❼ Blind trust / will get us into at least as much trouble / as no
trust at all. ❽ But / without some degree of trust / in our designated experts / — the men and women / who have
~ 없이(전치사)   주격 관계대명사로, who ~ live in이 the men and women을 수식
devoted their lives / to sorting out tough questions / about the natural world / we live in — / we are paralyzed, /
devote A to B: A를 B에 바치다   we 앞에 which(that)가 생략된 관계대명사절로, the natural world를 수식
in effect / not knowing / whether to make ready for the morning commute or not.
분사구문   whether ~ or not: ~인지 아닌지

해석 ❶ 과학자들은 도덕적이거나 윤리적인 결정에 특별한 영향을 끼치지 않으며, 기후학자는 의료 개혁에 의견을 제시하는 데 있어 물리학자가 벌 군생의 붕괴 원인을 판단하는 것 이상으로 자격을 갖고 있지 않다. ❷ 전문 분야에서의 전문성을 만들어내는 바로 그 특징이 다른 많은 분야에서의 무지로 이어진다. ❸ 어떤 경우에는 비전문가들 – 농부, 어부, 환자, 현지인들 – 에게 관련 경험이 있어서 과학자들이 그것으로부터 배울 수 있을지도 모른다. ❹ 사실, 최근에는 과학자들도 이것을 깨닫기 시작했다. 북극 기후 영향 평가는 지역 원주민 그룹에서 수집한 관찰 결과를 포함한다. ❺ 그래서 우리의 신뢰는 제한적이고, 집중적이어야 할 필요가 있다. ❻ 그것은 매우 특수해야 할 필요가 있다. ❼ 맹목적인 신뢰는 우리를 적어도 완전한 불신만큼이나 많은 문제에 휘말리게 할 것이다. ❽ 그러나 우리의 지정 전문가들 – 우리가 살고 있는 자연 세계에 대한 난해한 문제들을 해결하는 데 자신의 인생을 헌신한 사람들 – 에 대한 어느 정도의 믿음 없이는, 우리가 마비 상태가 되어 사실상 아침 출근 준비를 해야 할지 아닐지도 모를 것이다.

정답 전략 과학자들은 자신의 전문 분야 이외의 것들에 대해서는 무지할 수 있으므로, 맹목적인 신뢰를 가져서는 안 된다는 것이 이 글의 중심 내용이다. 그러나 밑줄 친 부분을 포함한 문장은 그럼에도 불구하고 그 전문가들이 주는 정보에 대한 기본적인 수준의 신뢰를 통해 우리가 일상적인 생활을 할 수 있다고 덧붙이고 있으므로, ② '전문가들에 의해 제공되는 손쉽게 적용 가능한 정보'가 밑줄 친 부분의 의미라고 할 수 있다. ① 비전문가들에 의해 대중화된 의문스러운 사실 ③ 중대한 결정에 거의 영향을 주지 못하는 상식 ④ 전문가와 비전문가들 모두에 의해 생산되는 실용적인 정보 ⑤ 지역 공동체에 널리 퍼진 편향적인 지식

❶ Introduction of robots / into factories, / while employment of human workers is being reduced, / creates worry

┌→ be being+과거분사: ~되는 중이다(현재진행수동태)

~하는 동안에(시간의 접속사)　　　　　　　　　　　　　　　　주어가 Introduction이므로 단수 취급

and fear. ❷ It is the responsibility of management / to prevent or, at least, to ease these fears. ❸ For example,

가주어　　　　　　　　　진주어

/ robots could be introduced only in new plants / rather than replacing humans / in existing assembly lines.

~라기보다는 (오히려)

❹ Workers should be included / in the planning for new factories / or the introduction of robots into existing

plants, / so they can participate / in the process. ❺ It may be / that robots are needed / to reduce manufacturing

it may be that: ~일지도 모른다

costs / so that the company remains competitive, / but planning for such cost reductions / should be done /

~하기 위해, ~하도록(목적)

jointly / by labor and management. ❻ Retraining current employees / for new positions within the company /

will also greatly reduce / their fear of being laid off. ❼ Since robots are particularly good / at highly repetitive

동명사 수동태　　　~ 때문에(이유의 접속사)

simple motions, / the replaced human workers / should be moved to positions / where judgment and decisions

positions를 수식하는 관계부사절

beyond the abilities of robots are required.

해석 ❶ 로봇의 공장 도입은 인간 직원 고용이 줄어드는 와중에 걱정과 두려움을 자아낸다. ❷ 이러한 두려움을 막거나 적어도 완화시키는 것이 경영진의 의무이다. ❸ 예를 들어, 로봇은 기존의 조립 라인에서 인간을 대신하는 것보다는 새로운 공장에만 도입될 수도 있다. ❹ 노동자들은 새로운 공장을 세우는 계획이나 기존 공장의 로봇 도입에 포함되어야 하며, 그래야 그들이 과정에 참여할 수 있다. ❺ 회사가 경쟁력을 유지할 수 있도록 생산 단가를 줄이는 데 로봇이 필요할지도 모르지만, 그와 같은 원가 절감 계획은 노사가 공동으로 해야 한다. ❻ 기존 직원들을 사내의 새로운 자리를 위해 재교육하는 것 또한 해고에 대한 그들의 공포를 크게 줄여줄 것이다. ❼ 로봇은 대단히 반복적인 단순 동작에 특히 능하기 때문에, 교체된 인간 직원들은 로봇의 능력을 넘어서는 판단과 결정이 요구되는 자리로 이동하게 되어야 한다.

정답 전략 주어진 문장의 also로 보아, 로봇 도입과 관련하여 기존 직원들의 두려움을 줄일 수 있는 방법에 대한 내용이 앞에 나왔을 것이다. 또한 주어진 문장에서 언급된 new positions가 마지막 문장의 positions where ~ are required와 연결되므로, ⑤에 들어가는 것이 적절하다.

1·2등급 확보 전략 1회

68~71쪽

1 ③　2 ②　3 ①　4 ⑤

❶ The conscious preference / for apparent simplicity / in the early-twentieth-century modernist movement

┌→ 선행사를 포함하는 관계대명사

/ in prose and poetry / was echoed / in what is known / as the International Style of architecture. ❷ The

주어가 The conscious preference　　　~로서(전치사)

new literature / (A) avoided / embraced / old-fashioned words, elaborate images, grammatical inversions,

and sometimes even meter and rhyme. ❸ In the same way, / one of the basic principles / of early modernist

one of+복수명사: ~들 중 하나

architecture / was / that every part of a building must be (B) decorative / functional , / without any unnecessary

명사절을 이끄는 접속사

or fancy additions. ❹ Most International Style architecture / aggressively banned / moldings and sometimes

even window and door frames. ❺ **Like** the prose of Hemingway or Samuel Beckett, / it proclaimed, and
　　　　　　　　　　　　　　　　　　　　　　　　　　～와 같이, ~처럼(전치사)
sometimes proved, / **that** less was more. ❻ But some modern architects, / unfortunately, / designed buildings /
　　　　　　　　　　　　　명사절을 이끄는 접속사
that looked simple and elegant / but didn't in fact function very well: / their flat roofs / leaked / in wet climates
주격 관계대명사로, that ~ very well이 buildings를 수식
/ and their metal railings and window frames / rusted. ❼ Absolute (C) complexity / simplicity , / in most cases, /

remained an ideal / **rather than** a reality, / and in the early twentieth century / complex architectural decorations
　　　　　　　　　　～라기보다는 오히려
/ continued to be used / in many private and public buildings.

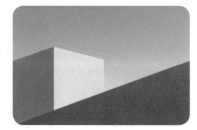

해석 ❶ 산문과 시에서 20세기 초반 근대주의 운동에서의 명백한 단순성에 대한 의식적 선호는 건축
의 국제양식으로 알려진 것에 투영되었다. ❷ 이 새로운 문학은 구식의 낱말, 정교한 심상, 문법적 도
치, 그리고 때때로 운율과 각운조차 피했다. ❸ 같은 방식으로, 초기 근대주의 건축의 기본 원칙 중 하
나는 건물의 모든 부분이 어떠한 불필요하거나 멋진 추가물이 없이 기능적이어야 한다는 것이었다.
❹ 대부분의 국제양식 건축은 몰딩과 때때로 창과 문의 틀조차 적극적으로 금했다. ❺ Hemingway
나 Samuel Beckett의 산문처럼, 그것은 더 적은 것이 더 낫다는 것을 주장했고 때때로 증명했다. ❻
그러나 일부 근대 건축가들은 불행히도 단순하고 우아해 보이지만 사실은 잘 기능하지 않았던 건물을 설계했다. 그것들의 평평한 지붕은 비가
많은 지역에서는 물이 샜고 그것들의 금속 난간과 창틀은 녹이 슬었다. ❼ 대부분의 경우에서 절대적 단순성은 현실이라기보다 이상으로 남았
고, 20세기 초반에 복잡한 건축 장식이 많은 민간 건물과 공공건물에서 계속해서 사용되었다.

Words and Phrases conscious 의식적인 preference 선호 apparent 명백한 simplicity 단순성 prose 산문 echo 공명하다, 반향을
보이다 embrace 수용하다, 받아들이다 elaborate 장식적인 image 심상 meter 운율, 박자 rhyme 각운 principle 원칙 decorative
장식용의 functional 기능적인 fancy 장식이 많은 aggressively 공격적으로 ban 금하다 proclaim 주장하다 prove 증명하다 leak 새
다 rust 녹슬다 complexity 복잡성 ideal 이상

정답 전략 이 글의 주제는 20세기 초 문학에서의 단순성에 대한 선호가 동시대 건축에까지 영향을 미쳤다는 것이다. (A) 따라서 이 시대의 새로
운 문학이 기존 문학의 원칙이나 특성을 '피했다'고 하는 것이 자연스럽다. (B) 그리고 문학에 영향을 받아 건축의 원칙도 불필요한 것 없이 '기
능적인' 면을 강조했으리라는 것을 알 수 있다. (C) 앞에서 서술된 새로운 건축의 원칙, 즉 '단순성'이 현실이라기보다는 이상으로 남았다는 흐
름이 자연스럽다. 따라서 답은 ③이다.

❶ The role of science / can sometimes be overstated, / **with its advocates slipping into scientism.** ❷ Scientism
　　　　　　　　　　　　　　　　　　　　　　　　　　with+목적어+분사(부대상황을 나타내는 분사구문)
is the view / **that** the scientific description of reality is the only truth / **there is.** ❸ With the advance of science,
　　　　　　the view = that절　　　　　　　　　　　　　　　　　there is 앞에 주격 관계대명사 that이 생략되어 있고, the only truth를 수식
/ there has been a tendency / **to slip into scientism, and assume** / **that** any factual claim can be authenticated
　　　　　　　　　　　　　a tendency를 수식하는 형용사적 용법의 to부정사　　　명사절을 이끄는 접속사
/ if and only if the term 'scientific' can correctly be ascribed / to it. ❹ The consequence is / **that** non-scientific
　　　　　　　　　　　　　　　　　　　　　　　　　　　　　　　　　　　　　　명사절을 이끄는 접속사
approaches to reality / — and that can include / all the arts, religion, and personal, emotional and value-laden

ways of encountering the world — / may become labelled / as merely subjective, / and therefore of little account
　　of little ~: 별로 ~이 없는
/ in terms of describing the way / **the world is.** ❺ The philosophy of science / seeks / **to avoid** crude scientism /
　　　　　　　　　　　　　　the way를 수식하는 관계부사절 / how 생략　　　　　　　　　to avoid, (to) get이 병렬 구조로 연결되어 있다.
and **get** a balanced view / on **what** the scientific method can and cannot achieve.
　　　　　　　　　　　　선행사를 포함하는 관계대명사

해석 ❶ 과학의 역할은 때때로 과장될 수 있으며, 그것의 옹호자들은 과학만능주의에 빠져든다. ❷ 과학만능주의는 현실에 대한 과학적인 기술만이 존재하는 유일한 진실이라는 견해이다. ❸ 과학의 발전과 함께, 과학만능주의에 빠져들어 사실에 입각한 어떤 주장이든지 '과학적'이라는 용어가 정확하게 그것에 속하는 것으로 생각될 수 있는 경우에, 그리고 오직 그런 경우에만 진짜인 것으로 입증될 수 있다고 가정하는 경향이 있어 왔다. ❹ 그 결과는 현실에 대한 비과학적 접근 방식이—그리고 그것은 모든 예술, 종교, 그리고 세상을 접하는 개인적, 감정적, 가치 판단적인 방식을 포함할 수 있다—단지 주관적인 것일 뿐이며, 따라서 세상이 존재하는 방식을 기술하는 것의 관점에서 거의 중요하지 않은 것으로 분류될지도 모른다는 것이다. ❺ 과학 철학은 투박한 과학만능주의를 피하고 과학적 방법이 성취할 수 있는 것과 성취할 수 없는 것에 대한 균형 잡힌 시각을 가지려고 노력한다.

Words and Phrases overstate 과장하다 advocate 옹호자 slip into ~으로 빠져들다 scientism 과학만능주의 description 기술, 묘사 advance 발전, 진보 tendency 경향 claim 주장; 주장하다 authenticate 진짜임을 증명하다 consequence 결과 value-laden 가치 판단적인 encounter 접하다, 마주치다 label 분류하다, 꼬리표를 달다 subjective 주관적인 account 중요성

정답 전략 빈칸이 있는 문장은 현실에 대한 비과학적 접근 방식이 과학만능주의에서 어떻게 정의되는지를 나타낸다. 과학만능주의에서는 현실에 대한 과학적인 기술만이 유일한 진실이라고 여기고, 현실에 대한 비과학적인 접근을 주관적이고 '중요하지' 않은 것으로 분류하려 한다는 것이 자연스럽다. 따라서 빈칸에는 ② '중요성'이 가장 적절하다. ① 의문 ③ 논쟁 ④ 변화 ⑤ 편견

---

3 지 문 한 눈 에 보 기

❶ Although not the explicit goal, / the best science / can really be seen / as refining ignorance. ❷ Scientists, /
see A as B: A를 B로 여기다
especially young ones, / can get too obsessed with results. ❸ Society / helps them / along in this mad chase. ❹
help+동사원형(to부정사): ~하는 것을 돕다
Big discoveries / are covered in the press, / show up on the university's home page, / help get grants, / and make
not A but B: A가 아니라 B인
the case for promotions. ❺ But it's wrong. ❻ Great scientists, / the pioneers / that we admire, / are not concerned
동격 관계 목적격 관계대명사로, that we admire가 the pioneers를 수식
with results / but with the next questions. ❼ The highly respected physicist Enrico Fermi / told his students / that
명사절을 이끄는 접속사
an experiment / that successfully proves a hypothesis / is a measurement; / one that doesn't / is a discovery. ❽
주격 관계대명사로, that ~ a hypothesis가 an experiment를 수식 = an experiment = doesn't prove a hypothesis
A discovery, / an uncovering — of new ignorance. ❾ The Nobel Prize, the pinnacle of scientific accomplishment,
= 동격 관계
/ is awarded, / not for a lifetime of scientific achievement, / but for a single discovery, a result. ❿ Even the Nobel
not A but B: A가 아니라 B인
committee / realizes / in some way / that this is not really in the scientific spirit, / and their award citations /
명사절을 이끄는 접속사
commonly honor / the discovery / for having "opened a field up," "transformed a field," or "taken a field in new
having opened, (having) transformed, or (having) taken
and unexpected directions."

해석 ❶ 비록 명시적인 목표는 아니지만, 최고의 과학은 실제로 무지를 개선하는 것으로 여겨질 수 있다. ❷ 과학자들, 특히 젊은 과학자들은 결과에 지나치게 집착할 수 있다. ❸ 사회는 그들이 이런 무모한 추구를 계속하도록 돕는다. ❹ 대단한 발견들이 언론에 실리고, 대학의 홈페이지에 등장하고, 보조금을 얻도록 도와주고, 승진을 위한 논거를 만든다. ❺ 그러나 그것은 잘못되었다. ❻ 위대한 과학자들, 우리가 존경하는 선구자들은 결과가 아니라 그 다음의 질문에 관심이 있다. ❼ 대단히 존경받는 물리학자 Enrico Fermi는 자신의 학생들에게 가설을 성공적으로 입증하는 실험은 측정이며, 그렇지 않은 것은 발견이라고 말했다. ❽ 새로운 무지의 발견, 드러내기라고. ❾ 과학적 성취의 정점인 노벨상은 평생의 과학적인 업적이 아니라 하나의 발견, 결과에 대해 수여된다. ❿ 노벨상 위원회조차도 어떤 면에서는 이것이 실제로 과학의 정신에 있지 않음을 인식하고 있으며, 그들의 수상 문구들도 보통 그 발견이 '한 분야를 열었거나,' '한 분야를 변화시켰거나,' 혹은 '한 분야를 새롭고 예상치 못한 방향으로 이끌었음'을 칭송한다.

Words and Phrases explicit 명시적인 refine 정제하다, 개선하다 ignorance 무지 get(be) obsessed with ~에 집착하다 chase 추구 grant 보조금 make a case 주장하다, 주장이 정당함을 입증하다 promotion 승진 pioneer 선구자 hypothesis 가설 accomplishment 성취 citation 인용(구) honor 예우하다, 명예를 주다 ultimate 궁극적인 objective 객관적인 mindset 사고방식 inspire 고무하다, 격려하다 publicize 알리다, 홍보하다

정답 전략 위대한 과학자들은 결과가 아니라 새로운 발견에 뒤따라오는 질문에 관심이 있으며, 가설을 입증하는 실험은 측정이고 그렇지 못한 실험이 발견이라고 했다. 즉 이 글은 아는 것을 확인하는 것이 아닌, 이제까지 발견되지 않아서 우리가 모르는 것을 발견하는 것, 무지를 드러내는 것이 과학에서 중요하다는 입장을 취하고 있다. 따라서 refining ignorance는 이러한 과학의 역할에 대한 정의라고 할 수 있으므로, ① '알려진 것을 넘어서 알려지지 않은 채로 있는 것 쪽을 보는 것'이라는 의미이다. ② 발견된 것에 대한 궁극적인 설명을 제공하는 것 ③ 객관적인 사고방식을 가지고 기존의 지식을 분석하는 것 ④ 과학자들이 중요한 발견을 알리도록 격려하는 것 ⑤ 과학의 새로운 분야에 대해 학생들에게 알려주는 것

❶ A sovereign state / is usually defined / as one / whose citizens are free / to determine their own affairs /
define A as B: A를 B로 정의하다 = a state 소유격 관계대명사
without interference / from any agency beyond its territorial borders.

(C) ❷ But freedom in space / (and limits on its territorial extent) / is merely / one characteristic of sovereignty. ❸

Freedom in time / (and limits on its temporal extent) / is equally important / and probably more fundamental.

(B) ❹ Sovereignty and citizenship / require freedom / from the past / at least as much / as freedom from

contemporary powers. ❺ No state / could be sovereign / if its inhabitants lacked the ability / to change a course
가정법 과거   = a course of action   the ability를 수식하는 형용사적 용법의 to부정사
of action / adopted by their forefathers in the past, / or even one / to which they once committed themselves.
a course of action을 수식하는 과거분사구   목적격 관계대명사로, to which ~ themselves가 one을 수식
(A) ❻ No citizen / could be a full member of the community / so long as she was tied / to ancestral traditions
~하는 한
/ with which the community might wish to break / — the problem of Antigone in Sophocles' tragedy. ❼
목적격 관계대명사로, with which ~ to break가 ancestral traditions를 수식 / break with: 관계를 끊다, 단절하다
Sovereignty and citizenship / thus require / not only borders in space, / but also borders in time.
not only A but also B: A뿐만 아니라 B도

해석 ❶ 주권 국가는 보통 그 시민들이 국경 너머의 그 어떤 기관으로부터도 간섭 없이 자신들의 일을 자유롭게 결정하는 국가라고 정의된다. (C) ❷ 하지만 공간에서의 자유는 (그리고 영토 범위의 제한은) 단지 주권의 한 가지 특징일 뿐이다. ❸ 시간의 자유가 (그리고 시간적 범위에 대한 제한이) 동등하게 중요하며 아마 더 근본적일 것이다. (B) ❹ 주권과 시민권은 최소한 동시대 권력으로부터의 자유만큼이나 많이 과거로부터의 자유를 필요로 한다. ❺ 국민들이 과거에 그들의 선조들에 의해 채택된 행동 방침이나, 또는 한때 그들이 전념했던 행동 방침을 바꿀 능력이 없다면 그 어떤 국가도 자주적일 수 없을 것이다. (A) ❻ 어떤 시민도 공동체가 단절하기를 원할 수 있는 선조의 전통에 묶여 있는 한 그 공동체의 완전한 구성원이 될 수 없을 것이며, 이것은 Sophocles의 비극에서 Antigone의 문제이기도 하다. ❼ 주권과 시민권은 따라서 공간의 경계뿐만 아니라 시간의 경계 또한 필요로 한다.

Words and Phrases define 정의하다 interference 간섭, 방해 agency 기관 territorial border 국경 ancestral 조상의, 선조의 sovereignty 통치권, 자주권 contemporary 동시대의 inhabitant 주민, 거주자 adopt 채택하다 forefather 조상, 선조 extent 범위, 정도 fundamental 근본적인

정답 전략 주어진 글은 주권 국가를 '국경' 즉 영토와 관련하여 정의하고 있다. (C)는 영토와 관련한 주권 국가의 정의에 '시간'과 관련된 의미를 추가하고 있으므로 주어진 글 다음에 이어지는 것이 적절하다. 그리고 (C)에서 설명된 '시간'과 관련된 주권 국가의 정의에 대한 추가 설명이 (B)에 나오므로, (B)가 (C) 뒤에 이어지는 것이 적절하고, (A)는 (B)에 나온 '선조들'의 전통으로부터 자유로워야 공동체의 완전한 구성원이 될 수 있다고 주장하며 주권과 시민권에 대해 다시 한 번 정리하고 있으므로 글의 마무리 역할을 하여 마지막에 오는 것이 적절하다. 따라서 글의 순서는 (C)-(B)-(A)가 적절하다.

1~2　지문 한눈에 보기

❶ Three composers / attended / a show / at the Café Concert des Ambassadeurs. ❷ There / they heard / performances of a song / written by one of them / and a sketch / written by the other two. ❸ After the
　　　　　　　　　　　　　　　　　a song을 수식하는 과거분사구　　　　　　　　　　　　a sketch를 수식하는 과거분사구
performance, / the three refused / to pay their bill, / telling the owner of the café: 'You use / the products of
　　　　　　　　　　　　　　　　　　　　　　　　　　분사구문(동시 동작)
our labour / without paying us for it. So there's no reason / why we should pay for your service'. ❹ The case /
　　　　　　~ 없이, ~하지 않고　　　　　　　　　　　　reason을 수식하는 관계부사절
went to court, / and the composers / won on appeal. ❺ The decision / extended / an existing law on theatrical
performances / to all musical works and all public performance of those works. ❻ This decision / created / a new
category of legal right / — the performing right — / and with it / a new economic relationship / between music
　　　　　　　　　　　　　　　　　　　　　　　　　　　　　　└ 동사 created 생략
user and copyright owner.

❼ As a result of the decision, / these composers / and others including music publishers / founded / a society /
　　~의 결과로　　　　　　　　　　　　　　　　　　　　　　　others를 수식하는 현재분사구
to enforce and administer their performing rights. ❽ In doing so, / they established / the principle and practice
a society를 수식하는 형용사적 용법의 to부정사　　　　　　　　　　　　　　　　　　　　　┌ the fact = that절
of the collective administration of rights, / based on the fact / that — with the possible exception / of opera
performances — / it was impossible / for a single composer or publisher / to monitor every use of his or her
　　　　　　　　　가주어　　　　　　　　to부정사의 의미상의 주어　　　　　　　　진주어
work / by singers, bands, promoters or, / in the twentieth century, broadcasters. ❾ Accordingly, / the new society
/ was entrusted with the task / of monitoring music use, / issuing licences to music users, / negotiating fees, /
　　　　　　　　　　　　　　　　전치사 of의 목적어로 monitoring, issuing, negotiating, collecting, distributing이 병렬 구조로 연결되어 있다.
collecting fees / and finally distributing the money raised / to the composers and songwriters / whose works /
　　　　　　　　　　　　　　distribute A to B: A를 B에게 분배하다　the money를 수식하는 과거분사　　소유격 관계대명사
were adding value / to other people's businesses.

해석 ❶ 세 명의 작곡가가 Café Concert des Ambassadeurs에서 있었던 한 쇼에 참석했다. ❷ 그곳에서 그들은 그 중 한 명이 쓴 노래 한 곡과 나머지 두 사람이 쓴 촌극 한 편의 공연을 들었다. ❸ 공연이 끝난 후, 그 세 명은 그 카페 주인에게 "당신이 우리에게 대가를 지급하지 않고 우리 노동의 결과물을 사용하고 있습니다. 그러므로 우리가 당신의 서비스에 대해 대가를 지급할 이유가 없습니다."라고 말하며 요금을 내기를 거부했다. ❹ 그 사건은 법정으로 갔고, 작곡가들은 항소에서 이겼다. ❺ 그 판결로 인해 극장 공연에 관한 기존의 법이 모든 음악 작품과 그러한 작품의 모든 대중 공연으로 확장되었다. ❻ 이 판결로 공연 권리라는 새로운 범주의 법적 권리가 생겨났고, 그것과 함께 음악 사용자와 저작권 소유자 사이의 새로운 경제적 관계가 생겨났다.
❼ 그 판결의 결과로, 이 작곡가들과 음악을 발표하는 사람들을 포함한 다른 사람들이 자신들의 공연 권리를 집행하고 관리하기 위해 협회를 설립했다. ❽ 그렇게 하면서, 그들은 오페라 공연에서는 예외가 가능하지만, 개별의 작곡가나 발행인이 가수, 밴드, 기획자, 혹은 20세기의 경우, 방송인이 자신들의 작품을 사용하는 것을 모두 감시하는 것이 불가능하다는 사실을 바탕으로, 권리의 집단적 관리 원칙과 관례를 확립하였다. ❾ 따라서, 그 새로운 협회에 음악 사용을 감시하고, 음악 사용자에게 허가를 내 주고, 수수료를 협상하고, 수수료를 징수하며, 그리고 마지막으로 모인 돈을 그들의 작품이 다른 사람들의 사업에 가치를 더하고 있는 작곡가와 작사가에게 분배하는 일이 위임되었다.

Words and Phrases　sketch 촌극　case 사건　appeal 항소, 상고　enforce 집행하다, 시행하다　administer 관리하다, 지배하다
establish 확립하다　principle 원칙, 원리　collective 집단적인　administration 관리, 행정　promoter 기획자　entrust 위임하다, 맡기다
issue 발부하다　negotiate 협상하다　distribute 분배하다, 배포하다

정답 전략　**1** 세 명의 작곡가가 자신들의 작품이 허가 없이 공연된 것을 보고 제기한 소송의 판결 결과에 따라 음악의 공연 권리라는 것이 새로 생긴 과정과, 그 권리를 집행하고 관리하는 협회가 위임받은 일에 대해 설명하는 글이다. 따라서 글의 주제로 가장 적절한 것은 ③ '음악에서 공

연 권리의 등장과 그 영향'이다. ① 음악 공연의 문화적 중요성 ② 음악을 통해 대중의 흥미를 만드는 전략 ④ 대중을 위한 공연 예술과 그것의 예술적 가치 ⑤ 새 협회가 증가하는 허가 수수료에 미친 영향

2 선택지에 제시된 어휘가 모두 접속부사이므로, 빈칸이 있는 문장과 그 앞 문장의 관계를 파악해야 한다. 앞 문장에서는 작곡가나 발행인이 개인적으로는 자신들의 음악의 사용을 모두 감시할 수 없다고 했고, 빈칸이 있는 문장에는 협회가 이를 감시하고 관련된 여러 가지 일을 위임받았음이 설명되어 있으므로 두 문장의 내용은 인과 관계에 있다. 빈칸에는 결과를 나타내는 ① '따라서'가 가장 적절하다. ② 그럼에도 불구하고 ③ 그렇지 않으면 ④ 반대로 ⑤ 마찬가지로

3~4

지문 한눈에 보기

❶ Much of our knowledge / of the biology of the oceans / is derived from "blind" sampling.
our knowledge를 수식
❷ We use instruments / to measure bulk properties of the environment, / such as salinity and temperature, / and we
~하기 위해: to부정사의 부사적 용법(목적) · *~와 같은(bulk properties of the environment의 예시)*
use bottle or net samples / to (a) extract knowledge / about the organisms / living in the ocean.
~하기 위해: to부정사의 부사적 용법(목적) · *the organisms를 수식하는 현재분사구*
❸ This kind of approach / has contributed important knowledge / but has also influenced the way / we view marine life.
the way를 수식하는 관계부사절
❹ It leads us / to focus / on abundances, production rates, and distribution patterns. ❺ Such a perspective / is very (b) relevant / in the context / of the ocean as a resource for fisheries. ❻ It is also helpful / in developing
~로서(자격의 전치사)
an understanding of biogeochemical issues / such as ocean carbon fluxes. ❼ But on its own, / this approach / is (c) insufficient, / even for those purposes. ❽ The kind of intuition / that we develop about marine life /
intuition을 수식하는 관계대명사절
is, of course, influenced / by the way / we (d) observe it. ❾ Because the ocean is inaccessible / to us / and
the way를 수식하는 관계부사절
most planktonic organisms are microscopic, / our intuition is elementary / compared, / for example, / to the
compared to: ~와 비교하여
intuitive understanding / we have about (macroscopic) terrestrial life. ❿ Our understanding / of the biology of
the intuitive understanding을 수식하는 관계대명사절 / 목적격 관계대명사 생략
planktonic organisms / is still based / mainly on examinations of (dead) individuals, field samples, and incubation
experiments, / and even our sampling / may be severely biased / toward those organisms / that are not destroyed
주격 관계대명사로, that ~ methods가 those organisms를 수식
/ by our harsh sampling methods. ⓫ Similarly, / experimental observations / are (e) extended (→ limited) to
those organisms / that we can collect live / and keep and cultivate in the laboratory.
목적격 관계대명사로, that ~ the laboratory가 those organisms를 수식

해석 ❶ 해양의 생명 활동에 관한 우리 지식의 많은 부분은 '맹목' 견본 추출로부터 얻어진다. ❷ 우리는 염도와 기온과 같은, 대량의 환경 특성을 측정하기 위해 도구를 사용하고, 바다에 사는 생물에 관한 지식을 얻기 위해 병이나 그물로 얻은 표본을 사용한다. ❸ 이런 종류의 접근법은 중요한 정보를 제공했지만, 우리가 해양 생물을 보는 방식에 영향을 끼치기도 했다. ❹ 그것은 우리가 풍부함, 생산 비율, 그리고 분포 양식에 초점을 두도록 이끈다. ❺ 그러한 관점은 어업을 위한 자원으로서의 해양이라는 맥락에서는 매우 적절하다. ❻ 그것은 또한 해양의 탄소 흐름과 같은, 생물 지구 화학의 문제에 관한 이해를 진전시키는 데 있어 유용하다. ❼ 하지만, 이러한 접근법은 단독으로는 심지어 그 목적을 위해서조차도 불충분하다. ❽ 우리가 해양 생물에 관해 발전시키는 직관력의 종류는 물론 우리가 그것을 관찰하는 방식에 의해 영향을 받는다. ❾ 해양은 우리가 접근하기 어렵고 대부분의 플랑크톤 유기체가 미세하므로, 우리의 직관력은, 예를 들어 (육안으로 볼 수 있는) 육상 생물에 관해 우리가 가지고 있는 직관적 이해와 비교해서 초보적이다. ❿ 플랑크톤 유기체의 생명 작용에 관한 우리의 이해는 여전히 주로 (죽은) 개체에 대한 조사, 현장의 표본, 그리고 배양 실험에 근거하고 있고, 심지어 우리의 표본조차도 우리의 혹독한 견본 추출 방법에 의해 파괴되지 않은 그러한 생물 쪽으로 심하게 편향되어 있을지도 모른다. ⓫ 마찬가지로, 실험 관찰은 우리가 산 채로 수집하여 실험실에서 보존하고 배양할 수 있는 그러한 생물로 확장된다(→ 제한된다).

Words and Phrases derive 끌어내다, 얻다 blind sampling 맹목 견본 추출 bulk 대량의 property 특징, 속성 extract 추출하다 contribute 기여하다 abundance 풍부 distribution 분포 perspective 관점 relevant 적절한, 관련된 context 맥락 fishery 어업, 어

장 biogeochemical 생물 지구 화학의 insufficient 불충분한 intuition 직관(력) inaccessible 접근하기 어려운 planktonic 플랑크톤의, 부유 생물 microscopic (현미경으로 보아야 볼 수 있을 정도로) 미세한 macroscopic 육안으로 보이는 incubation 배양 bias 편견을 갖게 하다 harsh 너무 강한, 혹독한 cultivate 배양하다

정답 전략 **3** 해양 생물에 관한 우리의 연구가 견본 추출 방식을 통한 것이라는 한계, 관찰의 어려움, 얻을 수 있는 견본의 편향성 등 여러 가지 조건에 의해 불충분하다는 것을 설명하는 글이다. 따라서 제목으로는 ① '해양 생물학 조사에서의 맹점'이 가장 적절하다. ② 현미경 아래의 바다: 돌파구 ③ 해양 연구가 필요로 하는 것: 양식의 인식 ④ 직관 대 실험: 해양 생물학의 논쟁점 ⑤ 파괴되는 플랑크톤, 위험에 처한 바다

4 마지막 문장의 바로 앞에서 우리의 해양 생물에 관한 이해는 표본이나 배양 실험 등에 근거하고 있으며, 그조차도 견본 추출 과정에서 파괴되지 않은 생물 쪽으로 편향되어 있을지 모른다고 했다. 그런 다음 마지막 문장이 Similarly(마찬가지로, 비슷하게)로 시작하므로, 같은 맥락의 진술이 나오는 것이 자연스럽다. 따라서 실험 관찰 역시 우리가 수집하고 보존, 배양할 수 있는 생물에 대한 것으로 '제한된다'고 하는 것이 적절하다. '확장된'이라는 의미의 (e) extended를 '제한된'이라는 의미의 limited 정도로 바꿔 써야 한다.

(A) ❶ An important lesson / to remember / is / that we should try / to see the positives in life / even while we are stuck / in the middle of trouble. ❷ Riccardo, / who was named after his father, / an immigrant from Mexico, / learned this lesson / at a young age. ❸ Although the family called him Ricky, / his father had / his own nickname for him: / Good-for-Nothing. ❹ Why / did the elder Riccardo call (a) him that? ❺ Because Ricky hated fishing.

(D) ❻ His father saw / this / very negatively, / because he was a fisherman. ❼ He loved / the fishing business. ❽ So did all of his sons, / except for Good-for-Nothing Ricky. ❾ The boy / did not like / being on the boat, / and the smell of fish / made him sick. ❿ Instead, / Ricky — who was not afraid of hard work — delivered newspapers, / shined shoes, / worked in the office, / and even repaired nets. ⓫ (e) His income / went to the family. ⓬ Even so, / his father was strongly dissatisfied / with him / and still always said / that he was good for nothing.

(C) ⓭ Since these jobs were not fishing, / his father / saw no value in them. ⓮ Young Ricky / hated fishing. ⓯ Everything / would be fine / if it were not fishing, / he thought to himself. ⓰ Soon, / Ricky began / to follow his older brother / who used to play sandlot ball. ⓱ For Ricky, / playing baseball with (c) him / was a way / to forget his hardship. ⓲ Fortunately, / Ricky was very good at it, / and was treated / like a hero / among his playmates. ⓳ When Ricky was sixteen, / he decided / to drop out of school / to become a baseball player. ⓴ And by the time / he was through with baseball, / (d) he had become a legend.

(B) ㉑ The nation / came to know Ricky / as the most complete player of his generation, / and he was voted / into the Hall of Fame. ㉒ And his father, the elder Riccardo, / what did he think about it? ㉓ Though he had wanted / all of his sons / to join the family business, / he was finally proud of Ricky / and respected his accomplishments.

㉔ Ricky held onto hope / in one of the most difficult moments of (b) his life / and achieved greatness.

해설 ❶ (A) 명심해야 할 중요한 교훈 하나는 우리가 곤경의 한가운데 갇혀 있는 경우에조차도 인생에서 긍정적인 것들을 보도록 애써야 한다는 것이다. ❷ 아버지의 이름을 따른 Riccardo는 멕시코 출신의 이민자였는데, 어린 나이에 이 교훈을 배웠다. ❸ 가족들은 그를 Ricky라고 불렀지만, 그의 아버지는 그에 대하여 자기만이 부르는 그의 별명을 가지고 있었는데, '아무짝에도 쓸모없는 놈'이었다. ❹ 왜 아버지 Riccardo는 그를 그렇게 불렀을까? ❺ 왜냐하면 Ricky가 고기잡이를 싫어했기 때문이다. (D) ❻ 그의 아버지는 어부였기 때문에 이것을 매우 부정적으로 생각했다. ❼ 그는 고기잡이 일을 사랑했다. ❽ 그의 아들들 모두 '아무짝에도 쓸모없는 놈' Ricky만을 제외하고는 역시 그랬다. ❾ 그 아이는 배 타는 것을 좋아하지 않았고, 생선 냄새는 그에게 구역질을 일으켰다. ❿ 대신, Ricky는 — 힘든 일을 두려워하지 않아서 — 신문을 배달하고, 구두를 닦고, 사무실에서 일하며, 심지어는 그물도 수선했다. ⓫ 그의 수입은 가족들에게로 갔다. ⓬ 그런데도, 그의 아버지는 그에게 몹시 불만이어서, 여전히 그가 아무짝에도 쓸모없다고 늘 말했다. (C) ⓭ 이러한 일들은 고기잡이가 아니었으므로, 그의 아버지는 그것들에 아무런 가치도 없다고 생각했다. ⓮ 어린 Ricky는 고기잡이를 싫어했다. ⓯ '고기잡이만 아니라면 무엇이든 좋겠어.'라고 그는 혼자 생각했다. ⓰ 곧, Ricky는 동네야구를 하곤 했던 형을 따라다니기 시작했다. ⓱ Ricky에게 그와 함께 야구를 하는 것은 괴로움을 잊는 방법이었다. ⓲ 다행히, Ricky는 야구를 아주 잘해서, 놀이 친구들 사이에서 영웅처럼 대접받았다. ⓳ 16살이 되었을 때, Ricky는 야구 선수가 되기 위해 학교를 중퇴하기로 결심했다. ⓴ 그리고 야구를 그만두었을 때쯤에, 그는 영웅이 되어 있었다. (B) ㉑ 전 국민은 Ricky를 자기 세대의 가장 완벽한 선수로 알게 되었으며, 그는 투표로 뽑혀 명예의 전당에 들어갔다. ㉒ 그리고 그의 아버지 Riccardo는 그것에 대해 어떻게 생각했을까? ㉓ 그는 비록 자기 아들들 모두가 가업에 함께 종사하기를 원했지만, 마침내 Ricky를 자랑스럽게 여기고 그의 업적을 존중하였다. ㉔ Ricky는 그의 인생의 가장 어려운 시기 중 한 때 희망을 붙들고 위대한 업적을 이루었다.

Words and Phrases be stuck in ~에 갇히다, 끼다 immigrant 이민자 accomplishment 업적 see no value in ~에 아무런 가치도 없다고 생각하다 drop out of school 학교를 중퇴하다 be through with ~을 끝내다, 마무리하다

정답 전략 **5** (A)의 내용을 파악한 뒤, 나머지 세 문단의 중심 내용을 파악하며 읽는다. (A)에는 어린 Riccardo가 고기잡이를 싫어해서 아버지에게 '아무짝에도 쓸모없는 놈'이라는 별명으로 불렸다는 것이 이야기의 도입부로 나와 있다. (B)에는 Ricky가 명예의 전당에 오를 만큼 뛰어난 선수가 되어 아버지도 마침내 그를 인정한 상황이, (C)에는 고기잡이를 싫어한 Ricky가 야구를 시작하게 된 상황이 설명되고, (D)에는 Ricky가 고기잡이 외의 힘든 일을 많이 했지만 아버지가 이를 인정하지 않는 상황이 나온다. (D)의 첫 문장에 나오는 this가 (A)에 언급된 'Riccardo가 고기잡이를 싫어하는 것'을 가리키며, (C)의 첫 문장에 나오는 these jobs는 (D)에 언급된 'Ricky가 한 여러 가지 일'을 가리킨다. 따라서 글의 순서는 (D) – (C) – (B)가 적절하다.

6 글의 흐름을 따라가며 각 밑줄 친 부분이 누구를 가리키는지 파악한다. Riccardo의 형을 가리키는(his older brother) (c)를 제외한 나머지는 모두 Riccardo(= Ricky)를 가리킨다.

7 ② he was finally proud of Ricky and respected his accomplishments로 보아 아버지가 결국 아들 Riccardo를 자랑스러워하고 그의 업적을 존중했다는 것을 알 수 있다.

목적격 관계대명사로, that ~ to him이 the envelope를 수식

(A) ❶ "Congratulations!" ❷ That was / the first word / **that** Steven saw / when he opened the envelope / **that**

목적격 관계대명사로, that ~ saw가 the first word를 수식

his dad handed / to him. ❸ He knew / **that** he would win / the essay contest. ❹ **Overly excited**, / he shouted, /

명사절을 이끄는 접속사　　　　　　　분사구문

"Hooray!" ❺ At that moment, / **two tickets to Ace Amusement Park, the prize**, / slipped out of the envelope. ❻

└ 동격 관계 ┘

He **picked them up** / and read the letter thoroughly / **while sitting** on the stairs / in front of his house. ❼ "Wait

「타동사+부사」의 목적어로 대명사가 올 때는 「타동사+대명사+부사」의 어순으로 쓴다.　접속사가 있는 분사구문

a minute! That's not my name!" (a) he said, **puzzled**. ❽ The letter / was addressed / to his classmate Stephanie, /

being이 생략된 분사구문

who had also participated in the contest.

계속 용법의 관계대명사

(D) ❾ **Reading on**, / Steven realized / the letter **had been delivered** mistakenly. ❿ "Unfortunately," / it **should have**

분사구문　　　　　　　　　　　　　　　　과거 시제인 주절보다 앞서므로 과거완료　　should have+과거분사: ~했어야 했는데(과거 사실에 대한 후회나 유감)

gone / to Stephanie, / **who** was the real winner. ⓫ (d) He looked / at the tickets and then the letter. ⓬ He had

계속 용법의 관계대명사

really wanted / those tickets. ⓭ He had planned / to go there / with his younger sister. ⓮ Steven was / his sister's

hero, / and he had bragged / to her / **that** he would win the contest. ⓯ However, / if she **found out** / that her

명사절을 이끄는 접속사　　　　　　　　가정법 과거

hero hadn't won, / she would be terribly disappointed, / and (e) he would feel ashamed.

(C) ⑯ "If I don't tell Stephanie, / perhaps she will never know," / Steven thought / for a moment. ⑰ He
조건의 부사절에서는 현재시제가 미래시제를 대신한다.
remembered / that the winner would only be notified / by mail. ⑱ As long as he kept quiet, / nobody would
명사절을 이끄는 접속사   ~하는 한
know. ⑲ So he decided / to sleep on it. ⑳ The next morning, / he felt miserable / and his dad recognized it /
right away. ㉑ "What's wrong, / (c) Son?" / asked his dad. ㉒ Steven was hesitant / at first / but soon disclosed / his
secret. ㉓ After listening attentively to the end, / his dad advised him / to do the right thing.
분사구문(= After he(his dad) listened ~)   advise+목적어+to부정사: ~에게 …하라고 충고하다
(B) ㉔ Once Steven had heard / his dad's words, / tears started / to fill up in his eyes. ㉕ "I was foolish," / Steven said
regretfully. ㉖ He took the letter and the prize to school / and handed them to Stephanie. ㉗ He congratulated her
                                                                          = the letter and the prize
wholeheartedly / and she was thrilled. ㉘ On the way home / after school, / his steps were light / and full of joy.
                                                                    ┌ to부정사의 부사적 용법(감정의 원인)
㉙ That night, / his dad was very pleased / to hear what he had done at school. ㉚ "(b) I am so proud of you,
                                                            선행사를 포함하는 관계대명사
Steven," / he said. ㉛ Then, / without a word, / he handed / Steven / two Ace Amusement Park tickets / and winked.

해석 (A) ❶ "축하합니다!" ❷ 그것이 아빠가 자신에게 건네준 봉투를 열었을 때 Steven이 본 첫 단어였다. ❸ 그는 자신이 에세이 대회에서
우승할 것을 알고 있었다. ❹ 매우 신나서, 그는 "만세!"라고 소리쳤다. ❺ 그 순간, 상품인 Ace 놀이공원 입장권 두 장이 봉투에서 미끄러져 나
왔다. ❻ 그는 그것을 집어 들고 자신의 집 앞 계단에 앉아 편지를 자세히 읽었다. ❼ "잠깐만! 내 이름이 아니네!"라고 그는 당황해서 말했다.
❽ 그 편지는 자신의 반 친구인 Stephanie에게로 주소가 적혀 있었고 그녀 또한 대회에 참가했었다.
(D) ❾ 계속 읽었을 때, Steven은 편지가 잘못 배달된 것을 깨달았다. ❿ '불행히도' 그것은 Stephanie에게 갔어야 했고, 그녀가 실제 우승자
였다. ⓫ 그는 입장권을 쳐다본 다음 편지를 쳐다보았다. ⓬ 그는 그 입장권이 정말 갖고 싶었다. ⓭ 그는 여동생과 그곳에 갈 계획이었다. ⓮
Steven은 여동생의 우상이었고 그는 자신이 시합에서 우승할 것이라고 그녀에게 허풍을 떨었다. ⓯ 그러나, 그녀가 자신의 우상이 우승하지
못한 것을 알게 되면, 그녀는 매우 실망할 것이고, 그는 수치스러움을 느끼게 될 것이었다.
(C) ⓰ '내가 Stephanie에게 말하지 않으면, 아마 그녀는 결코 알지 못할 거야.'라고 Steven은 잠시 생각했다. ⓱ 그는 우승자는 우편으로만
통보된다는 것을 기억했다. ⓲ 그가 조용히 있기만 한다면, 아무도 알지 못할 것이다. ⓳ 그래서 그는 자면서 생각해 보기로 했다. ⓴ 다음 날
아침, 그는 비참한 기분이었고 그의 아빠는 즉시 그것을 알아차렸다. ㉑ "아들, 무슨 일이야?" 그의 아빠가 물었다. ㉒ 처음에는 주저했지만
Steven은 곧 자신의 비밀을 털어놓았다. ㉓ 주의 깊게 끝까지 다 들은 후, 그의 아빠는 그에게 옳은 일을 하라고 조언했다.
(B) ㉔ 아빠의 말을 듣고 나자, Steven의 눈에 눈물이 차오르기 시작했다. ㉕ "제가 바보 같았어요."라고 Steven은 후회하며 말했다. ㉖ 그는
편지와 상품을 학교로 가져가 Stephanie에게 건네주었다. ㉗ 그는 그녀를 진심으로 축하해 주었고 그녀는 몹시 기뻐했다. ㉘ 방과 후에 집으
로 오는 길에, 그의 발걸음은 가벼웠고 기쁨으로 가득 찼다. ㉙ 그날 밤, 그의 아빠는 그가 학교에서 한 행동에 관해 듣고 매우 흡족했다. ㉚ "나
는 네가 매우 자랑스럽단다, Steven."이라고 그는 말했다. ㉛ 그런 다음, 그는 아무 말 없이, Steven에게 Ace 놀이공원 입장권 두 장을 건네주
며 윙크를 했다.

Words and Phrases overly 너무, 몹시 hooray 만세 thoroughly 철저히 puzzled 당황하여 participate in ~에 참가하다 regretfully
후회하여, 유감스럽게 wholeheartedly 진심으로 notify 알리다, 통지하다 sleep on ~에 대해 하룻밤 자며 생각하다 miserable 비참한
hesitant 주저하는, 망설이는 disclose 드러내다, 털어놓다 attentively 조심스럽게, 주의하여 mistakenly 잘못하여, 실수로

정답 전략 8 (A)의 내용을 파악한 뒤, 나머지 세 문단의 중심 내용을 파악하며 읽는다. (A)는 에세이 대회에서 온 편지와 상품이 자신의 것이 아
님을 안 Steven의 상황이 소개되어 있다. (B)에는 아빠의 조언을 듣고 상품을 원래 주인에게 돌려준 Steven의 행동, (C)에는 상품을 돌려줄
것인지에 대한 Steven의 고민과 아빠의 조언, (D)에는 Steven이 상품을 갖고 싶어 하는 이유가 설명되어 있다. (A) 뒤에는 Steven이 잘못 온
상품을 놓고 왜 고민하는지 이유가 설명된 (D)가 오는 것이 알맞고, 고민하다 아빠의 조언을 듣는 (C)가 그 뒤에 이어지며, 조언에 따라 원래 주
인에게 상품을 돌려주는 내용의 (B)가 마지막에 오는 것이 자연스러운 흐름이다.
9 글의 흐름을 따라가며 각 밑줄 친 대상이 누구인지 파악한다. Steven의 아빠를 가리키는 (b)를 제외한 나머지는 모두 Steven을 가리킨다.
10 선택지를 글과 차례로 하나씩 비교한다. Steven은 학교에 가서 원래 우승자인 Stephanie에게 편지와 상품을 돌려주었고, 방과 후에는 가
벼운 발걸음으로 돌아왔다고 했다(On the way home after school, his steps were light and full of joy.). 따라서 ②는 적절하지 않다.

정답은
이안에
있어!

수능전략

영 · 어 · 영 · 역

독해 150

수능에 꼭 나오는
필수 유형 ZIP 1

수능에 꼭 나오는
필수 유형 ZIP

01 글의 목적 추론하기

다음 글의 목적으로 가장 적절한 것은? 　　　　　학평 기출

Dear Ms. Martinez,

We are planning to open a school for the underprivileged students of the locality at Norristown. As a non-profit organization, the school will be run only on your contributions and resources as gifts to the children we hope to help. Our outline of the school is at a primitive stage currently, and its execution and extension are hugely dependent on your donations. These children that we hope to help are often seen working in factories and cafes due to their family's financial difficulties. It is a great disappointment that such a young population of our community is wasted and cannot see the light of education. Kindly look at our plan on our website www.dreamproject.com and donate at your convenience. We hope that you will be a part of our project and look forward to further support and encouragement.

Sincerely,

Doris Middleton

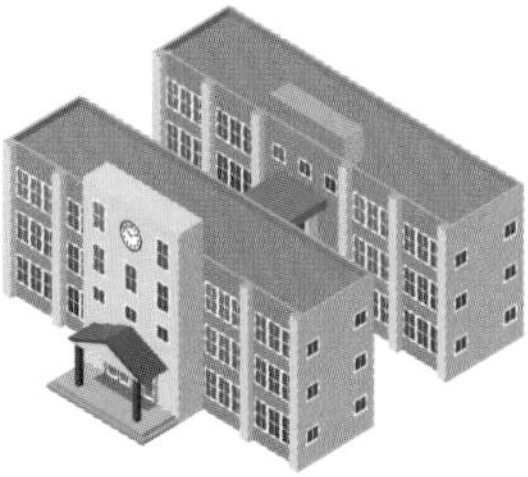

① 학교 설립 절차에 대해 문의하려고
② 학교 개교를 위한 기부를 요청하려고
③ 신설된 학교의 신입생 모집을 안내하려고
④ 장학금 수혜 대상자 선정 결과를 통지하려고
⑤ 지역 내 아동을 위한 교육 프로그램을 홍보하려고

© Getty Images Korea

Words
● underprivileged 혜택을 못 받은 ● locality 인근 ● non-profit 비영리의 ● contribution 기여 ● primitive 초기의 ● execution 실행, 수행, 사형 ● extension 확대, 증축 ● at one's convenience 형편에 맞는 대로, 편리한 대로

❶ 글의 유형과. □❶□ 와 글을 읽는 대상 간의 관계를 파악한다. 주로 이메일이나 안내문이 지문으로 출제된다.

❷ 글쓴이가 반복하여 언급하는 중심 소재를 파악한다.

❸ 중심 소재를 바탕으로 글쓴이가 바라는 바를 찾는다.

❹ 의례적인 인사말로 글을 시작한 뒤, 흐름을 전환하여 글쓴이의 원래 □❷□ 를 드러내는 경우가 많으므로 유의한다.

답 ❶ 글쓴이(필자) ❷ 의도

정답 전략

Dear, Sincerely 등의 표현으로 보아 편지글임을 알 수 있다. 편지를 보내는 사람은 Doris Middleton이며, Martinez라는 사람에게 소외계층 학생들을 위한 학교를 열 계획을 설명하고 기부금이 얼마나 큰 역할을 할지에 대해 반복해서 언급하며 기부를 해 달라고 요청하고 있다. 따라서 ②가 정답임을 알 수 있다.

해석

Ms. Martinez 귀하,

저희는 인근 소외계층 학생들을 위해 Norristown에 학교를 열 계획을 세우고 있습니다. 비영리 단체로서, 그 학교는 우리가 돕기를 희망하는 아이들에게 주는 선물로서의 당신의 기부금과 자원만으로 운영될 것입니다. 저희가 그리는 학교의 윤곽은 현재 초기 단계에 있으며, 그것의 실행과 확장은 당신의 기부에 크게 좌우됩니다. 우리가 돕고자 하는 이 아이들은 가족의 재정적 어려움 때문에 공장과 카페에서 일하는 모습이 자주 목격됩니다. 우리 지역사회의 그런 젊은 이들이 인정받지 못하고 교육의 빛을 보지 못하는 것은 대단히 유감스러운 일입니다. 부디 저희 웹사이트 www.dreamproject.com에서 저희 계획을 보시고 편하신 대로 기부해 주십시오. 저희는 당신이 저희 프로젝트의 일원이 되기를 희망하며 더 많은 지지와 격려를 기대합니다.

Doris Middleton 드림

> hope 바라다, need 필요로 하다, want 원하다, look forward to 기대하다, have to, should, must ~해야 한다 등 글쓴이의 의도가 드러나는 표현에도 유의해야 합니다.

유형 Tip

목적을 나타내는 여러 가지 표현

ask 요청하다 inform 공지하다 introduce 소개하다 change 변경하다 complain 항의하다
recommend 추천하다 appreciate 감사하다 warn 경고하다 apologize 사과하다 suggest 제안하다

02 심경 변화 파악하기

다음 글에 드러난 David의 심경 변화로 가장 적절한 것은? 모평 기출

As he stepped onto the basketball court, David suddenly thought of the day he had gotten injured last season and froze. He was not sure if he could play as well as before the injury. A serious wrist injury had caused him to miss the rest of the season. Remembering the surgery, he said to himself, "I thought my basketball career was completely over." However, upon hearing his fans' wild cheers, he felt his body coming alive and thought, "For sure, my fans, friends, and family are looking forward to watching me play today." As soon as the game started, he was filled with energy. The first five shots he attempted went in the basket. "I'm back! I got this," he shouted.

① disappointed → unhappy
② excited → indifferent
③ anxious → confident
④ impatient → calm
⑤ eager → ashamed

❶ 시간·공간적 [❶]과 등장인물이 처한 상황을 통해 초반 심경을 파악한다.

❷ 이야기의 흐름이 [❷]되는 부분을 찾아 등장인물의 후반 심경을 파악한다.

❸ 감정이나 동작 묘사 표현, 흐름을 전환하는 부사(구)·접속사에 유의한다.

답 ❶ 배경 ❷ 전환

정답 전략

손목 수술 후 농구 경기에 복귀한 David는 처음에는 자신이 부상 전만큼 경기를 잘할 수 있을지 걱정했으나, 팬들의 응원에 힘을 얻고 훌륭하게 경기를 하면서 자신감을 찾았다. 따라서 David의 심경 변화로 가장 적절한 것은 ③ '걱정스러운 → 자신만만한'이다. ① 실망한 → 슬픈 ② 흥분한 → 무관심한 ④ 불안한 → 차분한 ⑤ 열심인 → 부끄러워하는

해석

농구 경기 코트로 들어서면서, David는 갑자기 지난 시즌에 자신이 부상을 당했던 날을 생각하고는 얼어붙었다. 그는 자신이 부상 전만큼 경기를 잘할 수 있을지 확신하지 못했다. 심각한 손목 부상 때문에 그는 그 시즌의 나머지를 놓쳤다. 그 수술을 생각하며 그는 마음속으로 생각했다. "나는 내 농구 경력이 완전히 끝났다고 생각했어." 하지만, 자신의 팬들의 열정적인 응원 소리를 듣자, 그는 몸이 살아나는 것을 느꼈고 "분명 나의 팬, 친구, 가족이 내가 오늘 경기하는 모습을 보려고 고대하고 있어."라고 생각했다. 경기가 시작되자마자, 그는 에너지로 가득찼다. 그가 시도한 첫 다섯 차례의 샷이 바스켓으로 들어갔다. "내가 돌아왔어! 난 이걸 해냈어." 그는 외쳤다.

인물의 감정이 부정적인 쪽에서 긍정적인 쪽으로 변했는지, 혹은 그 반대인지 파악하는 것이 중요합니다.

유형 Tip

긍정적인 감정을 나타내는 여러 가지 표현

calm 침착한 confident 자신감 있는 delighted 즐거운 eager 열심인 encouraged 고무된 grateful 감사하는 relaxed 여유 있는 relieved 안도한 satisfied 만족한 thrilled 아주 신난 touched 감동한

부정적인 감정을 나타내는 여러 가지 표현

annoyed 짜증난 anxious 불안한, 조바심 내는 ashamed 부끄러운 depressed 우울한 desperate 절박한 disappointed 실망한 discouraged 낙담한 embarrassed 당황한 frustrated 좌절감을 느끼는 frightened 겁을 먹은 indifferent 무관심한 impatient 짜증난

03 글쓴이의 주장 파악하기

대표 유형 다음 글에서 필자가 주장하는 바로 가장 적절한 것은? **학평** 기출

Good teachers know that learning occurs when students compare what they already know with the new ideas presented by the teacher or textbook. It is the students who decide whether or not to reconstruct their conceptions; therefore, teaching should be student centered rather than teacher centered. This means that students should be actively involved in making and interpreting analogies. If we believe that analogy use is an effective way to help students think and learn, then it makes sense to help students generate their own analogies or reconstruct the teacher's analogies to fit in with their own experiences.

① 학습 내용은 학생 수준에 맞는 난이도로 구성되어야 한다.
② 다양한 사례를 활용하여 학생의 이해를 도와야 한다.
③ 교사는 수업 중 학생과 상호 작용을 많이 해야 한다.
④ 교육 활동에서 이론보다 실습의 비중을 더 높여야 한다.
⑤ 유추를 해내고 재구성하는 과정이 학생 중심이어야 한다.

Words

• reconstruct 재구성하다 • conception 개념 • student centered 학생 중심의 • be involved in ~에 관여하다, 참여하다 • interpret 해석하다 • analogy 비유, 유사점, 유추 • make sense 이치에 맞다, 말이 되다 • generate 만들어 내다

❶ 글쓴이의 주장을 파악하기 위해서는 글의 중심 소재를 파악해야 한다. 글의 중심 소재는 글 전반에 걸쳐 **❶** [ ]으로 나타난다.

❷ 글의 중심 소재에 대해 글쓴이가 어떤 생각을 가지고 있는지 찾는다.

❸ 강한 어조를 드러내는 조동사가 사용된 문장이나, 내용을 전환 또는 정리하는 **❷** [ ]가 있는 부분에 글쓴이의 주장이 드러날 때가 많다.

☞ ❶ 반복적 ❷ 접속사

정답 전략

글 전반에 걸쳐 학습이 학생들의 행위를 통해 일어난다는 것을 강조하고 있으므로, 이와 가장 가까운 서술을 한 선택지를 찾으면 답은 ⑤이다. 조동사 should와 같이 강한 표현이 들어간 문장에 특히 유의하면 쉽게 글쓴이의 주장을 파악할 수 있다.

해석

훌륭한 교사들은 학생들이 이미 알고 있는 것을 교사나 교과서가 제시하는 새로운 아이디어와 비교할 때 학습이 일어난다는 것을 알고 있다. 자신의 개념을 재구성할 것인지 아닌지를 결정하는 것은 바로 학생이다. 그러므로 가르치는 것은 교사 중심보다는 학생 중심이어야 한다. 이것은 학생들이 유추를 하고 해석하는 데 적극적으로 참여해야 한다는 것을 의미한다. 만약 유추를 사용하는 것이 학생들이 생각하고 배우도록 돕는 효과적인 방법이라고 믿는다면, 학생들이 그들 자신만의 유추를 하거나 교사의 유추를 그들 자신의 경험에 맞게 재구성하도록 돕는 것이 이치에 맞다.

> 주장하는 내용은 대개 글에서 중요하고 핵심적인 것이기 때문에 여러 가지 표현으로 바꾸어 반복적으로 나타날 때가 많습니다.

유형 Tip

주장을 드러낼 때 자주 쓰는 표현

· so, therefore, thus: 앞서 말한 내용을 정리하며 자신의 생각을 말할 때
· however, though, but: 글의 흐름을 바꾼 뒤 자신의 주장을 내세워 강조할 때
· we/you should(must): 글쓴이의 주장을 직접 드러낼 때

04 글의 요지 파악하기

다음 글의 요지로 가장 적절한 것은? **수능** 기출

Environmental hazards include biological, physical, and chemical ones, along with the human behaviors that promote or allow exposure. Some environmental contaminants are difficult to avoid (the breathing of polluted air, the drinking of chemically contaminated public drinking water, noise in open public spaces); in these circumstances, exposure is largely involuntary. Reduction or elimination of these factors may require societal action, such as public awareness and public health measures. In many countries, the fact that some environmental hazards are difficult to avoid at the individual level is felt to be more morally egregious than those hazards that can be avoided. Having no choice but to drink water contaminated with very high levels of arsenic, or being forced to passively breathe in tobacco smoke in restaurants, outrages people more than the personal choice of whether an individual smokes tobacco. These factors are important when one considers how change (risk reduction) happens.

*contaminate 오염시키다 **egregious 매우 나쁜

① 개인이 피하기 어려운 유해 환경 요인에 대해서는 사회적 대응이 필요하다.
② 환경오염으로 인한 피해자들에게 적절한 보상을 하는 것이 바람직하다.
③ 다수의 건강을 해치는 행위에 대해 도덕적 비난 이상의 조치가 요구된다.
④ 환경오염 문제를 해결하기 위해서는 사후 대응보다 예방이 중요하다.
⑤ 대기오염 문제는 인접 국가들과의 긴밀한 협력을 통해 해결할 수 있다.

Words

● hazard 위험, 위험 요인 ● promote 촉진하다 ● exposure 노출 ● contaminant 오염물질
● involuntary 본의 아닌, 원치 않는 ● reduction 감소 ● elimination 제거 ● societal 사회의
● awareness 인식 ● measure 방법, 조치 ● arsenic 비소 ● outrage 격분하게 하다

유형 핵심

❶ 글의 첫 부분을 읽고, 글의 중심 [❶   ]를 파악한다.

❷ 중심 소재에 대해 글쓴이가 어떤 흐름으로 글을 전개하는지 파악한다.

❸ 이를 통해 글의 핵심 내용, 즉 요지를 파악한다. 선택지의 내용이 글 전체를 [❷   ]해야 한다는 점에 유의한다.

🔑 ❶ 소재 ❷ 포괄

정답 전략

환경 위험 요인에는 그 위험에 노출되도록 조장하거나 허용하는 인간의 행동이 포함되며, 이러한 요인은 개인 수준에서 피하기 어려워 더 도덕적으로 나쁘게 생각되므로 사회적 대응이 필요하다는 내용의 글이다. 따라서 글의 요지로 적절한 것은 ①이다.

해석

환경 위험 요인에는 생물학적, 물리적, 화학적 위험 요인과 함께 노출을 조장하거나 허용하는 인간의 행동이 포함된다. (오염된 공기의 호흡, 화학적으로 오염된 공공 식수의 음용, 개방된 공공장소에서의 소음처럼) 일부 환경오염물질은 피하기가 어렵고, 이러한 상황에서 노출은 대개 자기도 모르게 이루어진다. 이러한 요인을 감소하거나 제거하는 데에는 대중의 인식과 공중 보건 조치와 같은 사회적 행동이 필요할 수도 있다. 많은 국가들에서, 일부 환경 위험 요인이 개인 수준에서 피하기 어렵다는 사실은 피할 수 있는 그 위험 요인보다 더 도덕적으로 매우 나쁜 것으로 느껴진다. 어쩔 수 없이 매우 높은 수준의 비소로 오염된 물을 마실 수밖에 없는 것이나, 식당에서 담배 연기를 수동적으로 들이마시도록 강요되는 것은 개인이 담배를 피울지 말지에 대한 개인적인 선택보다 사람들을 더 화나게 한다. 이러한 요인들은 변화(위험 감소)가 어떻게 일어나는지를 고려할 때 중요하다.

> 요지는 글에서 핵심이 되는 중요한 내용입니다. 즉, 이 글에서 글쓴이가 가장 중요하게 하고 싶은 말이 무엇인지를 찾으면 돼요. 요지 문제는 선택지가 우리말이라는 점도 기억해 두세요.

05 글의 주제 파악하기

대표 유형 다음 글의 주제로 가장 적절한 것은?   **모평** 기출

Libraries are becoming increasingly interested in the services they are providing for their users. This is an important focus — especially as more and more information becomes available electronically. However, the traditional strengths of libraries have always been their collections. This is true still today — especially in research libraries. Also, collection makeup is the hardest thing to change quickly. For example, if a library has a long tradition of heavily collecting materials published in Mexico, then even if that library stops purchasing all Mexican imprints, its Mexican collection will still be large and impressive for several years to come unless they start withdrawing books. Likewise, if a library has not collected much in a subject, and then decides to start collecting heavily in that area it will take several years for the collection to be large enough and rich enough to be considered an important research tool.

① lasting significance of library collections even in the digital age
② changing roles of local libraries and their effects on society
③ growing needs for analyzing a large volume of library data
④ online services as a key to the success of research libraries
⑤ rare book collectors' contributions to a library's reputation

Words
● available 이용 가능한 ● collection 소장 도서[소장품], 수집 ● makeup 구성 ● imprint 출판사, 출판물 ● withdraw 철수시키다, 빼내다 ● lasting 지속되는 ● analyze 분석하다 ● contribution 기여 ● reputation 명성, 평판

❶ 글의 중심 소재를 파악한다. 중심 소재는 글 전반에 걸쳐 **❶** [   ] 으로 나타난다.

❷ 중심 소재에 대한 글쓴이의 생각이 드러나는 문장, 즉 주제문을 찾는다.

❸ 선택지에서 주제문의 내용을 가장 잘 반영하는 **❷** [   ] 인 진술을 찾는다. 지나치게 세부적인 내용을 담은 선택지는 오답일 확률이 높다.

답 ❶ 반복적 ❷ 일반적

정보의 전자적 이용이 가능한 시대에도 도서관의 전통적인 힘은 항상 그것이 소장하고 있는 도서에 있으며, 이 소장 도서의 구성은 빠르게 바뀌는 것이 아니라고 했다. 따라서 이 글의 주제로 가장 적절한 것은 ① '디지털 시대에도 지속되는 도서관 소장 도서의 중요성'이다. ② 지역 도서관들의 변화하는 역할과 그것들이 사회에 미치는 영향 ③ 방대한 양의 도서관 자료 분석에 대한 필요성의 증가 ④ 연구 도서관의 성공 열쇠로서의 온라인 서비스 ⑤ 도서관의 명성에 대한 희귀 서적 수집가들의 기여

도서관들은 자신들이 이용자에게 제공하고 있는 서비스에 점점 더 많은 관심을 갖고 있다. 이것은 중요한 중점 사항인데, 점점 더 많은 정보가 전자적으로 이용 가능하게 되면서 특히 그렇다. 하지만 도서관들의 전통적인 힘은 항상 소장 도서에 있었다. 이것은 오늘날에도 여전히 사실이며, 연구 도서관에서는 특히 그러하다. 또한 소장 도서의 구성은 빠르게 바꾸기가 가장 어려운 것이다. 예를 들어 한 도서관이 멕시코에서 출판되는 자료를 대량으로 수집하는 오랜 전통을 갖고 있다면, 그 도서관이 모든 멕시코 인쇄물 구매를 그만둔다고 해도, 그 도서관이 소장한 멕시코 도서는 책들을 빼내지 않는 한, 향후 여러 해 동안 여전히 대규모이고 인상적일 것이다. 마찬가지로 한 도서관이 한 주제에서 많은 것을 수집하지 않았고, 그래서 그 분야에서 다량으로 수집하기 시작하도록 결정한다면, 그 소장 도서가 중요한 연구 도구로 여겨질 만큼 충분히 대규모이고 충분히 풍부하게 되는 데에는 여러 해가 걸릴 것이다.

주제는 글 전체에 반복되어 나타나는 중심 소재와 연관이 있습니다. 지금 이 글에서는 도서관에서 소장 도서가 갖는 의미가 여러 차례 서술되고 있다는 점에 유의해야 합니다.

06 글의 제목 추론하기

대표 유형 다음 글의 제목으로 가장 적절한 것은? 모평 기출

Although cognitive and neuropsychological approaches emphasize the losses with age that might impair social perception, motivational theories indicate that there may be some gains or qualitative changes. Charles and Carstensen review a considerable body of evidence indicating that, as people get older, they tend to prioritize close social relationships, focus more on achieving emotional well-being, and attend more to positive emotional information while ignoring negative information. These changing motivational goals in old age have implications for attention to and processing of social cues from the environment. Of particular importance in considering emotional changes in old age is the presence of a positivity bias: that is, a tendency to notice, attend to, and remember more positive compared to negative information. The role of life experience in social skills also indicates that older adults might show gains in some aspects of social perception.

*cognitive 인식의 **impair 해치다

① Social Perception in Old Age: It's Not All Bad News!
② Blocking Out the Negative Sharpens Social Skills
③ Lessons on Life-long Goals from Senior Achievers
④ Getting Old: A Road to Maturity and Objectivity
⑤ Positive Mind and Behavior: Tips for Reversing Aging

Words

• neuropsychological 신경심리학의 • approach 접근법 • perception 지각 • motivational theory 동기 이론 • qualitative 질적인 • considerable 상당한 • prioritize 우선시하다 • attend to ~을 주목하다 • implication 영향, 결과 • cue 신호 • presence 존재 • positivity bias 긍정 편향 • tendency 경향 • aspect 측면 • objectivity 객관성 • reverse 뒤바꾸다

❶ 제목은 글의 주제를 함축적으로 표현하므로, 글의 주제를 파악해야 제목을 추론할 수 있다.

❷ 글 내용을 전체적으로 파악하여 **❶** 를 찾은 뒤, 이를 포괄하는 선택지를 찾는다.

❸ 선택지가 속담일 경우에는 속담이 함축하거나 비유하는 바가 주제이다.

❹ 선택지가 의문문일 경우에는 질문에 대한 **❷** 이 주제 또는 핵심 내용이다.

目 ❶ 주제 ❷ 답

정답 전략

동기 이론에 의하면 나이가 들면서 생기는 변화에 의해 사회적 지각에 이득이 생길 수 있다는 것이 이 글의 중심 내용이다. 이것을 함축적으로 나타낸 표현을 고르면 ① '노년의 사회적 지각: 모두 나쁜 소식만은 아니다!'가 제목으로 가장 적절하다. ② 부정적인 것의 차단이 사회적 기술을 연마한다 ③ 노년에 크게 성취한 사람들에게 얻는 평생 목표에 대한 교훈 ④ 나이를 먹는다는 것: 성숙과 객관성에 이르는 길 ⑤ 긍정적인 마음과 행동: 노화를 되돌리기 위한 조언

해석

인식적 접근법과 신경심리학적 접근법이 사회적 지각을 손상시킬 수도 있는 노화에 따른 상실을 강조하지만, 동기 이론은 어떤 이득이나 질적 변화가 있을 수 있다는 것을 보여 준다. Charles와 Carstensen은 사람들이 나이가 들면서 가까운 사회적 관계를 우선시하고, 정서적 행복을 성취하는 데 더 집중하고, 긍정적 정서적 정보를 더 주목하는 반면에 부정적인 정보는 무시하는 경향이 있다는 것을 보여 주는 상당한 양의 증거를 재검토한다. 노년의 이런 변화하는 동기 부여의 목표는 주변 환경으로부터의 사회적 신호를 주목하고 처리하는 것에 영향을 미친다. 노년의 정서적 변화를 고려함에 있어 특히 중요한 것은 긍정 편향의 존재이다: 즉, 부정적 정보와 비교해 더 많은 긍정적 정보를 인지하고, 주목하고, 기억하는 경향이다. 사회적 기술에 관한 인생 경험의 역할도 나이가 많은 성인이 사회적 지각의 몇몇 측면에서 이득을 얻을 수도 있다는 것을 보여 준다.

> 글의 일부 내용만 가리키거나 지나치게 구체적인 표현은 제목으로 적절하지 않은 경우가 많습니다. 반대로 너무 포괄적이어도 그 글의 내용을 짐작할 수 없게 하니 적절하지 않은 제목일 거예요.

07 지문 일치·불일치 파악하기

대표 유형 Donato Bramante에 관한 다음 글의 내용과 일치하지 <u>않는</u> 것은?

수능 기출

Donato Bramante, born in Fermignano, Italy, began to paint early in his life. His father encouraged him to study painting. Later, he worked as an assistant of Piero della Francesca in Urbino. Around 1480, he built several churches in a new style in Milan. He had a close relationship with Leonardo da Vinci, and they worked together in that city. Architecture became his main interest, but he did not give up painting. Bramante moved to Rome in 1499 and participated in Pope Julius II's plan for the renewal of Rome. He planned the new Basilica of St. Peter in Rome — one of the most ambitious building projects in the history of humankind. Bramante died on April 11, 1514 and was buried in Rome. His buildings influenced other architects for centuries.

© Andy Faessler / shutterstock

▲ Donato Bramante

① Piero della Francesca의 조수로 일했다.
② Milan에서 새로운 양식의 교회들을 건축했다.
③ 건축에 주된 관심을 갖게 되면서 그림 그리기를 포기했다.
④ Pope Julius II의 Rome 재개발 계획에 참여했다.
⑤ 그의 건축물들은 다른 건축가들에게 영향을 끼쳤다.

Words

• **assistant** 조수, 보조 • **renewal** 재개발, 개선 • **ambitious** 야심적인, 어마어마한

유형 핵심	

❶ 선택지를 읽고, 글에서 어떤 정보를 확인해야 할지 미리 파악한다.

❷ 선택지의 순서는 글에서 제시되는 순서와 ❶ [   ] 하므로, 글을 읽으며 선택지의 정보와 일치하는지 차례로 확인한다.

❸ 오답인 선택지는 일부 내용만 일치하지 않는 표현으로 제시되는 경우가 많으므로, ❷ [   ] 사항에 유의한다.

📋 **❶** 동일[일치] **❷** 세부

정답 전략	

선택지 내용을 글을 읽으며 차례로 확인한다. 'Architecture became his main interest, but he did not give up painting.(건축이 그의 주 관심사가 되었지만, 그는 그림을 포기하지 않았다.)'로 보아 ③이 일치하지 않는다.

해석	

Donato Bramante는 이탈리아의 Fermignano에서 태어나 인생의 이른 시기에 그림을 그리기 시작했다. 그의 아버지는 그에게 그림을 배우라고 격려했다. 후에, 그는 Urbino에서 Piero della Francesca의 조수로 일했다. 1480년 경 그는 Milan에서 새로운 양식의 여러 교회를 건축했다. 그는 레오나르도 다 빈치와 가까운 관계였고, 그들은 그 도시에서 함께 일했다. 건축이 그의 주 관심사가 되었지만, 그는 그림을 포기하지 않았다. Bramante는 1499년에 로마로 이주해서 Pope Julius II의 Rome 재개발 계획에 참여했다. 그는 Rome의 새로운 성 베드로 대성당을 계획했는데, 그것은 인류 역사상 가장 야심찬 건축 프로젝트 중 하나였다. Bramante는 1514년 4월 11일에 사망했고, Rome에 묻혔다. 그의 건축물은 수세기 동안 다른 건축가들에게 영향을 미쳤다.

> 최근 들어 주로 한 인물의 일생을 간략하게 다룬 전기문 형식의 글이 출제되지만, 생소한 대상에 대한 설명문 형식의 글도 언제든 출제될 수 있습니다.

유형 Tip	

인물에 대해 다루는 전기문은 대개 •어디에서 출생했는가 •어린 시절 누구로부터/무엇으로부터 어떤 영향을 받았는가 •학업 과정은 어떠했는가 •어느 곳으로 거처를 옮겼는가 •업적은 무엇인가 •어떤 영향을 끼쳤는가 •어디에서 어떻게 사망했는가 등의 정보가 시간의 흐름에 따라 나열되는 형식으로 구성됩니다.

08 도표 일치·불일치 파악하기

대표 유형 다음 도표의 내용과 일치하지 <u>않는</u> 것은? 수능 기출

Share of the Global Middle Class by Region in 2015 and in 2025

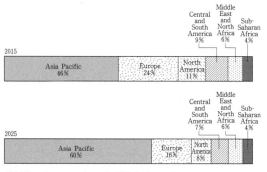

Note: Percentages may not sum to 100% due to rounding.

The above graphs show the percentage share of the global middle class by region in 2015 and its projected share in 2025. ① It is projected that the share of the global middle class in Asia Pacific will increase from 46 percent in 2015 to 60 percent in 2025. ② The projected share of Asia Pacific in 2025, the largest among the six regions, is more than three times that of Europe in the same year. ③ The shares of Europe and North America are both projected to decrease, from 24 percent in 2015 to 16 percent in 2025 for Europe, and from 11 percent in 2015 to 8 percent in 2025 for North America. ④ Central and South America is not expected to change from 2015 to 2025 in its share of the global middle class. ⑤ In 2025, the share of the Middle East and North Africa will be larger than that of sub-Saharan Africa, as it was in 2015.

Words
• share 몫, 할당, 일부분 • middle class 중산층 • region 지역 • rounding 반올림 • projected 예상된

❶ 도표의 ⓵ [   ]과 범례를 살펴보고, 도표의 특징을 파악한다.

❷ ❶에서 얻은 정보와 글의 첫 문장을 통해 도표 및 지문의 내용을 파악한다.

❸ 선택지를 ⓶ [   ]와 하나씩 대조하여, 일치하지 않는 것을 고른다.

❹ 비교·증감 표현에 유의하고, 간단한 계산을 할 때 실수하지 않도록 주의한다.

답 ❶ 제목 ❷ 도표

정답 전략

지문을 읽으며 각 문장의 내용을 도표와 하나씩 비교한다. ④ 2015년과 2025년 사이에 비율이 변하지 않는 지역은 중동 및 북아프리카(Middle East and North Africa)와 사하라 사막 이남 아프리카(Sub-Saharan Africa)이며, 중앙 및 남아메리카(Central and South America)는 9퍼센트에서 7퍼센트로 감소해서 변화가 있다.

해석

위 그래프는 2015년의 지역별 전 세계의 중산층 백분율 비율과 2025년의 예상 비율을 보여준다. 아시아태평양의 전 세계 중산층 비율은 2015년의 46퍼센트에서 2025년에 60퍼센트까지 증가할 것으로 예상된다. 2025년의 아시아태평양의 예상 비율은 여섯 지역 중 가장 큰데, 같은 해의 유럽의 비율의 세 배가 넘는다. 유럽과 북미의 비율은 둘 다 감소할 것으로 예상되며, 유럽은 2015년의 24퍼센트에서 2025년에는 16퍼센트로, 북미는 2015년의 11퍼센트에서 2025년에는 8퍼센트가 될 것이다. 중앙 및 남아메리카는 전 세계의 중산층 비율에서 2015년부터 2025년까지 변화가 있을 것이라 예상되지 않는다.(→ 예상된다.) 2025년에 중동 및 북아프리카가 차지하는 비율은 2015년과 마찬가지로 사하라 사막 이남 아프리카의 비율보다 클 것이다.

수치분만 아니라, 연도와 항목 등도 주의 깊게 살펴야 합니다. 이 지문에서와 같이 항목과 수치를 같이 확인해야 하거나, 복잡한 지역명을 잘 확인하지 않는 경우 오답을 고르게 될 수도 있습니다.

유형 Tip

증감을 나타내는 표현 continuously[steadily] increase 꾸준히 증가하다   decrease 감소하다   diminish 줄어들다   fall 하락하다   soar 치솟다   rocket 치솟다

비교, 비율 표현 the same as ~와 같은   more[less] than ~보다 많은[적은]   숫자+times ~배   half 절반의   one third 3분의 1의

그 외 자주 나오는 표현 as for ~으로 말하자면   in terms of ~의 면에서   than that of A A의 그것보다   compared to ~에 비교해   by region 지역별   share (차지하는) 비율

09 실용문 일치·불일치 파악하기 (1)

대표 유형　Cornhill No Paper Cup Challenge에 관한 다음 안내문의 내용과 일치하지 <u>않는</u> 것은?　　수능 기출

Cornhill No Paper Cup Challenge

Cornhill High School invites you to join the "No Paper Cup Challenge." This encourages you to reduce your use of paper cups. Let's save the earth together!

How to Participate

1) After being chosen, record a video showing you are using a tumbler.

2) Choose the next participant by saying his or her name in the video.

3) Upload the video to our school website within 24 hours.

※ The student council president will start the challenge on December 1st, 2021.

Additional Information

• The challenge will last for two weeks.

• All participants will receive T-shirts.

If you have questions about the challenge, contact us at cornhillsc@chs.edu.

---

① 참가자는 텀블러를 사용하는 자신의 동영상을 찍는다.
② 참가자가 동영상을 업로드할 곳은 학교 웹사이트이다.
③ 학생회장이 시작할 것이다.
④ 두 달 동안 진행될 예정이다.
⑤ 참가자 전원이 티셔츠를 받을 것이다.

Words
• challenge 도전　• participant 참가자　• student council 학생회

❶ 일치하는 것을 찾아야 하는지, [**❶**]하지 않는 것을 찾아야 하는지 확인한다.

❷ 선택지를 [**❷**] 읽고, 지문에서 찾아야 할 정보가 무엇인지 파악한다.

❸ 선택지와 지문의 정보를 비교하여 일치하는/일치하지 않는 것을 찾는다.

답 ❶ 일치 ❷ 먼저

정답 전략

선택지의 정보에 해당하는 부분을 안내문에서 찾아 비교한다. ④ 2주간 진행될 예정이라고 했으므로 안내문의 내용과 일치하지 않는다.

해석

Cornhill 종이컵 사용하지 않기 도전

Cornhill 고등학교가 여러분을 "종이컵 사용하지 않기 도전"에 참여하도록 초대합니다. 이는 여러분이 종이컵 사용을 줄이도록 장려합니다. 함께 지구를 지켜요!

참여 방법

1) 선택된 뒤, 여러분이 텀블러를 사용하는 것을 보여주는 동영상을 촬영하세요.

2) 동영상 속에서 다음 참가자의 이름을 불러 선택하세요.

3) 24시간 이내에 우리 학교 웹사이트에 동영상을 올리세요.

※ 학생 회장이 2021년 12월 1일에 도전을 시작할 것입니다.

추가 정보

• 도전은 2주간 계속될 것입니다. • 모든 참가자는 티셔츠를 받을 것입니다.

도전에 대해 질문이 있다면 cornhillsc@chs.edu로 우리에게 연락해 주세요.

선택지 내용은 지문의 순서와 동일한 순서로 제시됩니다. 차례로 비교하면서 세부 사항을 꼼꼼히 확인하세요.

10 실용문 일치·불일치 파악하기 (2)

대표 유형 Goldbeach SeaWorld Sleepovers에 관한 다음 안내문의 내용과 일치하는 것은? **수능** 기출

Goldbeach SeaWorld Sleepovers

Do your children love marine animals? A sleepover at Goldbeach SeaWorld will surely be an exciting overnight experience for them. Join us for a magical underwater sleepover.

Participants

- Children ages 8 to 12

- Children must be accompanied by a guardian.

When: Saturdays 5 p.m. to Sundays 10 a.m. in May, 2022

Activities: guided tour, underwater show, and photo session with a mermaid

Participation Fee

- $50 per person (dinner and breakfast included)

Note

- Sleeping bags and other personal items will not be provided.

- All activities take place indoors.

- Taking photos is not allowed from 10 p.m. to 7 a.m.

For more information, you can visit our website at www. goldbeachseaworld.com.

---

① 7세 이하의 어린이가 참가할 수 있다.
② 평일에 진행된다.
③ 참가비에 아침 식사가 포함된다.
④ 모든 활동은 야외에서 진행된다.
⑤ 사진 촬영은 언제든지 할 수 있다.

Words

• overnight 일박의 • sleepover 하룻밤 자며 놀기 • accompany 동행하다, 동반하다 • guardian 후견인, 보호자 • take place 개최되다 • indoors 실내에서

선택지의 정보에 해당하는 부분을 안내문에서 찾아 비교한다. ③ Participation Fee 항목에서 참가비 50달러에 저녁 식사와 아침 식사가 포함되어 있다고 했으므로 안내문과 일치한다.

해석

Goldbeach SeaWorld Sleepovers

여러분의 자녀들이 해양 동물을 사랑하나요? Goldbeach SeaWorld에서의 하룻밤은 분명 자녀들에게 신나는 하룻밤의 경험이 될 것입니다. 마법 같은 해저에서의 하룻밤에 함께하세요.

참가자 – 8세에서 12세의 어린이 – 어린이는 보호자를 동반해야 합니다.

언제: 2022년 5월의 토요일 오후 5시부터 일요일 오전 10시까지

활동: 안내원 동반 관광, 수중 공연, 인어와의 사진 촬영 시간

참가비 – 인당 50달러 (저녁과 아침 식사 포함됨)

참고 사항 – 침낭과 그 외 개인물품은 지급되지 않습니다. – 모든 활동은 실내에서 진행됩니다. – 밤 10시부터 아침 7시까지는 사진 촬영이 허가되지 않습니다.

더 많은 정보를 얻으시려면 저희 웹사이트 www.goldbeachseaworld.com을 방문하시면 됩니다.

선택지의 정보가 어느 항목에 속하는지 파악하고, 안내문에서 그 항목에 대한 부분을 빨리 찾는 것이 중요합니다. 예를 들어 '평일에 진행된다'라는 선택지는 '일정'과 관련된 것이므로 When, Duration 등의 항목을 찾아 확인해야 합니다.

유형 Tip

일정 관련

location 장소 hours (영업) 시간 period, duration (진행) 기간 reservation 예약 register 등록하다

비용, 지불 관련

cost, price 비용, 가격 entry[admission] fee 입장료 participation fee 참가비 discounted 할인된 off 할인된 included (참가비, 입장료 등에) 포함된

참가 관련

under+숫자 ~세 미만 accompanied by an adult 성인 동반

다음 글의 밑줄 친 부분 중, 어법상 틀린 것은?   수능 기출

Like whole individuals, cells have a life span. During their life cycle (cell cycle), cell size, shape, and metabolic activities can change dramatically. A cell is "born" as a twin when its mother cell divides, ① producing two daughter cells. Each daughter cell is smaller than the mother cell, and except for unusual cases, each grows until it becomes as large as the mother cell ② was. During this time, the cell absorbs water, sugars, amino acids, and other nutrients and assembles them into new, living protoplasm. After the cell has grown to the proper size, its metabolism shifts as it either prepares to divide or matures and ③ differentiates into a specialized cell. Both growth and development require a complex and dynamic set of interactions involving all cell parts. ④ What cell metabolism and structure should be complex would not be surprising, but actually, they are rather simple and logical. Even the most complex cell has only a small number of parts, each ⑤ responsible for a distinct, well-defined aspect of cell life.

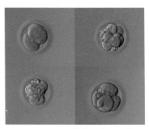

© Getty Images Korea

＊metabolic 물질대사의 ＊＊protoplasm 원형질

• life span 수명 • absorb 흡수하다 • assemble 조립하다, 집합시키다 • amino acid 아미노산 • nutrient 영양소 • differentiate 분화하다 • dynamic 역동적인 • distinct 뚜렷한 • well-defined 명확한 • aspect 측면

유형 핵심

❶ 밑줄 친 부분의 문법적 형태와 기능을 파악한다.

❷ 밑줄 친 부분의 앞뒤를 살펴 문장의 **❶ [　　　]** 를 파악하고, 문맥을 살핀다.

❸ 밑줄 친 부분이 문장의 구조와 **❷ [　　　]** 에 맞는 역할을 하는지 검토한다.

답 ❶ 구조 ❷ 문맥

정답 전략

④ What 뒤에 완전한 형태의 절이 나오므로 관계대명사 What 대신 접속사 That을 써야 한다. 문장의 주어는 What(→ That) cell metabolism and structure should be complex 이고, 동사는 would not be이다.

해석

전 개체와 마찬가지로, 세포도 수명을 가지고 있다. 그것의 생명주기(세포 주기) 동안, 세포의 크기, 모양, 물질대사 활동이 극적으로 변할 수 있다. 세포는 모세포가 분열할 때 쌍둥이로 '탄생' 하여, 두 개의 딸세포를 생성한다. 각각의 딸세포는 모세포보다 더 작으며, 특이한 경우를 제외하고는 각각 모세포의 크기만큼 커질 때까지 자란다. 이 기간 동안, 세포는 물, 당, 아미노산, 그리고 다른 영양소들을 흡수하고 그것들을 새로운 살아 있는 원형질로 조합한다. 세포가 적절한 크기로 성장한 뒤, 그것은 분열할 준비를 하거나, 혹은 성숙하여 특화된 세포로 분화하면서 그것의 물질대사가 변화한다. 성장과 발달 둘 다 모든 세포 부분을 포함하는 일련의 복잡하고 역동적인 상호 작용을 필요로 한다. 세포의 물질대사와 구조가 복잡해도 놀랍지 않겠지만, 실제로 그것들은 꽤 간단하며 논리적이다. 가장 복잡한 세포에도 그저 몇 개의 부분만이 있는데, 각각은 세포 생명의 뚜렷하고 명확한 측면을 맡고 있다.

어법은 문맥 속에서도 확인해야 합니다. 예를 들어, 동사의 수동태나 수동의 의미가 있는 과거분사는 주어 또는 꾸밈을 받는 명사와의 의미상 관계를 살펴야 해요.

유형 Tip

자주 출제되는 어법 사항 (1)

① 동사: 주어와 동사의 수가 일치하는지 주로 묻는다. 특히 밑줄 친 동사에 -(e)s가 붙어 있다면, 주어가 3인칭 단수인지 반드시 확인해야 한다.

② 접속사: 접속사 vs 전치사(접속사 뒤에는 절이, 전치사 뒤에는 명사구가 옴), 접속사 vs 관계사(접속사 뒤에는 완전한 형태의 절이, 관계사 뒤에는 주어나 목적어 등이 없는 불완전한 형태의 절이 옴)

12 어법 판단하기 (2)

대표 유형

(A), (B), (C)의 각 네모 안에서 어법에 맞는 표현으로 가장 적절한 것은?

모평 기출

It had long been something of a mystery where, and on what, the northern fur seals of the eastern Pacific feed during the winter, (A) when / which they spend off the coast of North America from California to Alaska. There is no evidence that they are feeding to any great extent on sardines, mackerel, or other commercially important fishes. Presumably four million seals could not compete with commercial fishermen for the same species without the fact (B) being / is known. But there is some evidence on the diet of the fur seals, and it is highly significant. Their stomachs have yielded the bones of a species of fish that has never been seen alive. Indeed, not even its remains (C) has / have been found anywhere except in the stomachs of seals. Ichthyologists say that this 'seal fish' belongs to a group that typically inhabits very deep water, off the edge of the continental shelf.

*ichthyologist 어류학자

	(A)	(B)	(C)
①	when	is	have
②	when	being	have
③	which	being	have
④	which	being	has
⑤	which	is	has

© Getty Images Bank

Words

• to any great extent 얼마만큼이나 많이 • sardine 정어리 • mackerel 고등어 • presumably 아마, 짐작건대 • significant 중요한, 의미심장한 • yield 산출하다 • remains 잔해, 유적 • continental shelf 대륙붕

유형 핵심

❶ 각 네모 안에 주어진 두 표현의 **❶** 를 파악한다.

❷ 네모가 있는 문장의 구조를 살펴, 네모 안에 어떤 기능과 의미의 표현이 필요한지 파악한다.

❸ 어법과 **❷** 을 모두 고려하여 알맞은 표현을 선택한다.

답 ❶ 차이 ❷ 문맥

정답 전략

(A) 뒤에 목적어가 없는 절이 나왔으므로, 관계대명사 which를 넣어 the winter를 선행사이자, 관계사절의 목적어로 만들어야 한다. (B) 전치사 without의 목적어로는 명사나 명사구가 와야 하므로, 현재분사 being을 넣어 분사 being known이 the fact를 꾸미게 해야 한다. is는 동사이므로 without 뒤에 절이 오게 되어 적절하지 않다. (C) 주어 its remains가 복수이므로 수를 일치시키려면 have를 써야 한다. 따라서 정답은 ③이다.

해석

동태평양의 북부 모피 물개들이 캘리포니아에서 알래스카까지 북아메리카 연안에서 보내는 겨울 동안 어디에서, 그리고 무엇을 먹고 사는지는 오랫동안 불가사의 같은 것이었다. 그것들이 얼마만큼이나 많이 정어리, 고등어, 또는 다른 상업적으로 중요한 어류를 먹고 살고 있는지의 증거는 없다. 알려진 사실이 없지만, 짐작건대 4백만 마리의 물개들이 같은 종을 놓고 상업을 목적으로 하는 어부들과 다툴 수 없을 것이다. 그러나 모피 물개들의 먹이에 관한 증거가 약간 있는데, 그것은 대단히 의미심장하다. 살아 있는 채로는 목격된 적이 없는 한 종의 물고기 뼈가 그들의 위에서 나왔다. 사실 물개들의 위 속을 제외하고 어느 곳에서도 그것의 잔해조차 발견된 적이 없었다. 어류학자들은 이 '물개 어류'가 일반적으로 대륙붕 가장자리에서 떨어진 아주 깊은 물 속에 서식하는 군에 속한다고 말한다.

> 네모 안에서 고르는 문제는 선택지를 고를 때 주의해야 합니다. 명사의 단수/복수나 현재분사/과거분사, wh-로 시작하는 관계사 등은 서로 형태가 비슷하기 때문에 자칫 헷갈려서 다른 선택지를 고를 수도 있으니 잘 확인하세요.

유형 Tip

자주 출제되는 어법 사항 (2)

① 관계사: 「전치사+관계대명사」와 관련된 문제가 자주 출제된다. 관계대명사 앞에 전치사가 있을 경우에는 관계대명사 뒤에 완전한 형태의 절이 올 수 있고, 「전치사+관계대명사」가 관계사절에서 부사 역할을 하게 된다.

② 분사와 부정사: 분사/부정사는 문장에서 동사 역할을 할 수 없다. 또한 현재분사와 과거분사는 각각 능동, 수동의 의미가 바르게 쓰였는지 확인해야 한다.

Word List for Week 1

001	a variety of	p. 29	다양한
002	activate	p. 13	활성화하다
003	addicted	p. 13	중독된
004	adjust	p. 14, 24	적응하다, 조절하다, 조정하다
005	admission	p. 10, 26	입원, 입장
006	affect	p. 21	(심리) 정서, 감정
007	agricultural	p. 15	농업의
008	aid	p. 21	돕다
009	aisle	p. 11	통로, 복도
010	ancestor	p. 27	조상
011	angle	p. 32	각도
012	anniversary	p. 10	기념일
013	annoyed	p. 11	짜증이 난
014	anxious	p. 26	불안해하는, 염려하는
015	appeal	p. 15	관심을 끌다
016	appropriately	p. 21	적절하게
017	argument	p. 32	주장
018	arrange	p. 14	정리하다
019	aspiration	p. 23	열망, 포부
020	assess	p. 21	평가하다, 산정하다
021	assume	p. 21	추측하다
022	assumption	p. 21, 32	가정, 추정
023	astronomer	p. 23	천문학자
024	attainable	p. 24	달성할 수 있는, 이룰 수 있는
025	attention	p. 11	주의

Word List for Week 1

051	competent	p. 22	능숙한, 만족할 만한	
052	complain	p. 19	불평하다	
053	concern	p. 17	걱정, 근심	
054	consequence	p. 21	결과	
055	consideration	p. 16	고려	
056	consistency	p. 23	일관성	
057	contact	p. 10	연락하다, 접촉하다	
058	contrast	p. 28	대조	
059	contribute	p. 23	기여하다	contribution 기여, 공헌
060	convenient	p. 17	편리한	
061	convey	p. 21	전달하다	
062	convince	p. 32	설득하다	
063	cooperate	p. 28	협력하다, 협조하다	
064	cosmos	p. 23	우주	
065	counselor	p. 17	상담사	
066	curiously	p. 24	기묘하게	
067	cut the budget	p. 16	예산을 삭감하다	
068	define	p. 21	정의하다	
069	deliver	p. 25	전달하다	
070	demand	p. 20	요구하다	
071	demonstrate	p. 25	입증하다, 보여주다	
072	disappointed	p. 11	실망한	
073	disgust	p. 27	역겹게 하다, 혐오감을 유발하다	
074	disturbing	p. 19	방해가 되는	
075	eclipse	p. 23	(해·달의) 식(蝕)	

Word List for Week 1

101	grab	p. 11	쥐다, 잡다
102	grip	p. 11	움켜쥠, 통제
103	have ~ in motion	p. 25	~을 움직이게 하다
104	have a point	p. 27	나름의 의미[이유]가 있다
105	historical monument	p. 15	역사적 기념물
106	humbling	p. 24	겸손하게 해 주는
107	identity	p. 22	정체성
108	immature	p. 22	미성숙한
109	immediate	p. 19	즉각적인
110	imperfect	p. 20	불완전한
111	improper	p. 22	부당한, 부적절한
112	improve	p. 14	향상시키다
113	in harmony	p. 33	조화되어
114	in person	p. 17	직접
115	inadequate	p. 20	불충분한, 부적당한
116	include	p. 10	포함하다, ~을 포함시키다
117	individual	p. 12	개인; 개인의
118	infancy	p. 28	유아기, 초창기
119	inherently	p. 24	선천적으로, 본질적으로
120	insensitivity	p. 21	무감각
121	insight	p. 23, 32	통찰
122	insistence	p. 23	주장, 고집
123	insufficient	p. 20	불충분한
124	integrate	p. 24	통합시키다, 통합되다
125	intensive	p. 13	집중적인

Word List for Week 1

Word List for Week 1

201	shed light on	p. 23	~을 비추다
202	skilled at	p. 25	~에 능숙한
203	sophistication	p. 21	세련, 정교함
204	Stone Age	p. 20	석기 시대
205	stretch out	p. 11	(팔을) 뻗다
206	summit	p. 24	정상
207	swell	p. 18	부풀다
208	take advantage of	p. 14	~을 이용하다
209	take measures	p. 19	조치를 취하다
210	take on	p. 22	~을 띠다, 취하다
211	thereafter	p. 23	그 후에
212	trait	p. 28	특징
213	transform	p. 13	변형시키다
214	trigger	p. 32	유발하다
215	tutor	p. 14	개인 지도 교사
216	uncertainty	p. 24	불확실성
217	underdevelopment	p. 20	발육불량
218	underestimate	p. 21	과소평가하다
219	upcoming	p. 33	다가오는
220	upright	p. 18	똑바로 선
221	urgent	p. 19	긴급한
222	vulnerable	p. 28	연약한, 취약한
223	wilderness	p. 28	황무지
224	worthwhile	p. 33	~할 가치가 있는
225	yield	p. 32	(결과 등을) 초래하다, 야기하다

Word List for Week 2

001	access	p. 43	접근(권), 이용
002	accommodation	p. 53	숙소, 숙박 시설
003	account for	p. 45, 55, 68	~을 차지하다
004	accuracy	p. 38, 68	정확성
005	accurate	p. 68	정확한
006	acoustic	p. 69	청각의
007	acquainted	p. 38	알고 있는, 안면이 있는
008	actualize	p. 49	실현하다
009	adapt	p. 52, 61	적응하다, 각색하다
010	addictive	p. 67	중독성의
011	adjust	p. 52	적응하다, 맞추다
012	advent	p. 67	도래, 출현
013	affair	p. 49	일, 사건
014	aftermath	p. 66	여파
015	age group	p. 47	연령대
016	amass	p. 67	모으다, 축적하다
017	an introduction to economics	p. 42	경제학 개론서
018	analyze	p. 78	분석하다
019	animal behaviourist	p. 69	동물 행동학자
020	animal trial	p. 44	동물 실험
021	annual	p. 40	매년의
022	anticipation	p. 67	기대, 예상
023	application	p. 53	신청, 지원
024	apply	p. 57	적용되다
025	appoint	p. 44	지명하다, 임명하다

Word List for Week 2

Word List for Week 2

076	detector	p. 60	탐지기
077	devote oneself	p. 61	전념하다
078	dictate	p. 74	~에 영향을 끼치다
079	disbelief	p. 66	믿기지 않음, 불신감
080	discipline	p. 72	절제, 단련
081	disclosure	p. 49	폭로, 발각, 드러남
082	discrete	p. 74	별개의
083	disintermediate	p. 76	중개를 탈피하다
084	dismiss	p. 57	해고하다
085	disregard	p. 74	무시하다
086	dopamine	p. 67	도파민(신경 전달 물질 등의 기능을 하는 체내 유기 화합물)
087	earning	p. 57	소득, 수입
088	economist	p. 42	경제학자
089	ecosystem	p. 46	생태계
090	edit	p. 54	편집하다
091	electricity	p. 43	전기
092	emit	p. 69	(빛, 가스, 소리를) 내다, 내뿜다
093	enable	p. 52	~할 수 있게 하다, 가능하게 하다
094	enduring	p. 61	오래가는
095	enhance	p. 72	증진시키다
096	entitle	p. 42	제목을 붙이다
097	entrant	p. 56	출전자, 응시생
098	entrepreneur	p. 42	기업가
099	epidemic	p. 44	유행병, 감염병
100	equipment	p. 51	장비

Word List for Week 2

126	hold	p. 57	(의견을) 가지다, (무엇이 사실이라고) 간주(생각)하다
127	hold on to	p. 52	~에 매달리다, 꼭 잡다
128	home to	p. 46	~의 고향[서식지]
129	host	p. 40, 53	(손님을) 접대하다, 주최하다
130	hot spring	p. 51	온천
131	illustration	p. 38	삽화
132	immediate	p. 61	즉각적인
133	impatient	p. 67	안달하는, 못 견디는
134	implement	p. 76	시행하다
135	imply	p. 72	암시하다
136	impress	p. 72	감명을 주다, 깊은 인상을 주다
137	impression	p. 72	인상, 감명
138	in a row	p. 78	잇달아, 계속해서
139	in addition to	p. 70	~ 이외에, ~에 더하여
140	in kind	p. 41	동일한 것으로
141	in one's presence	p. 72	앞에서, 면전에서
142	in pursuit of	p. 50	~을 추구하는
143	include	p. 56	~을 포함하다
144	incredible	p. 74	믿을 수 없는
145	indicate	p. 60	나타내다, 표시하다
146	influential	p. 42	영향력 있는
147	inherent	p. 74	선천적인
148	initial	p. 44	초기의
149	innovation	p. 77	혁신
150	inquiry	p. 48, 70	문의, 질문

Word List for Week 2

176	modest	p. 72	적절한, 적당한
177	motive	p. 49	동기
178	municipal waste	p. 39	도시 쓰레기
179	municipal	p. 39	시의, (자치) 도시의
180	naturalist	p. 38	동식물 연구가, 박물학자
181	navigation	p. 69	항해, 항공
182	neuroimaging	p. 67	신경 촬영법, 두뇌 영상
183	neuroscientist	p. 74	신경 과학자
184	nonrepudiable	p. 76	부인[거부]할 수 없는 *cf.* repudiable 거부[거절]할 수 있는
185	obligated	p. 41	의무가 있는
186	obtain	p. 42	획득하다
187	occasionally	p. 44	때때로
188	official	p. 56	공식의
189	organism	p. 52	유기체
190	orientation	p. 69	방향
191	overload	p. 74	과부하; 과부하가 걸리게 하다
192	overpower	p. 52	제압하다
193	overtake	p. 66	불시에 닥치다, 엄습하다
194	overweight	p. 71	과체중의
195	overwhelmed	p. 66	압도된, 어쩔 줄 모르는
196	packaging	p. 45	포장
197	participant	p. 48	참가자
198	participate in	p. 53	~에 참가하다
199	pass	p. 51	출입증, 탑승권
200	patron	p. 38	후원자, 고객

Word List for Week 2

Word List for Week 2

276	take up	p. 55	(시간 · 공간을) 차지하다
277	tamper-resistant	p. 76	부정 조작 방지의
278	tempt	p. 49	부추기다, 유혹하다
279	tendency	p. 78	경향
280	term	p. 74	용어, 말
281	textile	p. 39	직물
282	theory	p. 42	이론
283	traceable	p. 76	추적 가능한
284	transmit	p. 60, 74	전송하다, 송신[발신]하다
285	transnational	p. 76	초국가적인
286	transparent	p. 76	투명한
287	tremendous	p. 44	엄청난
288	trustworthy	p. 68	신뢰할 만한
289	uncertainty	p. 42	불확실성
290	under pressure	p. 41	압박을 당하는
291	unemployment	p. 57	실업
292	unrevealed	p. 49	숨겨진, 드러나지 않은
293	urban	p. 43	도시의
294	valuable	p. 49	귀중한
295	via	p. 48	~을 통해, ~을 거쳐
296	visible	p. 74	눈에 보이는
297	vital	p. 46	매우 중요한
298	water-resistant	p. 65	방수의
299	wavelength	p. 74	파장, 주파수
300	whereas	p. 64	~에 반하여

수능전략 | 독해 150

수능에 꼭 나오는
필수 유형 ZIP 1

실전에강한

수능전략

영어영역 독해 150

수능에 꼭 나오는
필수 유형 ZIP 2

천재교육

수능전략

영·어·영·역

독해 150

수능에 꼭 나오는
필수 유형 ZIP 2

차례 ❷권

수능에 꼭 나오는
필수 유형 ZIP

01 문맥에 맞는 낱말 찾기

대표 유형 (A), (B), (C)의 각 네모 안에서 문맥에 맞는 낱말로 가장 적절한 것은?

학평 기출

While women work long hours every day at home, since this work does not produce a wage, this is often (A) included / ignored in considering the respective contributions of women and men in the family's joint prosperity. When, however, a woman works outside the home and earns a wage, she contributes to the family's prosperity more visibly. The woman also has more voice, because of being less (B) dependent on / independent of others. The higher status of women even affects ideas on the female child's 'due.' So the freedom to seek and hold outside jobs can contribute to the (C) production / reduction of women's relative and absolute difficulties. Freedom in one area (that of being able to work outside the household) seems to help to foster freedom in others (in enhancing freedom from hunger, illness, and relative difficulties).

*due 당연히 누려야 할 권리

	(A)	(B)	(C)
①	included	dependent on	production
②	included	independent of	reduction
③	ignored	dependent on	reduction
④	ignored	independent of	reduction
⑤	ignored	dependent on	production

Words
• wage 임금 • respective 각자의 • prosperity 자산, 부 • contribution 공헌 • status 지위
• visibly 눈에 띄게 • relative 상대적인 • absolute 절대적인

유형 핵심

❶ 글의 초반을 읽고, 글의 소재와 주제를 파악한다.

❷ 글을 읽으며 [**❶**] 앞뒤에서 단서를 찾는다.

❸ 선택한 단어로 완성된 문장이 자연스러운지 확인하고, 글의 [**❷**] 을 해치지 않는지 살펴본다.

답 ❶ 네모 ❷ 흐름

정답 전략

(A)에서는 여성의 가사 노동에 보수가 없어서 자산 공헌도에서 '무시'된다고(ignored) 하는 것이 자연스럽다. 그러나 집 밖에서 일할 때 여성의 공헌이 두드러지고 목소리를 내게 되는데, 이것은 다른 사람에게 덜 의존적이기 때문이라고 하는 것이 적절하다. (B) 앞에 부정적인 의미의 less가 있으므로 '~에게 의존적인'이라는 의미의 dependent on이 자연스럽다. 따라서 집 밖에서 일할 수 있는 자유가 여성의 상대적인 어려움과 절대적인 어려움을 줄여줄 수 있다고 하는 것이 자연스러우므로 (C)에서는 '감소'라는 의미의 reduction을 선택해야 한다. 따라서 답은 ③이 알맞다.

해석

여성들은 가정에서 매일 오랜 시간 일을 하지만, 이런 일은 보수를 받지 못하기 때문에 종종 가족 공동 자산에서 여성과 남성 각각의 공헌도를 고려할 때 이것(여성의 일)이 무시되기도 한다. 그러나 여성이 집 밖에서 일하며 보수를 받을 때 그녀는 가족 자산에 대해 훨씬 더 두드러지게 공헌한다. 그녀는 또한 더 목소리를 내는데, 왜냐하면 다른 사람들에게 덜 의존적이기 때문이다. 여성들의 더 높은 위상은 여자 아이들이 당연히 누려야 할 권리에 대한 생각에 영향을 미치기까지 한다. 그래서 집 밖에서의 일자리를 찾고 유지하는 자유는 여성의 상대적인 어려움과 절대적인 어려움 감소에 공헌할 수 있다. 한 분야에서의 자유는(집 밖에서 일을 할 수 있는 자유) 다른 분야에서의 자유를 강화시키는 것(굶주림과 질병과 상대적인 어려움으로부터 자유를 향상시키는)을 도와주는 것으로 보인다.

© Olga1818 / shutterstock

네모 안에서 선택한 표현을 넣어 완성된 문장이 글의 주제와 어울리는지 확인하세요.

02 문맥상 쓰임이 적절하지 않은 낱말 찾기

대표 유형 다음 글의 밑줄 친 부분 중, 문맥상 낱말의 쓰임이 적절하지 <u>않은</u> 것은?

수능 기출

It has been suggested that "organic" methods, defined as those in which only natural products can be used as inputs, would be less damaging to the biosphere. Large-scale adoption of "organic" farming methods, however, would ① <u>reduce</u> yields and increase production costs for many major crops. Inorganic nitrogen supplies are ② <u>essential</u> for maintaining moderate to high levels of productivity for many of the non-leguminous crop species, because organic supplies of nitrogenous materials often are either limited or more expensive than inorganic nitrogen fertilizers. In addition, there are ③ <u>benefits</u> to the extensive use of either manure or legumes as "green manure" crops. In many cases, weed control can be very difficult or require much hand labor if chemicals cannot be used, and ④ <u>fewer</u> people are willing to do this work as societies become wealthier. Some methods used in "organic" farming, however, such as the sensible use of crop rotations and specific combinations of cropping and livestock enterprises, can make important ⑤ <u>contributions</u> to the sustainability of rural ecosystems.

*nitrogen fertilizer 질소 비료 **manure 거름 ***legume 콩과(科) 식물

Words
- organic 유기농의 • input 투입물 • biosphere 생물권 • adoption 채택 • yield 생산량 • inorganic 무기질의 • nitrogen 질소 • nitrogenous material 질소 물질 • moderate 중간의, 중도의 • non-leguminous 비(非)콩과의 • extensive 광범위한 • sensible 합리적인 • crop rotation 작물 돌려짓기 • livestock 가축

유형 핵심

❶ 글의 초반을 읽고, 글의 소재와 [❶   ]를 파악한다.

❷ 밑줄 친 어휘를 포함하는 문장이 글의 전체적인 흐름 및 주제와 어울리는지 판단한다.

❸ 특히 원래 쓰여야 하는 어휘의 [❷   ]가 쓰여 정답인 경우가 많으므로, 그 점에 유의하여 글을 읽는다.

답 ❶ 주제 ❷ 반의어

정답 전략

밑줄 친 ③ benefits가 있는 문장은 바로 앞 문장에 이어(In addition) 유기농 경작 방식에 어떠한 단점이 있는지 설명하는 문장이므로, 거름을 광범위하게 사용하는 것에 '이점'이 있다고 하는 것이 어색하다. 따라서 benefits를 '제약'이라는 의미의 constraints 정도로 바꾸는 것이 적절하다.

해석

천연 제품들만 투입물로 사용되는 방식으로 정의되는 '유기농' 방식은 생물권에 해를 덜 끼친다고 시사되어 왔다. 그러나 '유기농' 경작 방식의 대규모 채택은 많은 주요 작물에 있어 산출량을 감소시키고 생산비를 증가시킬 것이다. 무기질 질소 공급은 많은 비(非)콩과 작물 종의 생산성을 중상 수준으로 유지하는 데 필수적인데, 그것은 질소성 물질의 유기적 공급이 무기 질소 비료보다 종종 제한적이거나 더 비싸기 때문이다. 게다가, 거름이나 '친환경 거름' 작물로서의 콩과 식물의 광범위한 사용에는 이점(→ 제약)이 있다. 많은 경우, 화학 물질이 사용될 수 없으면 잡초 방제가 매우 어렵거나 수작업이 많이 필요할 수 있는데, 사회가 부유해짐에 따라 이 작업을 기꺼이 하려는 사람이 더 적을 것이다. 그러나 작물 돌려짓기의 합리적인 활용과, 경작과 가축 경영의 특정한 조합과 같은 '유기농' 경작에서 사용되는 몇몇 방식들은 농촌 생태계의 지속 가능성에 중요한 기여를 할 수 있다.

© Olga1818 / shutterstock

이 유형에서는 주로 밑줄 친 단어의 반의어가 들어가야 자연스러운 경우가 많아요.

03 밑줄 친 부분의 의미 파악하기

대표 유형   밑줄 친 an empty inbox가 다음 글에서 의미하는 바로 가장 적절한 것은?

모평 기출

The single most important change you can make in your working habits is to switch to creative work first, reactive work second. This means blocking off a large chunk of time every day for creative work on your own priorities, with the phone and e-mail off. I used to be a frustrated writer. Making this switch turned me into a productive writer. Yet there wasn't a single day when I sat down to write an article, blog post, or book chapter without a string of people waiting for me to get back to them. It wasn't easy, and it still isn't, particularly when I get phone messages beginning "I sent you an e-mail two hours ago...!" By definition, this approach goes against the grain of others' expectations and the pressures they put on you. It takes willpower to switch off the world, even for an hour. It feels uncomfortable, and sometimes people get upset. But it's better to disappoint a few people over small things, than to abandon your dreams for an empty inbox. Otherwise, you're sacrificing your potential for the illusion of professionalism.

① following an innovative course of action
② attempting to satisfy other people's demands
③ completing challenging work without mistakes
④ removing social ties to maintain a mental balance
⑤ securing enough opportunities for social networking

Words
• switch 전환하다 • block off 차단하다 • chunk 덩어리 • priority 우선순위 • a string of 일련의 • get back to ~에게 다시 연락[회답]하다 • by definition 당연히, 당연한 일로서 • go against the grain 자연스러운 것에 어긋나다 • willpower 의지

❶ 글의 초반을 읽고, 주제를 파악한다.

❷ 글을 읽으며, 주제를 뒷받침하는 **❶** [   ] 사항을 확인하여 글의 방향을 파악한다.

❸ 글의 주제와 관련지어 밑줄 친 부분의 **❷** [   ] 인 의미를 추론한다. 밑줄 친 부분이 포함된 문장이 글쓴이가 그 글에서 핵심적으로 하고 싶은 말일 가능성이 높다.

📗 ❶ 세부 ❷ 함축적

정답 전략

대응하는 일보다 창의적인 일에 우선순위를 두고, 이러한 일을 할 때에는 전화나 이메일 등 외부와의 연결 수단을 차단하라고 했다. 이러한 맥락에서 '빈 수신함'을 위해 자신의 꿈을 포기하는 것보다 그냥 몇 사람을 실망하게 하는 것이 낫다고 했으므로, '빈 수신함'이 의미하는 바로 가장 적절한 것은 ② '다른 사람들의 요구를 충족하려고 시도하는 것'이다. 다른 사람들이 보낸 메일이나 메시지를 확인해야 수신함이 비므로, '빈 수신함'은 결국 다른 사람들의 요구에 대응하는 일을 계속한다는 것을 의미한다. ① 혁신적인 행동 방침을 따르는 것 ③ 도전적인 일을 실수 없이 완료하는 것 ④ 정신적 균형을 유지하기 위해 사회적 유대를 제거하는 것 ⑤ 소셜 네트워킹을 위한 충분한 기회를 확보하는 것

해석

여러분이 일하는 습관에서 이뤄낼 수 있는 한 가지의 가장 중요한 변화는 창조적인 일을 먼저 하고 대응적인 일은 그다음에 하는 쪽으로 전환하는 것이다. 이것은 전화기와 이메일을 끈 채, 여러분 자신의 우선순위에 따라 창조적인 작업을 위해 매일 많은 시간을 차단하는 것을 의미한다. 나는 좌절감을 느끼는 작가였다. 이 전환은 나를 생산적인 작가로 변하게 만들었다. 하지만 내가 기사나 블로그 게시글 혹은 책의 한 챕터를 쓰려고 앉을 때마다 일련의 사람들이 내가 그들에게 답장을 주기를 기다리지 않은 날이 단 하루도 없었다. 그것은 쉽지 않았고, 아직도 쉽지 않으며, 특히 "제가 '두 시간 전에' 이메일을 보냈어요…!"라고 시작하는 전화 메시지를 받을 때 그렇다. 당연히, 이러한 접근 방식은 다른 사람들의 기대와 그들이 여러분에게 가하는 압박에는 어긋난다. 단 한 시간 동안이라도 세상의 스위치를 끄는 것에는 의지가 필요하다. 그것은 불편한 느낌이고, 때로는 사람들을 화나게 한다. 그러나 빈 수신함을 위해 자신의 꿈을 포기하는 것보다, 사소한 것에 대해 몇 사람을 실망시키는 것이 낫다. 그렇게 하지 않으면, 여러분은 전문직업의식이라는 환상을 위해 자신의 잠재력을 희생하고 있는 것이다.

> 선택한 의미를 밑줄 친 부분 대신 넣어 읽고, 흐름이 자연스러운지 확인해 보세요. 특히 밑줄 친 부분의 앞뒤에 not이나 never 등의 부정어가 있을 경우 유의해야 합니다.

대표 유형   다음 빈칸에 들어갈 말로 가장 적절한 것은?   기출

Humour involves not just practical disengagement but cognitive disengagement. As long as something is funny, we are for the moment not concerned with whether it is real or fictional, true or false. This is why we give considerable leeway to people telling funny stories. If they are getting extra laughs by exaggerating the silliness of a situation or even by making up a few details, we are happy to grant them comic licence, a kind of poetic licence. Indeed, someone listening to a funny story who tries to correct the teller — 'No, he didn't spill the spaghetti on the keyboard and the monitor, just on the keyboard' — will probably be told by the other listeners to stop interrupting. The creator of humour is putting ideas into people's heads for the pleasure those ideas will bring, not to provide _____ information.

*cognitive 인식의 **leeway 여지

① accurate   ② detailed   ③ useful
④ additional   ⑤ alternative

© Nejron Photo / shutterstock

Words
- involve 수반하다 • disengagement 해방, 이탈 • considerable 상당한 • exaggerate 과장하다
- make up 만들어내다 • grant 승인(허락)하다 • license 면허, 자유, 방종 • alternative 대체의

❶ 선택지 어구를 훑어본 뒤, 빈칸이 있는 문장의 위치를 파악한다. 글의 앞부분이나 뒷부분에 있다면 주제문일 가능성이 크다.

❷ 글을 읽고, ❶ [   ]적으로 나타나는 개념을 통해 글의 중심 내용을 파악한다.

❸ 파악한 내용을 근거로 빈칸에 들어갈 어구를 추론한 뒤, 빈칸에 넣어 자연스러운지 확인한다.

❹ 빈칸을 채워 완성된 문장이 ❷ [   ]와 같은 맥락인지 확인한다.

❶ 반복 ❷ 주제

유머가 재미있기만 하면 과장하거나 세부 사항을 꾸며내는 것을 허용한다고 했고, 내용을 정확하게 정정하려고 끼어드는 사람은 방해자 취급을 받을 것이라고 했다. 따라서 유머를 전달하는 사람은 재미를 전달하는 것이지 '정확한' 정보를 전달하는 것이 아니라고 해야 자연스러우므로 빈칸에는 '정확한'이라는 의미의 ① 'accurate'이 가장 적절하다.

유머는 실용적인 해방뿐만 아니라 인식의 해방을 수반한다. 어떤 것이 재미있다면, 우리는 잠시 그것이 진짜인지 허구인지, 진실인지 거짓인지에 관해 관심을 두지 않는다. 이것이 우리가 재미있는 이야기를 하는 사람들에게 상당한 여지를 주는 이유이다. 만약 그들이 상황의 어리석음을 과장하거나 심지어 몇 가지 세부 사항을 꾸며내서라도 웃음을 더 얻고 있다면, 우리는 그들에게 기꺼이 희극적 자유, 일종의 시적 자유를 허락한다. 실제로, 재미있는 이야기를 듣고 있는 누군가가 '아니야, 그는 스파게티를 키보드와 모니터에 쏟은 것이 아니라 키보드에만 쏟았어.'라고 하며 말하는 사람을 바로잡으려고 하면 그는 아마 듣고 있는 다른 사람들에게서 방해하지 말라는 말을 들을 것이다. 유머를 만드는 사람은 사람들의 머릿속에 그 생각들이 가져올 재미를 위해 생각을 집어넣고 있는 것이지, 정확한 정보를 제공하기 위해서가 아니다.

빈칸에 들어갈 말은 언제나 글의 중심 내용, 주제와 관련이 있다는 점을 기억해야 합니다. 즉, 빈칸에 선택한 표현을 넣어 완성된 문장이 주제와 일맥상통해야 하죠.

대표 유형 다음 빈칸에 들어갈 말로 가장 적절한 것은?   수능 기출

News, especially in its televised form, is constituted not only by its choice of topics and stories but by its _____. Presentational styles have been subject to a tension between an informational-educational purpose and the need to engage us entertainingly. While current affairs programmes are often 'serious' in tone sticking to the 'rules' of balance, more popular programmes adopt a friendly, lighter, idiom in which we are invited to consider the impact of particular news items from the perspective of the 'average person in the street'. Indeed, contemporary news construction has come to rely on an increased use of faster editing tempos and 'flashier' presentational styles including the use of logos, sound-bites, rapid visual cuts and the 'star quality' of news readers. Popular formats can be said to enhance understanding by engaging an audience unwilling to endure the longer verbal orientation of older news formats. However, they arguably work to reduce understanding by failing to provide the structural contexts for news events.

① coordination with traditional display techniques
② prompt and full coverage of the latest issues
③ educational media contents favoured by producers
④ commitment to long-lasting news standards
⑤ verbal and visual idioms or modes of address

Words

- televised 텔레비전으로 방송되는 • be subject to ~의 대상이다 • engage ~의 관심을 사로잡다
- current affair 시사 • stick to ~을 고수하다 • idiom 표현 양식 • perspective 관점 • flashy 현란한 • sound-bite 효과적인 짧은 어구 • enhance 높이다 • orientation 지향 • arguably 거의 틀림없이 • prompt 즉각적인

❶ 글을 읽기 전에 선택지에 제시된 어구를 빠르게 확인한다.

❷ 빈칸에 들어갈 말이 글의 주제나 요지일 가능성이 크므로, 이를 ❶ [   ]하는 문장들에 반복적으로 나타나는 표현을 통해 주제나 요지를 추론한다.

❸ 선택지 중 ❷ [   ]나 요지와 가장 관련이 깊은 것을 골라 빈칸에 넣어 앞뒤의 논리적 흐름을 확인한다.

❹ 지나치게 세부적이거나 포괄적인 선택지를 고르지 않도록 주의한다.

답 ❶ 뒷받침 ❷ 주제

첫 번째 문장에 빈칸이 있고, 바로 그 뒤에서부터 글 전체에 걸쳐 텔레비전으로 방송되는 뉴스가 더 빠른 편집과 짧은 방송용 어구 등을 사용하여 시청자의 주의를 끄는 방향으로 가고 있음을 설명하며 첫 번째 문장을 뒷받침하는 구성이므로, 빈칸에는 ⑤ '언어적, 시각적 표현 양식 또는 전달 방식'이 가장 적절하다. ① 전통적 표현 기법과의 조화 ② 최신 이슈에 대한 즉각적이고 완전한 보도 ③ 제작자에 의해 선호되는 교육 매체의 컨텐츠 ④ 오래 지속되는 뉴스 기준에의 전념

뉴스, 특히 텔레비전으로 방송되는 형태는 주제와 이야기의 선택뿐만 아니라 그것의 <u>언어적, 시각적 표현 양식이나 전달 방식</u>에 의해서도 구성된다. 표현 양식은 정보 제공 및 교육적 목적과 재미있게 우리의 주의를 끌 필요성 사이의 긴장 상태에 영향을 받아 왔다. 시사 프로그램들이 흔히 균형이라는 '규칙'을 고수하면서 '진지한' 어조이지만, 더 대중적인 프로그램들은 친근하고 더 가벼운 표현 양식을 채택하는데, 그 표현 양식에서 우리는 '거리에서 만나는 보통 사람'의 관점에서 특정 뉴스 항목의 영향을 고려하도록 요청된다. 사실, 현대의 뉴스 구성은 로고, 짧은 방송용 어구, 빠른 시각적 편집, 그리고 뉴스 독자의 '스타성'을 이용하는 것을 포함한 더 빠른 편집 속도와 '더 현란한' 표현 방식의 이용 증가에 의존하게 되었다. 대중적인 구성은 더 오래된 뉴스 구성 형식이 지향하는 더 긴 언어를 견디기 싫어하는 시청자의 주의를 끌어서 이해를 높였다고 말할 수도 있다. 하지만 그것은 뉴스 사건에 관한 구조적 맥락을 제공하지 못함으로써 거의 틀림없이 이해를 감소시키는 효과가 있을 것이다.

ⓒ ra2 studio / shutterstock

06 글의 순서 배열하기 (1)

대표 유형 주어진 글 다음에 이어질 글의 순서로 가장 적절한 것은?

> According to the market response model, it is increasing prices that drive providers to search for new sources, innovators to substitute, consumers to conserve, and alternatives to emerge.

(A) Many examples of such "green taxes" exist. Facing landfill costs, labor expenses, and related costs in the provision of garbage disposal, for example, some cities have required households to dispose of all waste in special trash bags, purchased by consumers themselves, and often costing a dollar or more each.

(B) Taxing certain goods or services, and so increasing prices, should result in either decreased use of these resources or creative innovation of new sources or options. The money raised through the tax can be used directly by the government either to supply services or to search for alternatives.

(C) The results have been greatly increased recycling and more careful attention by consumers to packaging and waste. By internalizing the costs of trash to consumers, there has been an observed decrease in the flow of garbage from households.

① (A) − (C) − (B) ② (B) − (A) − (C) ③ (B) − (C) − (A)
④ (C) − (A) − (B) ⑤ (C) − (B) − (A)

Words
- provider 공급자 • innovator 혁신가 • substitute 대용하다, 대신하다 • landfill 매립
- provision 준비, 공급 • disposal 처리, 처분 • household 가정, 가구 • tax 과세하다
- alternative 대안 • internalize 내면화하다, ~의 것으로 하다 (to)

❶ 주어진 글을 읽고 글의 소재나 주제를 파악하며, 글의 전개 방향을 추측해 본다.

❷ 나머지 세 문단 (A), (B), (C)를 읽고 각 문단의 [❶   ] 내용을 파악한다.

❸ 각 문단의 중심 내용을 논리적으로 연결되는 순서로 배열한다. 지시어와 연결어구 등의 [❷   ]에도 유의해야 한다.

❹ 배열된 글의 흐름이 자연스러운지 다시 확인한다.

답 ❶ 중심 ❷ 단서

가격 인상으로 인해 시장에 변화가 생긴다는 것이 주어진 글의 내용이다. 그 뒤에는 가격 인상에 따라 어떤 변화가 생기는지 더 구체적인 설명을 하고 있는 (B)가 이어지는 것이 적절하다. (B)에 언급된 '세금'을 'such "green taxes"'라고 표현하며 그것에 대한 예를 드는 (A)가 온 뒤, green taxes의 결과가 무엇이었는지 설명하는 (C)가 마지막으로 오는 흐름이 자연스럽다. 따라서 답은 ②이다.

시장 반응 모형에 따르면, 공급자가 새로운 공급원을 찾게 하고, 혁신가가 대응하게 하고, 소비자가 아껴 쓰게 하고, 대안이 나타나게 하는 것은 바로 가격의 인상이다. (B) 특정 재화나 서비스에 과세하여 가격을 인상하면 이러한 자원의 사용 감소나 새로운 공급원 또는 선택사항의 창조적 혁신이라는 결과를 가져올 것이다. 세금을 통해 조성된 돈은 서비스를 공급하거나 대안을 모색하는 데 정부에 의해 직접 사용될 수 있다. (A) 그러한 '환경세'의 많은 예시가 존재한다. 예를 들어, 쓰레기 매립비용, 인건비, 쓰레기 처리 준비에 관련된 비용에 직면하자, 일부 도시는 가정이 모든 쓰레기를 소비자가 직접 구입한, 흔히 각각 1달러 또는 그 이상이 드는 특별한 쓰레기 봉투에 담아 처리하도록 요구해 왔다. (C) 그 결과, 재활용이 크게 증가했고 소비자가 포장과 쓰레기에 더 세심한 주의를 기울이게 되었다. 소비자에게 쓰레기 비용을 자기 것으로 하게 함으로써, 가정에서 나오는 쓰레기 흐름의 감소가 관찰되었다.

© Getty Images Korea

주어진 글에 핵심 소재가 드러나고, 글의 전개에 대한 단서가 나타나므로 주의 깊게 읽어야 합니다. 논설문이나 설명문 등 글의 흐름이 분명하게 나타나는 글이 주로 출제되니, 논리적인 흐름을 파악하면 어렵지 않게 해결할 수 있습니다.

07 글의 순서 배열하기 (2)

주어진 글 다음에 이어질 글의 순서로 가장 적절한 것은? 수능 기출

> In spite of the likeness between the fictional and real world, the fictional world deviates from the real one in one important respect.

(A) The author has selected the content according to his own worldview and his own conception of relevance, in an attempt to be neutral and objective or convey a subjective view on the world. Whatever the motives, the author's subjective conception of the world stands between the reader and the original, untouched world on which the story is based.

(B) Because of the inner qualities with which the individual is endowed through heritage and environment, the mind functions as a filter; every outside impression that passes through it is filtered and interpreted. However, the world the reader encounters in literature is already processed and filtered by another consciousness.

(C) The existing world faced by the individual is in principle an infinite chaos of events and details before it is organized by a human mind. This chaos only gets processed and modified when perceived by a human mind.

*deviate 벗어나다 **endow 부여하다 ***heritage 유산

① (A) − (C) − (B)   ② (B) − (A) − (C)   ③ (B) − (C) − (A)
④ (C) − (A) − (B)   ⑤ (C) − (B) − (A)

주어진 문장의 내용으로 보아 이 글은 허구의 세계가 현실 세계로부터 어떤 측면에서 분리되는 지에 대해 설명하는 글이다. 따라서 주어진 글 바로 뒤에는 기존 세계, 즉 현실 세계의 특징이 설명되는 (C)가 오는 것이 적절하다. (C)의 마지막에 언급된 '인간의 정신'이 (B)에 언급된 the mind로, (B)는 (C) 바로 뒤에서 보충 설명을 하는 것이 적절하다. 또한 (B)에서 기존 세계와 대비되는 세계로 언급된 '문학에서 독자가 접하는 세계'를 (A)에서 설명하고 있으므로 글의 순서는 ⑤ (C) - (B) - (A)가 자연스럽다.

허구의 세계와 현실 세계 사이의 유사성에도 불구하고 허구의 세계는 한 가지 중요한 측면에서 현실 세계로부터 벗어난다. (C) 개인이 직면한 기존의 세계는 인간의 정신에 의해 조직되기 전에는 이론상으로 사건들과 세부 사항들의 무한한 혼돈 상태이다. 이 혼돈 상태는 인간의 정신에 의해 인식될 때에만 처리되고 수정된다. (B) 개인이 유산과 환경을 통해 부여받은 내적 특성 때문에, 정신은 여과기로 작동하여 그것을 통과하는 모든 외부의 인상이 걸러지고 해석된다. 그러나 문학에서 독자가 접하는 세계는 이미 또 다른 의식에 의해 처리되고 여과되어 있다. (A) 작가는 중립적이고 객관적이려는, 또는 세계에 대한 주관적인 견해를 전달하려는 시도에서 자신의 세계관과 적절성에 대한 자신의 개념에 따라 내용을 선정했다. 동기가 무엇이든, 세계에 대한 작가의 주관적인 개념은 독자와 이야기의 기반이 되는 원래의 손대지 않은 세계 사이에 존재한다.

© file 404 / shutterstock

각 문단에서 다음 문단과 연결되는 단서를 찾는 것이 중요합니다.

Words
• relevance 타당성, 적절성 • neutral 중립의 • objective 객관적인 • subjective 주관적인 • untouched 훼손되지 않은, 본래 그대로의 • function 기능하다; 기능 • encounter 마주치다, 조우하다 • consciousness 의식 • existing 존재하는 • in principle 이론상으로 • infinite 무한한 • modify 수정하다

08 흐름과 관계없는 문장 찾기

다음 글에서 전체 흐름과 관계 <u>없는</u> 문장은? (수능) 기출

Since their introduction, information systems have substantially changed the way business is conducted. ① This is particularly true for business in the shape and form of cooperation between firms that involves an integration of value chains across multiple units. ② The resulting networks do not only cover the business units of a single firm but typically also include multiple units from different firms. ③ As a consequence, firms do not only need to consider their internal organization in order to ensure sustainable business performance; they also need to take into account the entire ecosystem of units surrounding them. ④ Many major companies are fundamentally changing their business models by focusing on profitable units and cutting off less profitable ones. ⑤ In order to allow these different units to cooperate successfully, the existence of a common platform is crucial.

© Getty Images Bank

Words

• substantially 상당히 • conduct 수행하다 • integration 통합 • value chain 가치 사슬 (기업 활동에서 부가가치가 생산되는 일련의 과정) • business unit 사업 부문, 사업 단위 • internal 내부의 • sustainable 지속가능한 • take ~ into account ~을 고려하다 • ecosystem 생태계 • fundamentally 근본적으로 • profitable 수익성이 있는, 이득이 되는 • crucial 중대한, 결정적인

유형 핵심

❶ 글의 첫 부분을 읽고, 글의 소재와 주제를 파악한다. 첫 문장이 [❶＿＿＿＿]일 경우가 많다.

❷ 각 문장이 주제와 일관된 맥락을 유지하는지 확인하면서 글을 읽는다.

❸ 논리적으로 [❷＿＿＿＿]하거나 흐름에 방해가 되는 문장을 찾는다.

❹ 선택한 문장을 빼고 읽어 보아 글의 흐름이 자연스러워졌는지 확인한다.

답 ❶ 주제문 ❷ 어색

정답 전략

정보 시스템의 도입 후 기업이 사업을 수행하는 방식에 변화가 있었다는 내용의 글로, 기업이 단일 조직만 고려할 수가 없으며, 자신들을 둘러싼 여러 기업들로 이루어진 생태계에도 관심을 기울이게 된다고 했다. 따라서 많은 주요 기업들이 수익성이 있는 부문에 집중하고 수익성이 낮은 부문을 잘라내어 사업 모델을 변화시키고 있다는 내용의 ④는 정보 시스템으로 인한 변화에 따른 것이 아니므로 전체 글의 흐름과 관련이 없다.

해석

정보 시스템은 도입 이래로 사업이 수행되는 방식을 상당히 변화시켜 왔다. 이는 특히 다수의 부문에 걸쳐 가치 사슬의 통합을 수반하는 기업 간의 협력 형태와 유형 면에서 사업에 사실이다. 그 결과인 네트워크는 단일 기업의 사업 부문을 포함할 뿐만 아니라, 일반적으로 서로 다른 기업의 여러 부문도 포함한다. 결과적으로, 기업은 지속 가능한 사업 성과를 보장하기 위해 그들 내부 조직을 고려할 필요가 있을 뿐만 아니라, 자신들을 둘러싸고 있는 부문들의 전체 생태계를 고려할 필요도 있다. (많은 주요 기업들은 수익성이 있는 부문에는 집중하고 수익성이 낮은 부문은 잘라냄으로써 자신들의 사업 모델을 근본적으로 변화시키고 있다.) 이 서로 다른 부문들이 성공적으로 협력할 수 있도록 하기 위해서는 공동 플랫폼의 존재가 필수적이다.

글 전체와 소재 면에서는 동일하면서도, 맥락상 주제와 어긋나는 서술을 하는 문장이 답인 경우가 많습니다.

09 주어진 문장의 위치 찾기

대표 유형 글의 흐름으로 보아, 주어진 문장이 들어가기에 가장 적절한 곳은? **수능** 기출

> Still, it is arguable that advertisers worry rather too much about this problem, as advertising in other media has always been fragmented.

The fragmentation of television audiences during recent decades, which has happened throughout the globe as new channels have been launched everywhere, has caused advertisers much concern. (①) Advertisers look back nostalgically to the years when a single spot transmission would be seen by the majority of the population at one fell swoop. (②) This made the television advertising of mass consumer products relatively straightforward — not to say easy — whereas today it is necessary for advertisers to build up coverage of their target markets over time, by advertising on a host of channels with separate audiences. (③) Moreover, advertisers gain considerable benefits from the price competition between the numerous broadcasting stations. (④) And television remains much the fastest way to build up public awareness of a new brand or a new campaign. (⑤) Seldom does a new brand or new campaign that solely uses other media, without using television, reach high levels of public awareness very quickly.   *fragment 조각내다 **at one fell swoop 단번에, 일거에

Words
• arguable 주장할 여지가 있는, 논쟁해 볼 만한 • launch 시작하다, 출범하다 • nostalgically 향수에 젖어 • transmission 전송, 전달 • straightforward 간단한, 복잡하지 않은 • coverage 범위 • a host of 다수의 • public awareness 대중 인지도

❶ 주어진 문장의 의미를 먼저 파악한 뒤, 그 **❶**〔   〕에 올 내용을 유추한다.

❷ 주어진 문장과 연결될 수 있는 단서를 찾으며 글을 읽는다.

❸ 문장 사이의 연결을 확인하여 논리적인 흐름이 매끄럽지 않거나, 정보가 **❷**〔   〕곳을 찾는다.

❹ 주어진 문장을 넣고, 논리적으로 매끄럽게 읽히는지 확인한다.

답 ❶ 앞뒤 ❷ 빠진

주어진 문장의 Still(그런데도)이라는 부사로 보아 앞에는 주어진 문장과 대비되는 내용이 나올 것이라는 점을 염두에 두고 글을 읽는다. 주어진 문장은 텔레비전 광고가 다른 미디어를 이용한 광고에 비해 여전히 유리한 위치에 있다고 내용을 전환하는 곳인 ③에 들어가는 것이 가장 적절하다.

최근 몇 십 년 동안 텔레비전 시청자의 분열은 도처에서 새로운 채널들이 생겨나면서 전 세계적으로 일어났는데, 이는 광고주들에게 많은 우려를 일으켰다. 광고주들은 한 지점에서의 전송을 다수의 사람들이 한 번에 보게 되었던 시절을 향수에 젖어 회상한다. 이것은 대량 소비 제품의 텔레비전 광고를 상대적으로 복잡하지 않게 —쉬웠다고 말하는 것이 아니라— 만들어 주었는데, 반면 오늘날에는 광고주들이 별도의 시청자가 있는 다수의 채널에 광고를 함으로써, 자신들의 목표 시장의 도달 범위를 시간을 두고 구축하는 것이 필요하다. 그렇다고 하더라도, 다른 매체에서의 광고들은 늘 단편적이었으므로, 광고주들이 이 문제에 대해 오히려 너무 많이 걱정하는 것일 수 있다고 주장할 수 있다. 게다가, 광고주들은 수많은 방송국들 간의 가격 경쟁으로부터 상당한 이익을 얻는다. 그리고 텔레비전은 새로운 브랜드나 새로운 캠페인에 대한 대중의 인식을 형성하는 단연코 가장 빠른 방법으로 남

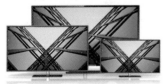

아있다. 텔레비전을 이용하지 않고, 다른 미디어만을 이용하는 새로운 브랜드나 새로운 캠페인이 아주 빠르게 높은 수준의 대중 인지도에 도달하는 경우는 거의 없다.

© Getty Images Bank

이 글에서처럼, 문장과 문장 사이에 논리적인 연결이 끊긴 곳을 파악하는 것이 중요합니다. ③ 앞의 문장은 예전과 비교해 텔레비전 광고에 어려움이 있다는 것을 설명하고, ③ 뒤의 문장은 Moreover(게다가)라는 부사를 사용해 텔레비전 광고의 장점을 추가로 설명하고 있으므로, ③의 위치에 앞의 내용과는 다른 문장이 들어가 흐름이 전환될 것임을 짐작할 수 있습니다.

10 요약문 완성하기

대표 유형

다음 글의 내용을 한 문장으로 요약하고자 한다. 빈칸 (A), (B)에 들어갈 말로 가장 적절한 것은?
수능 기출

Philip Kitcher and Wesley Salmon have suggested that there are two possible alternatives among philosophical theories of explanation. One is the view that scientific explanation consists in the unification of broad bodies of phenomena under a minimal number of generalizations. According to this view, the (or perhaps, a) goal of science is to construct an economical framework of laws or generalizations that are capable of subsuming all observable phenomena. Scientific explanations organize and systematize our knowledge of the empirical world; the more economical the systematization, the deeper our understanding of what is explained. The other view is the causal mechanical approach. According to it, a scientific explanation of a phenomenon consists of uncovering the mechanisms that produced the phenomenon of interest. This view sees the explanation of individual events as primary, with the explanation of generalizations flowing from them. That is, the explanation of scientific generalizations comes from the causal mechanisms that produce the regularities.　*subsume 포섭(포함)하다 **empirical 경험적인

⬇

Scientific explanations can be made either by seeking the __(A)__ number of principles covering all observations or by finding general __(B)__ drawn from individual phenomena.

	(A)		(B)		(A)		(B)
①	least	……	patterns	②	fixed	……	features
③	limited	……	functions	④	fixed	……	rules
⑤	least	……	assumptions				

❶ 요약문과 선택지를 먼저 읽고, 글의 ❶[ ]를 추측해 본다.

❷ 글을 읽으며 글 전체의 요지와 핵심어구를 파악한다. 반복되는 개념에 유의해야 한다.

❸ 요약문의 빈칸에 알맞은 말을 선택지에서 찾아 문장을 완성한다.

❹ 글을 읽으며 파악한 요지와 ❷[ ]의 내용이 일치하는지 확인한다.

답 ❶ 주제 ❷ 요약문

과학적 설명에 대한 철학적 이론 중 두 가지 가능한 대안이 있는데, 하나는 일반화의 수를 줄여 그 아래 많은 현상들을 통합하는 것이며, 다른 하나는 개별 현상에 대한 설명에서 일반화를 끌어내는 것이라는 것이 이 글의 중심 내용이다. 따라서 과학적 설명이란 모든 관찰에 적용되는 가장 적은(least) 숫자의 원리를 찾거나, 개별 현상에서 일반적인 패턴(pattern)을 발견함으로써 이루어질 수 있다고 해야 한다. 답은 ①이다.

Philip Kitcher와 Wesley Salmon은 설명에 대한 철학적 이론 중 두 가지 가능한 대안이 있다고 제안했다. 하나는 과학적 설명이 최소한으로 적은 수의 일반화 아래 광범위하게 많은 현상들을 통합하는 데 있다는 견해이다. 이 견해에 따르면 과학의 목표 (혹은 어쩌면 하나의 목표)는 관찰 가능한 모든 현상을 포함할 수 있는 법칙이나 일반화의 경제적인 틀을 구축하는 것이다. 과학적 설명은 경험적 세계에 대한 우리의 지식을 조직하고 체계화하는데, 체계화가 더 경제적일수록, 설명되는 것에 대한 우리의 이해는 더 깊어진다. 다른 관점은 '인과적/기계론적' 접근이다. 그것에 따르면, 어떤 현상에 대한 과학적인 설명은 관심 있는 그 현상을 만들어 낸 체제를 밝혀내는 것으로 이루어져 있다. 이 관점은 개별 사건들에 대한 설명을 기본으로 보고, 일반화에 대한 설명이 그것들로부터 흘러나온다고 본다. 즉, 과학적 일반화에 대한 설명은 규칙성을 만들어 내는 인과적 체제에서 비롯된다. → 과학적 설명은 모든 관찰에 적용되는 <u>최소한의</u> 원리를 찾거나 개별 현상으로부터 도출된 일반적인 <u>패턴</u>을 발견함으로써 이루어질 수 있다.

> 빈칸에 들어갈 말은 보통 글의 핵심 어휘이기 때문에 글에서 여러 차례 다른 표현으로 반복되어 제시되었을 가능성이 높습니다.

● alternative 대안 ● consist in ~에 있다 ● unification 통합 ● body 많은 양(모음) ● minimal 최소의 ● generalization 일반화 ● framework 틀 ● observable 관찰할 수 있는 ● systematize 체계화하다 ● causal 인과 관계의 ● mechanical 기계론적인 ● uncover 밝혀내다 ● primary 주요한, 일차적인 ● regularity 규칙성 ● assumption 추정

Word List for Week 1

001	a puff of wind	p. 25	(훅 날아오는) 적은 양의 바람
002	a range of	p. 19	다양한
003	abandon	p. 18	버리다
004	abstract	p. 20	추상적인
005	accommodate	p. 18	수용하다
006	accompanying	p. 15	동반하는
007	act as	p. 11	~으로 작용하다
008	adapt	p. 11	적응하다
009	adhere	p. 18	집착하다, 고수하다
010	adjust	p. 14, 23	조정하다
011	administrative authority	p. 20	행정당국, 관리당국
012	administrator	p. 20	행정가
013	air guitar	p. 17	기타 연주 흉내
014	alternative	p. 12	대안, 선택 가능한 것
015	altogether	p. 18	전적으로, 완전히
016	an array of	p. 27	많은
017	analytics	p. 13	분석
018	aroma	p. 10	향기
019	artefact	p. 21	인공물
020	as opposed to	p. 33	~와는 대조적으로
021	aspect	p. 27	면, 측면
022	assembly	p. 15	조립
023	assess	p. 24	평가하다
024	assessment	p. 22	평가
025	associate with	p. 24	~와 함께하다, ~와 어울리다

Word List for Week 1

Word List for Week 1

101	enthusiastically	p. 29	열광적으로
102	essential	p. 11	필수적인
103	evolve	p. 24	발달하다, 진화하다
104	exclude	p. 29	배제하다
105	exemplify	p. 22	~의 전형적인 사례가 되다, 예증하다
106	figure out	p. 33	~을 알아내다, ~을 이해하다
107	financial	p. 21, 26	재정의
108	firmly	p. 29	굳건하게
109	flick	p. 23	(스위치를) 탁하고 누르다
110	follow	p. 21	(결과가) 뒤따르다, 결과가 나오다
111	former	p. 21	전자
112	frequently	p. 14	빈번히, 자주
113	function	p. 12, 24	기능, 역할, 함수; 기능하다
114	fund of knowledge	p. 17	지식의 축적
115	fundamental	p. 28	근본적인
116	further	p. 18	더 나아간, 그 이상의
117	general	p. 12	일반적인
118	generally	p. 33	일반적으로
119	get into shape	p. 19	몸 상태를 좋게 만들다
120	given	p. 24	주어진
121	go off	p. 23	자리를 벗어나다
122	governance	p. 20	지배
123	habitat	p. 27	서식지
124	habituate to	p. 25	~에 익숙해지다
125	hatefulness	p. 16	미움, 불쾌감

Word List for Week 1

Word List for Week 1

Word List for Week 1

Word List for Week 2

Word List for Week 2

Word List for Week 2

Word List for Week 2

151	hesitant	p. 78	주저하는, 망설이는
152	hijacker	p. 56	(비행기 또는 차량) 납치범
153	honor	p. 70	예우하다, 명예를 주다
154	hooray	p. 78	만세
155	ideal	p. 68	이상
156	identical	p. 41	동일한
157	ignorance	p. 66, 70	무지
158	illustrate	p. 43	보여주다, 실증하다
159	immigrant	p. 76	이민자
160	impressive	p. 59	인상적인
161	in awe of	p. 59	깊은 감명을 받은
162	in effect	p. 66	사실상
163	in terms of	p. 52	~ 면에서, ~에 관해서
164	inaccessible	p. 74	접근하기 어려운
165	incentive	p. 54	유인책, 장려책
166	incredible	p. 51, 59	엄청난, 놀라운
167	incubation	p. 74	배양
168	index	p. 54	색인
169	indication	p. 48	암시, 조짐
170	inhabitant	p. 71	주민, 거주자
171	inspire	p. 70	고무하다, 격려하다
172	insufficient	p. 74	불충분한
173	intended	p. 55	의도된
174	interference	p. 71	간섭, 방해
175	interrupt	p. 56	방해하다

Word List for Week 2

201	meter	p. 68	운율, 박자
202	microorganism	p. 52	미생물
203	microscopic	p. 74	(현미경으로 보아야 볼 수 있을 정도로) 미세한
204	mindset	p. 70	사고방식
205	miserable	p. 78	비참한
206	mistakenly	p. 78	잘못하여, 실수로
207	molecular	p. 52	분자의　molecule 분자
208	monk	p. 51	수도승
209	mount	p. 48	고정하다, 설치하다
210	navigational	p. 54	탐색의
211	negotiate	p. 72	협상하다
212	notify	p. 78	알리다, 통지하다
213	notion	p. 50	개념
214	numerous	p. 56	많은
215	objective	p. 42, 70	객관적인
216	obsession	p. 50	강박 (관념)
217	obstruction	p. 48	방해
218	organic material	p. 57	유기 물질
219	originate	p. 65	나타나다, 기원하다
220	output	p. 59	생산량, 산출량
221	overly	p. 78	너무, 몹시
222	overstate	p. 69	과장하다
223	paddle	p. 48	노, 노 모양의 물체
224	participate in	p. 78	~에 참가하다
225	permanence	p. 49	영속성

Word List for Week 2

Word List for Week 2

수능전략 | 독해 150

수능에 꼭 나오는
필수 유형 ZIP 2